studio [express]

KOMPAKTKURS DEUTSCH
Deutsch als Fremdsprache

Kursbuch | Übungsbuch

A2

von Hermann Funk
und Christina Kuhn

Übungen:
Laura Nielsen sowie Britta Winzer-Kiontke

Phonetik:
Beate Lex sowie Beate Redecker

D1456073

 Ihre interaktiven Übungen finden Sie hier:

1. Registrieren Sie sich auf scook.de/eb.
2. Tippen Sie den Code ein.
3. Viel Spaß mit den interaktiven Übungen!

Dieses Buch gibt es auch auf
www.scook.de/eb

 Es kann dort nach Bestätigung
der AGB und Lizenzbedingungen
genutzt werden.

Buchcode: **hwbqq-3tgnc**

Cornelsen

studio [express] – Der Kompaktkurs Deutsch A2
Deutsch als Fremdsprache

Herausgegeben und erarbeitet von Hermann Funk
und Christina Kuhn

Übungen: Laura Nielsen und Britta Winzer-Kiontke

Redaktion: Maria Giovanna Mirisola, Laura Nielsen,
Vanessa Wirth sowie Maria Funk und Dagmar Garve

Redaktionsleitung: Gertrud Deutz

Phonetik: Beate Lex sowie Beate Redecker

Beratende Mitwirkung: Spiros Koukidis (Athen)

Illustrationen: Andrea Naumann, Andreas Terglane: S. 10, 19, 31, 51, 55, 60, 68, 71, 89, 99 oben, 104,
110 f., 115, 121, 124, 125, 128, 130 f., 133, 137 ff.

Umschlaggestaltung, Layout und technische Umsetzung: Klein & Halm Grafikdesign, Berlin

Tonstudio: Clarity Studio, Berlin

Regie und Tontechnik: Christian Marx, Christian Schmitz und Pascal Thinius

Sprecherinnen und Sprecher: Denis Abrahams, Marianne Graffam, Susanne Kreutzer, Sabine Lüders,
Kim Pfeiffer, Benjamin Platz, Christian Schmitz, Felix Würgler

Basierend auf **studio d A2** von Hermann Funk, Christina Kuhn und Silke Demme sowie **studio [21] A2**
von Hermann Funk, Christina Kuhn und Britta Winzer-Kiontke

www.cornelsen.de

1. Auflage, 1. Druck 2017

Alle Drucke dieser Auflage sind inhaltlich unverändert
und können im Unterricht nebeneinander verwendet werden.

© 2017 Cornelsen Verlag GmbH, Berlin

Druck: Media Print Informationstechnologie GmbH, Paderborn

ISBN: 978-3-06-549972-9

Symbole

? Hörverstehensübung

😊 Ausspracheübung

⚙ Übung zur Automatisierung

🔍 Fokus auf Form,
Verweis auf die Grammatik-
übersicht im Anhang

PEFC zertifiziert
Dieses Produkt stammt aus nachhaltig
bewirtschafteten Wäldern und kontrollierten
Quellen.

PEFC
PEFC/04-31-0810

www.pefc.de

Vorwort

Liebe Deutschlernende, liebe Deutschlehrende,

studio[express] – Der Kompaktkurs Deutsch richtet sich an lerngewohnte Erwachsene ohne Deutsch-Vorkenntnisse, die im In- und Ausland Deutsch lernen. Der Kurs ist in drei Gesamtbänden bzw. in sechs Teilbänden erhältlich und führt zur Niveaustufe B1 des Gemeinsamen europäischen Referenzrahmens.

studio[express] A2 enthält zwölf Einheiten. Jede Einheit besteht aus sechs Seiten für gemeinsames Lernen, vier Seiten Übungen zum Wiederholen und Festigen sowie ca. 30 interaktiven Online-Übungen für ein intensives, individuelles Lernen nach der Präsenzphase – zuhause oder unterwegs.

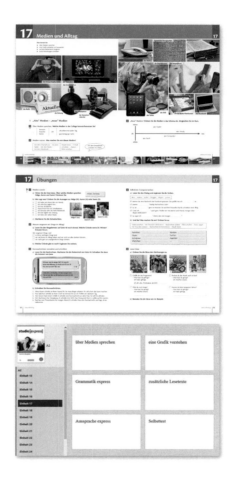

Jede Einheit beginnt mit einer emotional ansprechenden, großzügig bebilderten Doppelseite, die vielfältige Einblicke in den Alltag in D-A-CH vermittelt und zum themenbezogenen Sprechen anregt. Die Redemittel und die Wort-Bildleisten helfen dabei.

Im Mittelpunkt der nächsten zwei Doppelseiten stehen aktives Sprachhandeln und flüssiges Sprechen. In transparenten Lernsequenzen werden alle Fertigkeiten in sinnvollen Kontexten geübt, Grammatik in wohlüberlegten Portionen vermittelt, Phonetik und Aussprache integriert geübt sowie Wörter in Wortverbindungen gelernt. Zielaufgaben führen inhaltliche und sprachliche Aspekte einer Einheit jeweils zusammen. Die Übungen eignen sich für das Weiterlernen im Unterricht oder zuhause.

Die interaktiven Online-Übungen zu Wortschatz und Grammatik sind nach Lernzielen sortiert. Das sofortige Feedback ermöglicht den Lernenden, gezielt an ihren Schwächen zu arbeiten. Zu den interaktiven Online-Übungen gehören auch zusätzliche Lesetexte und ein Selbsttest, mit dem der eigene Lernfortschritt selbst gemessen werden kann.

Alle Audios finden Sie auf unserer Webseite unter www.cornelsen.de/studio-express in der Rubrik Lehren und Lernen.

Wir wünschen Ihnen viel Spaß und Erfolg beim Deutschlernen und Deutschunterricht mit **studio[express] – Der Kompaktkurs Deutsch!**

Inhalt

*interaktive Online-Übungen dazu auf scook.de/eb

Hier lernen Sie

▶ über Sprachen und Migration sprechen
▶ über die eigene Biografie sprechen
▶ Städte und Länder vergleichen
▶ Gründe nennen

Ausgabe 3/2017

Deutschland – das neue Amerika

Immer mehr Menschen in der Welt lernen Deutsch, weil sie auswandern wollen. Die Gründe? Arbeitslosigkeit, Kriege und politische Verfolgung.

Das Jahr 2015 war ein historisches Jahr für Europa, das Jahr der „Flüchtlingskrise". Nie zuvor kamen so viele Menschen über das Mittelmeer oder den Balkan nach Europa.
5 Ihr Ziel war meistens Deutschland. Sie suchten ein neues Leben in Frieden und Freiheit und vor allem Arbeit.

Im 19 Jahrhundert war Amerika das Hauptziel der Menschen, die aus Deutschland, Österreich
10 oder der Schweiz auswanderten. Die Gründe waren die gleichen wie heute: Kriege, politische Verfolgung und Armut. Jede Flucht ist gefähr-

lich. Besonders dramatisch und oft tödlich enden viele Fluchten mit kleinen und alten
15 Schiffen über das Mittelmeer nach Griechenland oder Italien. Den langen und schweren Weg über die Balkanroute nahmen vor allem junge Männer. Im Sommer 2015 öffnete die deutsche Regierung für kurze Zeit die Grenzen.
20 Man schätzt, dass in diesem Jahr fast eine Million Flüchtlinge über Ungarn und Österreich nach Deutschland kamen.

Unsere Redakteurin Sophie Magh berichtet darüber.

38

1 Migration gehört zu Europa

1 **Zum Arbeiten nach Deutschland**

Ü1

a) Überfliegen Sie die Texte aus dem Magazin und sammeln Sie Wörter zu Studium und Beruf in zwei Listen.

b) Lesen Sie die Aussagen über Ahmed, Alice und Isabella. Was passt zu wem?

Ahmed
Alice
Isabella

... hat ein Semester in Frankreich studiert.
... hat in der Schule Deutsch gelernt.
... fährt oft nach Deutschland und Österreich.
... hat einen B1-Kurs besucht.
... hat Deutsch immer Spaß gemacht.
... macht gerade ein Praktikum.
... hat viel auf Deutsch gelesen.

Alice hat Deutsch immer Spaß gemacht.

sechs

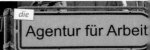

die HUMBOLDT UNIVERSITAET
das GOETHE-INSTITUT
das Bürgeramt
die Agentur für Arbeit

25 Ich heiße Ahmed Yahya. Ich komme aus Aleppo in Syrien und wohne jetzt in Bamberg. Aleppo war eine schöne Stadt mit
30 einer großen Tradition. Es gab in der Altstadt viele schöne Plätze, Restaurants und Cafés, eine Universität mit einem
35 neuen Campus am Stadt-

Ahmed Yahya

rand. Das ist jetzt alles kaputt. Ich bin Mathematiklehrer, meine Frau Djamila ist Krankenschwester. Wir haben zwei Kinder. Mein Sohn Ahmed ist acht Jahre alt, meine Tochter Gharam ist fünf. Meine Frau, mein Sohn und meine Tochter sind jetzt in Jordanien.
40 Sie sind gesund. Ich hoffe, dass sie bald herkommen können. Wir telefonieren jede Woche. Meine Eltern leben nicht mehr. Ich war zuerst in Griechenland und bin im August 2015 über die Balkanroute nach Bayern gekommen. Die Zeit in Ungarn und das
45 Warten waren am schlimmsten.
Ich lerne jetzt Deutsch. Den B1-Kurs habe ich geschafft. Ich möchte gern wieder in der Schule arbeiten, ich weiß aber nicht, ob das möglich ist.

Alice Bradová kommt aus
50 Brno (Brünn), das ist in Tschechien. Sie hat als Kind einen Deutschkurs an der staatlichen Sprachschule besucht
55 und später am Gymnasium weiter Deutsch gelernt, weil ihr Deutsch

Alice Bradová

Spaß gemacht hat. Sie war immer eine gute Schülerin. Sie hat sich sehr für die deutsche Literatur inter-
60 essiert und viel gelesen. Sie hatte sehr gute Noten. Österreich war nicht weit, aber erst 1990 konnte sie öfter als früher dorthin reisen. Heute arbeitet sie in Prag als Marketing-Expertin für Henkel. Das ist ein deutscher Chemiekonzern. Henkel hat in Prag
65 250 Mitarbeiter. Die wichtigsten Kooperationspartner sind in Linz und in Düsseldorf. Alice Bradová reist oft für ihre Firma nach Österreich und nach Deutschland.

Isabella Ranieli ist 26 und
70 Italienerin. Sie kommt aus Neapel, hat in Rom gelebt und in Urbino studiert. Sie war ERASMUS-Studentin. Das heißt, sie ist für ein
75 Auslandssemester nach Frankreich gegangen. Dort hat sie ihren deutschen Freund kennengelernt. Nach dem Studium ist sie
80 nach Hamburg gezogen,

Isabella Ranieli

weil ihr Freund dort studiert hat. Er macht gerade sein Examen. Isabella war in Urbino schon in einem Deutschkurs, aber in Hamburg hat sie noch zwei Intensivkurse besucht. Jetzt macht sie gerade ein
85 Praktikum bei einem Gericht. Sie findet Deutsch fantasiereicher und komplexer als Italienisch und sagt: „Deutsch ist eine Herausforderung, aber man hat auch schnell Erfolg, und das ist ein herrliches Gefühl!"

c) Hören Sie das Interview mit Isabella. Notieren Sie neue Informationen.

2

Die Leute in Deutschland sind ....

....

....

d) Sprechen Sie über Ahmed, Alice und Isabella. Verwenden Sie die Wörter aus den Listen in a).

> *Alice arbeitet in einem deutschen Konzern.*

> *Isabella macht ein Praktikum.*

> *Ahmed möchte wieder in der Schule arbeiten.*

2   Ist Deutsch ein „Plus" oder ein „Muss"?

1 **Gute Gründe für Deutsch – warum junge Menschen Deutsch lernen**

3   Ü2–4

a) Lesen und hören Sie die Aussagen. Ordnen Sie die Personen zu.

Ich hatte Deutsch in der Schule, aber ich habe 5 nicht viel gelernt. Dann war ich als ERASMUS-Studentin ein Semester in Saarbrücken. Für das Studium dort ist Deutsch 10 ein „Muss". Englisch aber auch. Ich möchte mein Studium in Deutschland abschließen und dann in Frankreich arbeiten.

Florence Chauvey, Frankreich

Marina Rajkova, Bulgarien

In China lernen die meisten Menschen Englisch, weil 5 es wichtig für die Arbeit ist. Studieren in den USA oder England ist aber sehr teuer. Mein Traum ist ein Studienplatz in 10 Europa. Ich lerne Deutsch, weil ich in Deutschland oder Österreich Maschinenbau oder Elektrotechnik studieren will.

Wei-Chen Chen, China

Vangelis Koukidis, Griechenland

Ich komme aus dem Sudan. Mein Berufsziel ist Deutsch-5 lehrer. Ich habe Deutsch an der Universität in Khartoum gelernt und studiere jetzt in Jena. Die deutsche 10 Sprache hat mich schon immer fasziniert. Deutschlernen ist jetzt in der arabischen Welt sehr populär.

Osama Mohammed Ali Elfadi, Sudan

Glauco Vaz Feijó, Brasilien

1. .... lernt Deutsch, weil sie/er in Deutschland studieren will.

2. .... studiert Deutsch, weil sie/er Deutschlehrer werden will.

3. .... lernt Deutsch, weil Deutschlernen Spaß macht und sie/er bei einer deutschen Firma arbeitet.

4. .... macht einen Deutschkurs, weil sie/er deutsche Literatur toll findet.

5. .... lernt Deutsch, weil sie/er später in einer deutschen Firma arbeiten möchte.

6. .... sagt: „Für ein Studium in Saarbrücken muss man Deutsch und Englisch sprechen."

b) Textverstehen prüfen. Setzen Sie die Informationen aus den Lese- und Hörtexten ein.

Es gibt viele Gründe, warum Menschen Deutsch lernen:

1. Glauco und Vangelis .... bei einer deutschen Firma.

2. Ein .... ist in Deutschland billiger als in England oder in den USA.

3. Florence war ein .... in Saarbrücken.

4. Wei-Chen Chen möchte gern in Europa ....

5. Osama hat Deutsch .... gelernt. Er .... jetzt in Jena.

6. .... hat nicht viel Kontakt zu Deutschen, lernt aber gerne Deutsch.

7. .... findet, Deutsch klingt hart.

8. Florence braucht zwei Sprachen im Studium: .... und ....

c) Und Sie? Warum lernen Sie Deutsch? Schreiben Sie.

....

....

2 Tatsachen und Gründe

Ü5

a) Vergleichen Sie im Kurs.

Was ich tue (Tatsache)	**Warum ich es tue (Gründe)**
Ich habe Deutsch gelernt, …	… weil meine Frau Deutsche ist. … weil ich in Deutschland studieren will. … weil ich in Österreich Ferien machen möchte. …

Warum ich es tue (Gründe)	**Was ich tue (Tatsache)**
Weil ich nach Australien ziehen möchte, … Weil ich mich für amerikanische Geschichte interessiere, … Weil ich in einer internationalen Firma arbeite, …	… habe ich Englisch gelernt.

b) Markieren Sie die Verben im Nebensatz mit *weil* in 1a und 2a.

3 Gründe nennen. Nebensätze mit *weil*. **Lesen Sie die Sätze und ergänzen Sie die Regel.**

1   Ü6

1. Ich habe Deutsch gelernt, weil ich deutsche Literatur interessant finde.
2. Ich habe Englisch gelernt, weil ich früher gerne amerikanische Serien geschaut habe.
3. Weil ich in Berlin arbeiten will, habe ich Deutsch gelernt.

> **Regel** **a** Im Nebensatz steht das Verb ....
>
> **b** Im Nebensatz mit Partizip steht das konjugierte Verb ....
>
> **c** Im Nebensatz mit Modalverb (z. B. *wollen*) steht das Modalverb ....

4 Meine (Lern-)Biografie. **Schreiben Sie einen kurzen Ich-Text.**

> Ich habe … gelernt, weil …
> Ich habe … studiert / als/bei … gearbeitet

Landeskunde

ERASMUS hat Geburtstag. Seit genau 30 Jahren existiert das ERASMUS-Programm der EU und es läuft noch bis 2020. Fast 300.000 Studenten pro Jahr verbringen mindestens ein Semester im Ausland mit der finanziellen Unterstützung des Programms. ERASMUS ist aber nicht nur eine akademische Erfolgsgeschichte. Etwa ein Drittel der ERASMUS-Teilnehmer und Teilnehmerinnen heiraten später international. ERASMUS: die größte Heiratsagentur Europas? Die EU-Kommissarin für Bildung Androulla Vassiliou schätzt, dass es etwa eine Million „Erasmus-Babys" gibt – junge Europäer, die mit zwei und mehr Sprachen aufwachsen.

5 Über die eigene Biografie sprechen. **Arbeiten Sie zu zweit. Fragen Sie und antworten Sie.**

> Welche Sprache(n) hast du gelernt?

> Warum hast du …?

> Was/Wo hast du studiert/ gelernt/gearbeitet?

Redemittel

Ich habe Deutsch/Englisch/Spanisch/… gelernt, weil …
… ein Praktikum gemacht. / … einen Job gefunden.
… studiert/gearbeitet/geheiratet.

3 Vergleiche und Rekorde

1 **Sprachen vergleichen. Was passt zu welcher Sprache? Was meinen Sie?**

> Englisch – Chinesisch – Französisch – Deutsch – Russisch – Arabisch – Spanisch – Portugiesisch – …

1. .... ist eine Weltsprache.

2. .... lernen die meisten Menschen als erste Fremdsprache.

3. .... ist am Anfang leichter, aber später nicht mehr.

4. .... ist die Muttersprache der meisten Menschen in der Europäischen Union.

5. .... ist nützlich im Beruf.

6. .... ist in der Schule oft die zweite Fremdsprache.

7. .... ist nicht leichter und nicht schwerer als andere Sprachen.

8. .... lernen die meisten Menschen als Fremdsprache.

2 **Internationale Wörter**

a) **Hören Sie. Wie viele Sprachen haben Sie gehört? Erkennen Sie die Wörter?**
4

b) **Hören Sie, notieren Sie die Wörter und markieren Sie die Akzente. Hören Sie noch einmal und sprechen Sie nach.**
5
Ü7

1. *das ʼRadio* ....

2. ....

3. ....

4. ....

5. ....

6. ....

7. ....

8. ....

9. ....

3 **Höher, schneller, weiter als …? Der Komparativ**

a) **Diese Komparative kennen Sie schon. Ergänzen Sie.**

gern: .... viel: .... gut: ....

b) **Was tun Sie lieber? Berichten Sie.**

Ich esse	Pizza			Döner.
Ich trinke	Cola			Wasser.
Ich höre	Rock	lieber als		Klassik.
Ich lese	Zeitungen			Bücher.

Ich … lieber …

c) **Sammeln Sie Komparative in den Texten auf Seite 6/7.**

… öfter als, …

d) **Markieren Sie die Komparative und ergänzen Sie die Regel.**
12

Ist Englisch leichter als Deutsch?
Lernen Kinder schneller als Erwachsene?
Griechisch ist älter als Latein.
Die meisten Schüler im Englischunterricht sind jünger als 14.

> **Regel** Komparativ: Adjektiv + Endung .... + *als*

Was ist schwerer, ein Kilo Blumen oder ein Kilo Metall?

4 Landeskundequiz

Ü8–9

a) Lesen Sie die Fragen und kreuzen Sie an.

1. Welcher deutsche See ist am größten?
   a ☐ der Edersee
   b ☐ die Müritz
   c ☐ der Bodensee
   d ☐ der Chiemsee

2. Welcher Zug ist am schnellsten?
   a ☐ der französische TGV
   b ☐ der japanische Shinkansen
   c ☐ der deutsche ICE
   d ☐ der britische Intercity

3. Welche Uhren gehen am genauesten?
   a ☐ Atomuhren
   b ☐ Digitaluhren
   c ☐ Kuckucksuhren
   d ☐ Schweizer Uhren

4. Welche Stadt in Deutschland liegt am nördlichsten?
   a ☐ Hannover
   b ☐ Rostock
   c ☐ Flensburg
   d ☐ Kiel

b) Schreiben Sie weitere Quizfragen im Kurs. Fragen Sie und antworten Sie.

> _Quiz der Rekorde_
>
> _Welche Stadt in ... ist am größten?_
> _Welcher Berg in ... ist am höchsten?_
> _Welcher Fluss in ... ist am längsten?_

c) *am höchsten, am größten* ... Markieren Sie die Superlative in a) und b).

12

5 Rekorde vergleichen. **Welche Informationen passen? Ergänzen Sie.**

Ü10

| 913 Kilo – 5 Meter 34 – 27 Meter – 100 englische Pfund – 2400 Kilo – 3 Minuten |

WELT-REKORDE

Der **größte Hamburger** im Jahr 2012 kommt aus Carlton in Minnesota (USA). Er wiegt ...., auf dem Hamburger waren 22 Kilo Tomaten.

Das **dickste Sandwich** war aber schwerer als der Hamburger. Das kommt auch aus den USA, aus Michigan. Es war .... schwer und .... hoch.

Das **teuerste Sandwich** kommt aus Buckinghamshire in England (2007) und kostet ....

Die **schnellste Nudelküche** gehört Fei Wang (2008). Er hat drei Portionen Nudeln in .... gemacht.

In Frankreich hat man 2002 das **längste Steak** serviert. Es war 25 Meter länger als die Kuh, nämlich .... lang. Wie ist das möglich?

1 **Studium und Beruf**

a) **Welche Situationen verbinden Sie mit dem Studium und welche mit dem Beruf? Tragen Sie A (Studium), B (Beruf) oder C (beide) ein.**

b) **Arbeit mit dem Wörterbuch. Ordnen Sie die Definitionen zu.**

☐ der Konzern ☐ die Krise ☐ der Kooperationspartner
☐ der Arbeitsplatz ☐ das Praktikum ☐ der Experte

a
Ort, an dem man arbeitet

c
ein Teil der Ausbildung in einer Firma

e
Fachmann für einen Beruf

b
schwere Situation oder Zeit, z. B. für eine Person, ein Land oder eine Firma

d
jmd., der mit anderen zusammenarbeitet

f
verschiedene Firmen, die zusammen eine Verwaltung haben

c) **Ergänzen Sie die Sätze. Hören Sie dann und kontrollieren Sie.**

2

Marketing-Studium – Auslandssemester – Examen – ERASMUS-Programm

1. Ein .... testet das Wissen, z. B. am Ende vom Studium oder von der Ausbildung.

2. Das .... ist ein Programm für Studenten. Sie können für ein oder zwei Semester im Ausland studieren und bekommen von der EU etwas Geld.

3. In Deutschland ist das .... sehr beliebt, viele Studenten interessieren sich für dieses Studium.

4. Viele Studenten machen in ihrem Studium ein .... Sie leben und studieren dann in einem anderen Land und lernen Sprachen.

d) **Lesen Sie die Texte auf Seite 6/7 noch einmal und beantworten Sie die Fragen.**

1. Wo wohnt Ahmed jetzt?
2. Wo lebt seine Familie?
3. Wo arbeitet Alice?
4. Was gefällt Alice an der deutschen Sprache?
5. Wo war Isabella als ERASMUS-Studentin?
6. Wo hat Isabella Deutsch gelernt?

2 **Ein Interview mit Jannis. Was ist richtig? Hören Sie das Interview und kreuzen Sie an.**

3

1. ☐ Jannis ist Krankenpfleger.
2. ☐ Jannis arbeitet in einem Krankenhaus in Dortmund.
3. ☐ Er hat ein ERASMUS-Semester in Köln gemacht.
4. ☐ Deutsch hat er in der Schule gelernt.
5. ☐ Jannis hat in Dortmund einen Intensivkurs gemacht.

3 Auma Obama: eine Biografie

a) Lesen Sie und schreiben Sie kurze Notizen zu der Biografie.

1960 *geboren in Kenia*

Auma Obama, geb. 1960, kommt aus Kenia. In der *Kenya High School* in Nairobi hat sie 1976 Deutsch gelernt. Sie hat ab 1980 in Saarbrücken und Heidelberg Germanistik studiert, weil sie sich sehr für deutsche Literatur und Geschichte interessiert. Sie mag die Schriftsteller Heinrich Böll und Christa Wolf.

1988 hat sie an der Universität in Nairobi und am Goethe-Institut Nairobi gearbeitet. Ein Jahr später ist sie zurück nach Deutschland gegangen. Sie hat in Bayreuth promoviert, an der Filmakademie in Berlin studiert und als Journalistin gearbeitet.

Seit 2006 lebt Auma Obama wieder in Kenia und arbeitet bei der Organisation *Care International* in Nairobi. 2008 hat sie ihrem Bruder Barack Obama bei der Präsidentenwahl geholfen. 2010 hat sie ihre Biografie *„Das Leben kommt immer dazwischen. Stationen einer Reise"* geschrieben. Sie hat immer noch viel Kontakt zu Deutschen und spricht sehr gut Deutsch.

- 64 -

b) Was ist richtig? Lesen Sie noch einmal und kreuzen Sie an.

1. Auma Obama hat Deutsch
   a ☐ in der Schule in Bayreuth gelernt.
   b ☐ in der Schule in Nairobi gelernt.
   c ☐ am Goethe-Institut in Nairobi gelernt.

2. Auma Obama ist
   a ☐ Germanistin und Journalistin.
   b ☐ Ärztin und Journalistin.
   c ☐ wie ihr Bruder in der Politik.

3. Auma Obama
   a ☐ interessiert sich für das deutsche Theater.
   b ☐ liebt deutsches Essen.
   c ☐ mag deutsche Literatur.

4. Auma Obama
   a ☐ spricht sehr gut Deutsch und Französisch.
   b ☐ kennt immer noch viele Deutsche.
   c ☐ liest immer noch gern auf Deutsch.

4 Flüssig sprechen. Hören Sie und sprechen Sie nach.

4

1. Deutsch gelernt. – Deutsch in der Schule gelernt. – Auma hat Deutsch in der Schule gelernt.
2. Germanistik studiert. – Germanistik in Saarbrücken und Heidelberg studiert. – Auma hat Germanistik in Saarbrücken und Heidelberg studiert.
3. als Journalistin gearbeitet. – in Deutschland als Journalistin gearbeitet. – Auma hat in Deutschland als Journalistin gearbeitet.
4. geholfen. – Barack Obama geholfen. – Auma hat Barack Obama geholfen.

5 Gründe für das Deutschlernen. Verbinden Sie.

Ahmed lernt Deutsch, **1**
Alice hat Deutsch gelernt, **2**
Isabella lernt Deutsch, **3**
Auma hat Deutsch gelernt, **4**
Florence lernt Deutsch, **5**

a weil sie deutsche Literatur und Geschichte mag.
b weil Deutsch Spaß gemacht hat.
c weil er in Deutschland leben und arbeiten will.
d weil ihr Freund ein Deutscher ist.
e weil sie in Deutschland Examen machen will.

6 Gründe nennen

a) Verbinden Sie die Sätze mit *weil*.

1. Glauco kauft eine deutsche Grammatik. Er will den B1-Test machen.

....

2. Marina hat in der Schule viel Deutsch gelernt. Sie hatte jeden Tag Deutschunterricht.

....

3. Vangelis arbeitet in einem Verlag. Er liest gern.

....

4. Vangelis sieht seine Eltern häufig. Der Flug von Berlin nach Athen ist billig.

....

b) Lesen Sie die Texte auf Seite 8 noch einmal und beantworten Sie die Fragen.

1. Warum lernen viele Chinesen Englisch?
2. Warum lernt Florence Deutsch?
3. Warum lernt Osama Deutsch?

> *Viele Chinesen lernen*
> *Englisch, weil ...*

7 Wortakzent in internationalen Wörtern

> der Intensivkurs – das E-Book –
> die Universität – das Radio – die Politik

a) Ordnen Sie die Wörter den Zeichnungen zu.

....

?
5
b) Ergänzen Sie die passenden Wörter. Hören Sie dann und kontrollieren Sie Ihre Lösungen.

1. Ich höre Musik mit dem .... oder mit dem Computer.

2. Ich studiere an der .... Bonn Wirtschaft und .... In zwei Monaten gehe

ich für ein Auslandssemester nach Seoul. Ich mache einen .... Koreanisch.

3. Fremdsprachen lerne ich an der Volkshochschule. Ich lerne aber auch gern zu Hause mit

dem ....

c) Hören Sie noch einmal, markieren Sie die Akzente in den internationalen Wörtern und sprechen Sie die Wörter schnell.

8 Komparativ und Superlativ

a) Markieren Sie die Komparative und Superlative und schreiben Sie sie in die Tabelle in b).

L	F	O	M	E	R	E	L	U	N	O	L	Ä	N	G	E	R	H	F	T	K	B	R	H
Ä	F	F	E	N	H	Ö	H	E	R	C	G	F	S	A	R	P	K	L	R	Ü	I	L	Ö
N	A	E	I	L	Z	S	T	H	Ä	S	S	L	I	C	H	S	T	E	P	R	O	A	C
G	R	S	C	H	N	E	L	L	E	R	Q	K	H	A	Y	W	E	N	F	Z	S	N	H
S	H	Ö	C	H	B	P	E	R	L	K	S	C	H	N	E	L	L	S	T	E	N	G	S
T	H	Ä	S	S	L	I	C	H	E	R	Z	A	V	B	R	D	K	K	I	R	G	Ö	T
E	I	N	E	D	G	T	I	D	B	A	L	Q	B	E	I	D	J	P	H	M	X	S	E
N	E	N	E	O	D	M	V	I	E	L	E	Ü	I	K	Ü	R	Z	E	S	T	E	E	N

b) Ergänzen Sie dann die Tabelle.

Grundform	Komparativ	Superlativ	
lang	länger als	am längsten	der/das/die längste

9 **Tierrekorde. Ergänzen Sie die passenden Adjektive im Komparativ und im Superlativ.**

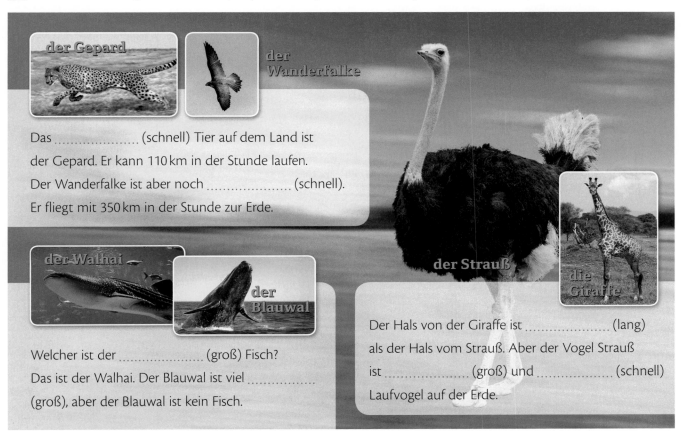

Das .... (schnell) Tier auf dem Land ist
der Gepard. Er kann 110 km in der Stunde laufen.
Der Wanderfalke ist aber noch .... (schnell).
Er fliegt mit 350 km in der Stunde zur Erde.

Welcher ist der .... (groß) Fisch?
Das ist der Walhai. Der Blauwal ist viel ....
(groß), aber der Blauwal ist kein Fisch.

Der Hals von der Giraffe ist .... (lang)
als der Hals vom Strauß. Aber der Vogel Strauß
ist .... (groß) und .... (schnell)
Laufvogel auf der Erde.

10 **Sprache im Internet. Lesen Sie den Text und ergänzen Sie *als* und die Formen von *viel* und *wenig*.**

> **Welche Sprachen findet man am meisten im Internet?**
> Mehr als jede zweite Webseite ist auf Englisch und Chinesisch. Die meisten Personen im Internet
> sprechen Englisch (26,8 %) und Chinesisch (24,2 %). Danach folgen die Sprachen Spanisch (7,8 %),
> Japanisch (4,7 %), Portugiesisch (3,9 %), Deutsch (3,6 %) und Arabisch (3,3 %). 3 % der Personen
> sprechen Französisch und Russisch. Koreanisch ist mit 2 % die „kleinste" der untersuchten Sprachen.

1. In keiner Sprache gibt es *mehr* Webseiten .... auf Englisch und Chinesisch.

2. Aber es gibt .... englischsprachige Personen im Internet .... chinesische.

3. Auf Portugiesisch gibt es .... Seiten .... auf Deutsch.

4. Man findet auf Arabisch .... Internetseiten .... auf Deutsch und auf Japanisch.

Hier lernen Sie

▶ über die Familie sprechen
▶ Fotos und Personen beschreiben
▶ jmdn. beglückwünschen /
   jmdn. einladen
▶ die eigene Meinung ausdrücken

1 Familie Saalfeld

1 Jacquelines Familie

a) Sehen Sie Foto 1 an und lesen Sie den Text. Wer ist Jacqueline?

Ich heiße Jacqueline Fischer-Saalfeld. Das Foto von unserer Familie haben wir letzten Sommer
auf Vaters 60. Geburtstag gemacht. Auf dem Foto sitze ich mit meinem Sohn Lukas in der Mitte
hinter meinem Schwager Marko und seinem Hund Rudi. Mein Vater Günther steht oben rechts.
Daneben, das ist meine Mutter Marianne Saalfeld. Ihr Geburtsjahr ist 1959. Sie ist sechs Jahre jünger
5 als mein Vater. Meine Eltern wohnen jetzt in Potsdam. Sie sind sehr stolz auf ihre drei Enkelkinder
und freuen sich immer über Besuch. Und die Enkel sind gerne bei Oma und Opa. Mein Bruder
Matthias steht hinten in der Mitte neben meiner Mutter. Links hinten stehen meine Schwester
Karina und ihr Mann Jan Kowalski. Karina ist zwei Jahre jünger als ich. Unten rechts sitzt meine
Schwester Tonia mit ihrer Tochter.

b) Wer steht wo? Beschreiben Sie.

> Matthias steht neben/hinter
> Marianne. Jan steht ...

2017 geboren | ein Kind taufen | die Geschwister | die Zwillin

2

3

2 Über die Familie sprechen

?

6
Ü1–2

a) Die Saalfelds. Hören Sie und ordnen Sie zu.

Günther und Marianne	**1**	**a**	arbeitet bei einer Softwarefirma in Halle.
Jan	**2**	**b**	haben ein Haus mit Garten.
Jacqueline	**3**	**c**	wohnen in Leipzig.
Jan und Karina	**4**	**d**	interessiert sich für Oldtimer.
Matthias	**5**	**e**	wohnt mit Lukas in Berlin.

?

7

b) Alte Familienfotos. Sehen Sie die Fotos 2 und 3 an und hören Sie. Wie heißen die Personen? Was ist eine Zuckertüte und wann bekommt man sie?

3 Und Ihre Familie? Erzählen Sie.

Ü3

> ### Redemittel
>
> **über die Familie sprechen**
>
> | | |
> |---|---|
> | Ich habe | einen Mann / eine Frau / einen Partner / eine Partnerin.
 ein Kind / zwei/drei/keine Kinder.
 eine Tochter / zwei/… Töchter.
 einen Sohn / zwei/… Söhne.
 einen Bruder / zwei/… Brüder.
 eine Schwester / zwei/… Schwestern. |
> | Ich lebe | bei meinen Eltern / mit meinem Partner / mit meiner Partnerin / allein. |
> | Ich bin | Single/ledig/verlobt/verheiratet/geschieden/verwitwet. |

Ich habe keine Geschwister.
Ich bin ein Einzelkind.

Mein Großvater ist schon lange tot.

in die Schule kommen

Hochzeit feiern

der Ehering

der Enkel

2 Meine Verwandten

1 **Familienwörter wiederholen. Wörter in Paaren lernen. Finden Sie noch mehr Beispiele?**
Ü4

> 👍 **Lerntipp**
>
> die Tante und der Onkel   die Nichte und der Neffe   die Cousine und der Cousin

🔍 **2** *s* **am Nomen. Wer gehört zu wem? Fragen und antworten Sie.**
7 Ü5

1. Ist das die Tochter von Tonia?
2. Ist das der Hund von Marko?
3. Sind das Günthers und Mariannes Kinder?
4. Ist das die Frau von Marko?
5. Ist das die Schwiegermutter von Jan?

Ja, das ist Tonias Tochter.

3 **Über Fotos sprechen. Zeigen Sie Fotos von Ihrer Familie. Fragen und antworten Sie.**
Ü6

Redemittel	
über Fotos sprechen	
Wer ist das	vorn / da hinten / rechts / links / in der Mitte / hier?
Das ist/sind Vorn/Hinten / In der Mitte / Rechts/Links ist/sind	meine/unsere Urgroßeltern / meine/unsere Großeltern. mein/unser Großvater (Opa) / meine/unsere Großmutter (Oma). mein/unser Vater / meine/unsere Mutter/Eltern. mein Mann / meine Frau / meine/unsere Kinder. mein/unser Enkel / meine/unsere Enkelin/Enkelkinder. mein/unser Sohn / meine/unsere Tochter. mein/unser Bruder / meine/unsere Schwester. mein/unser Schwiegersohn / meine/unsere Schwiegertochter/Schwiegereltern. mein/unser Schwager / meine/unsere Schwägerin.

🔍 **4** **Wie geht's denn ...? Fragen und antworten Sie.**
8, 9

Wie geht's denn	Ihrem/deinem Ihrer/deiner Ihren/deinen	Vater/Bruder/Sohn? Mutter/Schwester/Tochter? Eltern/Kindern/Geschwistern?

Wie geht's denn deiner Mutter?

Wie geht's denn Ihrem Vater?

Danke, gut!

Danke, es geht so.

Leider nicht so gut!

5 Partnerinterviews. **Fragen Sie Ihre Partnerin / Ihren Partner und berichten Sie.**

Ü7

Mit wem gehen Sie ins Kino?
Mit wem machst du Sport?
Mit wem fährst du in den Urlaub?
Mit wem arbeiten Sie im Büro?

Chef/in
Kollege/Kollegin
Freund/in
Familie
Bruder/Schwester
Kollegen/Kolleginnen
…

Am liebsten mit meiner Cousine.

Meistens mit meinem Kollegen.

6 Meine Familie und ich. **Schreiben Sie einen Ich-Text.**

Zu meiner Familie gehören … / Ich habe …
Meine Kinder/Tochter/Eltern / Mein Sohn …
Ich bin … / Seit … lebe/wohne ich in …
Meine Frau/Partnerin / Mein Mann/Partner …

7 Eine Einladung

a) **Wichtige Informationen in einer Einladung. Unterstreichen Sie und vergleichen Sie im Kurs.**

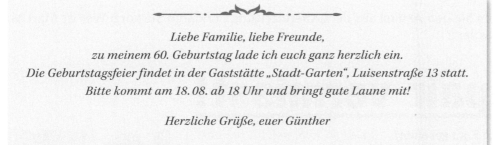

Liebe Familie, liebe Freunde,
zu meinem 60. Geburtstag lade ich euch ganz herzlich ein.
Die Geburtstagsfeier findet in der Gaststätte „Stadt-Garten", Luisenstraße 13 statt.
Bitte kommt am 18.08. ab 18 Uhr und bringt gute Laune mit!

Herzliche Grüße, euer Günther

b) **Schreiben Sie eine Einladung zu Ihrem Geburtstag.**

8 Was schenken Sie wem zum Geburtstag? **Üben Sie.**

Ü8

		Personen	Geschenke
Was schenkst/ schenken/schenkt	du wir Sie ihr	deinem Vater? deiner Oma? unseren Eltern? Ihrem Mann? eurer Tante? …	Ein Buch. Einen Blumenstrauß. Eine CD. Schokolade. Eine Reise. Ein Hemd. …

Herzlichen Glückwunsch!

9 Was ist eine Familie für Sie? **Sprechen Sie im Kurs.**

Ü9

 1  2  3

3 Ein mysteriöser Fall

1 Eine Broschüre lesen. **Was macht ein Au-pair? Sammeln Sie Informationen aus dem Text.**

Als Au-pair arbeiten

Viele junge Menschen auf der ganzen Welt tun es. Sie lernen fremde Sprachen und Kulturen kennen. Und das Beste: Es kostet wenig und man bekommt sogar ein bisschen Geld.
5 *Das gibt's gar nicht? Doch! Es heißt Au-pair. In Deutschland gibt es etwa 30.000 Au-pairs, in der Schweiz mehr als 15.000. Sie wohnen in einer Familie und betreuen die Kinder oder helfen bei der Hausarbeit. Au-pair-*
10 *Agenturen übernehmen die Vermittlung.*

Wollen Sie als Au-pair arbeiten / Möchten Sie Gastfamilie werden? Dann müssen Sie wissen, dass
  – *Aufräumen, Spülen und Bügeln zu Ihren*
15   *Aufgaben gehören können,*
  – *die maximale Arbeitszeit 30 Stunden pro Woche beträgt,*
  – *Unterkunft und Verpflegung kostenlos sind,*
  – *man die Reisekosten selber bezahlen muss.*

2 Einen Artikel lesen

a) Überfliegen Sie den Artikel aus der „Abendzeitung". Erklären Sie kurz: Wer ist Mari M.? Was ist passiert?

Au-pair vermisst!

Wer hat diese Frau gesehen? Mari M. (19) aus Georgien ist seit sechs Wochen Au-pair bei Familie Schirmer. Seit Mon-
5 tag, dem 23.4., vermisst sie die Familie. Mari M. ist weg. Sie hatte am Sonntag einen halben Tag frei und ist nicht zurückgekommen. Ihr Handy
10 ist aus. Die Familie macht sich große Sorgen und hat am Mittwochmorgen die Polizei in Freiburg alarmiert. Herr Schirmer meint, dass sie mit
15 einem weißen Fahrrad unterwegs ist. Er sagt, dass die Familie vor einem großen Rätsel steht. „Wir können uns das nicht erklären. Sie hat

20 sich so wohl gefühlt bei uns! Sie hatte kein Heimweh." Er sagt, dass Mari seit drei Wochen einen neuen Freund hat. Er studiert Informatik in
25 Stuttgart und ist 20 Jahre alt. Herr Schirmer kennt aber seinen Namen nicht. Frau Schirmer berichtet, dass sie Mari mit ihrem neuen Freund
30 letzten Sonntag in einem Café gesehen hat. „Sie haben sich an der Volkshochschule kennengelernt. Er unterrichtet dort einen Informatik-Kurs".
35 Gestern hat die Polizei die Sprachkursteilnehmer in der Volkshochschule befragt und den Freund gefunden. Er hat

Mari M. (19) aus Georgien

gesagt, dass er sie auch seit einer Woche nicht gesehen hat.
40 Mari: groß mit langen blonden Haaren, einer hellblauen Bluse und weißen Jeans. Frau Schirmer sagt: „Mari, bitte melde dich! Der kleine Jonas
45 vermisst dich sehr!"

b) Sammeln Sie Zeitangaben.

1. Seit wann vermisst die Familie Mari?
2. Wann hat die Familie die Polizei alarmiert?
3. Wann war Mari mit ihrem neuen Freund im Café?
4. Wann war die Polizei in der Volkshochschule?

c) Lesen Sie die Zeitungsmeldung und sammeln Sie Informationen über Mari.

Sie ist ... / Sie kommt aus ... / ... / Sie trägt ...

3 Textstellen finden

Ü10–11

a) Notieren Sie die Informationen aus dem Artikel.

1. Womit war Mari unterwegs?   **2.** Wie reagiert die Familie?   **3.** Mit wem war sie im Café?

b) Ergänzen Sie die Regel.

13

> **Regel**   Adjektive im Dativ haben die Endung ....

Minimemo		
	der	
mit	einer	schwarzen Hose
	meiner	

c) Und in Ihrem Kurs? Fragen Sie.

Wer ist die Frau mit den langen Haaren? / ... der Mann mit der schwarzen Jeans? / ...

4 Meinungen

Ü12

a) Suchen Sie die Informationen in der Zeitungsmeldung und ergänzen Sie die Sätze.

1. Herr Schirmer meint, dass ....

2. Maris Freund sagt, dass ....

3. Frau Schirmer berichtet, dass ....

b) Markieren Sie die Verben in den *dass*-Sätzen.

c) Ergänzen Sie die Regel.

2

> **Regel**   Im Nebensatz mit *dass* steht das Verb ....

5 Eine Geschichte gemeinsam schreiben

Ü13

a) Arbeiten Sie in Gruppen. Wählen Sie eine Aufgabe aus und erfinden Sie eine Geschichte.

1. Beschreiben Sie Herrn Schirmer.
2. Beschreiben Sie Frau Schirmer.
3. Beschreiben Sie einen Tag bei den Schirmers zu Hause.
4. Beschreiben Sie Mari.
5. Beschreiben Sie Maris Freund.
6. Was sagen die anderen Kursteilnehmer über Mari?
7. Was macht die Polizei?
8. Wie geht die Geschichte weiter? Schreiben Sie ein Ende.

b) Tauschen Sie die Texte aus. Wie kann man sie noch verbessern (Adjektive, mehr Informationen, Sätze verbinden etc.)? Lesen Sie vor.

6 Ende gut – alles gut?

8

a) Hören Sie den Radiobericht und notieren Sie wichtige Informationen.

Wieder da! Mari M. meldet sich

b) Wer? Wann? Wo? Schreiben Sie eine Kurzmeldung mit den Informationen.

1 Jacqueline erzählt

a) Lesen Sie den Text in 1 auf Seite 16 noch einmal. Notieren Sie Informationen zu den Personen.

Name	Informationen
Jacqueline	Sie hat einen Sohn (Name: Lukas).
Marko	Er hat einen Hund (Name: ...

b) Hören Sie die Beschreibung von Jacqueline in 2 a) auf Seite 17 noch einmal. Welche Informationen sind neu? Ergänzen Sie die Tabelle in a).

6

2 Meine Familie

7

a) Yasmina stellt ihre Familie vor. Hören Sie und ergänzen Sie die Namen und die Familienwörter wie im Beispiel.

Alfred (Opa)

Yasmina

b) Hören Sie noch einmal und notieren Sie Informationen zu den Personen.

Jascha: • ist zwei Jahre jünger als Yasmina
• studiert ...
Alfred: • lebt in Frankfurt, ...

3 Alfreds Familie. Sie sind jetzt Alfred. Beschreiben Sie die Familie. Wie heißen die Familienwörter jetzt?

Das ist meine Familie. Meine Frau heißt Helga.

4 Familienwörter – Wortfamilie. Kombinieren Sie.

die Großfamilie, die Familienfeier

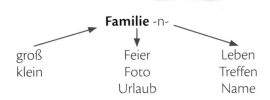

	Familie -n-	
groß	Feier	Leben
klein	Foto	Treffen
	Urlaub	Name

5 s am Nomen. **Echo spielen. Formulieren Sie Sätze wie im Beispiel.**

1. Das ist der Bruder von Yasmina.
2. Das ist die Mutter von Yasmina und Jascha.
3. Das ist der Mann von Sabine.
4. Das ist der Schwager von Wolfgang und Astrid.
5. Das sind die Enkelkinder von Alfred.

> Ach so, das ist Yasminas Bruder.

6 Über Fotos sprechen

a) **Großmutter Gitta stellt ihre Familie vor. Sehen Sie das Foto an. Welche Aussage ist richtig? Kreuzen Sie an.**

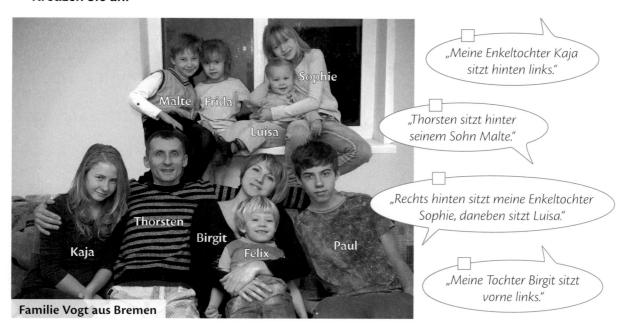

Familie Vogt aus Bremen

☐ „Meine Enkeltochter Kaja sitzt hinten links."

☐ „Thorsten sitzt hinter seinem Sohn Malte."

☐ „Rechts hinten sitzt meine Enkeltochter Sophie, daneben sitzt Luisa."

☐ „Meine Tochter Birgit sitzt vorne links."

b) **Schreiben Sie weitere Sätze zum Foto. Die Redemittel auf Seite 18 helfen.**

„Thorsten sitzt ...

7 Possessivartikel im Dativ. **Ergänzen Sie die Tabelle.**

Grammatik

		der Bruder das Enkelkind	die Tante
Singular	ich	meinem	....
	du	deinem	....
	er/es	seinem	....
	sie	....	ihrer
Plural	wir	....	unserer
	ihr	eurem	eurer
	sie/Sie	....	ihrer/Ihrer
Plural (Nomen)		meinen/unseren Kindern/Tanten/Cousins …	

Minimemo

Artikel im Dativ
meinem/(k)einem
meiner/(k)einer

Minimemo

Dativ Plural
die Kinder → mit den Kindern

8 Einladungen

a) **Lesen Sie die Einladungen und die Wünsche. Ordnen Sie die Wünsche den Einladungen zu.**

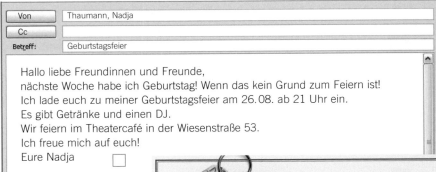

Von	Thaumann, Nadja
Cc	
Betreff:	Geburtstagsfeier

Hallo liebe Freundinnen und Freunde,
nächste Woche habe ich Geburtstag! Wenn das kein Grund zum Feiern ist!
Ich lade euch zu meiner Geburtstagsfeier am 26.08. ab 21 Uhr ein.
Es gibt Getränke und einen DJ.
Wir feiern im Theatercafé in der Wiesenstraße 53.
Ich freue mich auf euch!
Eure Nadja ☐

Einladung zu meiner *Taufe*

Lena

am Sonntag, den 8. Juni 2017 um 10:00 Uhr in der Peterskirche in Wien ☐

Liebe Maja,
unser Haus ist endlich fertig!

Am Sonntag feiern wir unseren Einzug mit Familie und Freunden.
Ab 11 Uhr frühstücken wir bei uns in der Friedensallee 102.

Wir freuen uns auf dich!
Herzliche Grüße
Franzi und Thomas ☐

c *Danke für die Einladung! Viel Glück im neuen Haus!*

a *Herzlichen Glückwunsch! Wir wünschen dir eine tolle Party!*

b *Alles Gute für eure Kleine!*

b) **Was schenken Sie zum Geburtstag, zur Taufe, zum Einzug? Schreiben Sie.**

Ich schenke meinen Nachbarn zum Einzug Brot und Salz.

9 Lebensformen in Deutschland

a) **Hören Sie die drei Interviews und ergänzen Sie die Sätze.**

1. Christine lebt als
S...........................

2. Andy und Rafael leben Z...........................

3. Karin und Uwe sind seit zehn Jahren V...........................

b) **Was ist richtig? Hören Sie noch einmal und kreuzen Sie an.**

1. ☐ Christine ist oft einsam.
2. ☐ Christine macht viel mit ihren Freunden.
3. ☐ Die Nachbarn wissen, dass Andy und Rafael ein Paar sind.
4. ☐ Die Eltern denken, dass Andy und Rafael in einer Wohngemeinschaft leben.
5. ☐ Karin und Uwe haben zwei Töchter.
6. ☐ Karin und Uwe arbeiten beide.

10 **Wo ist Mari? Beschreiben Sie Mari aus dem Artikel in 2 auf Seite 20. Schreiben Sie Sätze wie im Beispiel.**

> *Mari ist eine junge Frau mit einem weißen Fahrrad.*

11 **Katze vermisst. Lesen Sie den Aushang und ergänzen Sie die Adjektivendungen.**

Vermisst!

Wer hat Luci gesehen?

Wir suchen unsere Katze Luci.

Luci ist noch jung....[1], sie ist erst ein Jahr alt.

Luci ist eine groß....[2], schmal....[3] Katze mit

einer schwarz....[4] Nase, einem grau....[5] Fell und mit einem schwarz....[6] Rücken.

Sie hat weiß....[7] Pfoten und grün....[8] Augen.

Bitte meldet euch! Familie Hilpert Tel: 0511 44628

12 **Familie Hilpert und die Katze Luci**

?
9

a) Hören Sie das Telefonat mit Frau Hilpert. Ordnen Sie zu.

Eine Woche lang	**1**	**a**	ist sie wieder normal.
Zwei Wochen lang	**2**	**b**	ist Luci zurückgekommen.
Vor zwei Tagen	**3**	**c**	hat sie lange geschlafen.
Heute	**4**	**d**	war Luci bei einer Frau.
Gestern	**5**	**e**	war Luci weg.

b) Was sagt Frau Hilpert über die Katze?   > *Sie sagt, dass Luci ...*

13 **Personen beschreiben. Sehen Sie das Bild an und beschreiben Sie die Personen wie im Beispiel.**

Nasrin   Marcelo   Dominik   Marco   Diana

> *Der Mann mit dem weißen T-Shirt,*
> *das ist Dominik.*
> *Die Frau mit ...*

Hier lernen Sie

- ▶ über eine Reise sprechen
- ▶ Vermutungen äußern
- ▶ Fahrpläne lesen
- ▶ eine Reise planen und buchen
- ▶ eine Zugfahrt organisieren

1 Eine Reise machen

> Ich sehe ein(e/n) …, aber kein(e/n) …

> Auf dem Foto gibt es ein Smartphone, aber kein(e/n) …

1
Ü1
Im Koffer. Welche Gegenstände sehen Sie auf dem Foto, welche fehlen?

der Autoschlüssel – das Tablet – die BahnCard – der Reisepass – der Stadtplan – die Sonnenbrille –
der Messekatalog – die Postkarte – die Tabletten – der Koffer – der Reiseführer – die Fahrkarte –
der Flyer – der Messeausweis – das Portemonnaie – der Kaugummi – das Geld – das Smartphone –
die Kreditkarte – der Kuli – die Visitenkarte – die Kamera – die Rechnung – der Museumskatalog –
die Uhr – der Fahrplan

2
Ü2
Ein Mann und eine Frau auf Reisen. Was sagt das Foto über die Personen? Äußern Sie Vermutungen.

Wo waren sie?
Wer ist beruflich gereist?
Wer war privat unterwegs?
Was haben sie gemacht?
Welche Verkehrsmittel haben sie benutzt?

Redemittel

Vermutungen äußern

Ich denke, die Frau / der Mann …
Ich denke, dass sie/er eine Geschäftsreise/
Urlaub gemacht hat.
Ich glaube, dass sie/er eine Messe/Konferenz in …
besucht hat / sich die Stadt angesehen /
Verwandte/Freunde / ein Museum besucht hat.
Wahrscheinlich ist sie/er geflogen / mit … gefahren/gereist.

der Reisepass

die Zahnbürste

der Autoschlüssel

der Reiseführer

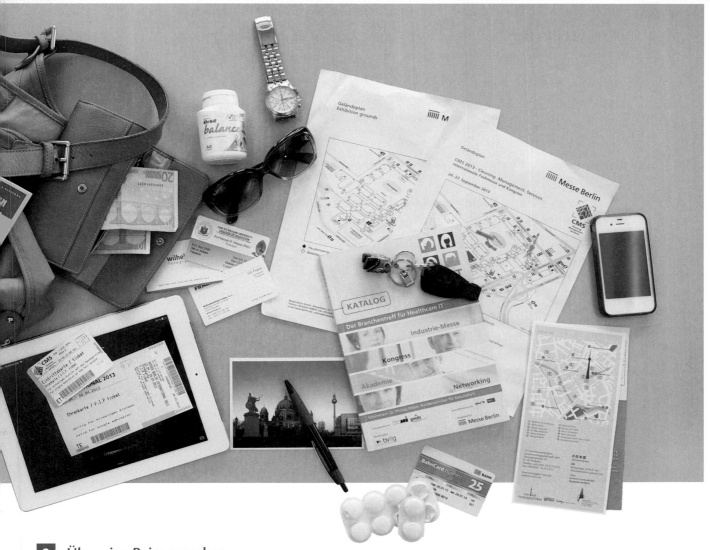

3 Über eine Reise sprechen

a) Hören Sie den Dialog und machen Sie Notizen. Wer? Wo? Was (Aktivitäten)?

9

b) Welche Vermutungen in 2 waren richtig?

4 Koffer packen. Was nehmen Sie auf Reisen mit?

Ü3

immer – manchmal – selten – nie

Ich nehme immer mein Handy mit, aber keinen Computer.

... brauche ich nie.

Manchmal packe ich eine bequeme Hose ein.

der Kaugummi

das Portemonnaie

die Handcreme

der Regenschirm

2 Eine Reise planen und buchen

1 **Von Berlin nach Amsterdam. Informationen zu einer Reise verstehen**
Ü4-5

a) Wann fährt der Zug in Berlin ab? Wann kommt er in Amsterdam an?

Ihre Reisedaten

Details zur Hinfahrt

Bahnhof/Haltestelle	Datum	Zeit	Produkte
Berlin Hbf	Mi 23.8.2017	ab 06:49	ICE 644
Hannover Hbf	Mi 23.8.2017	ab 08:28	
Hannover Hbf	Mi 23.8.2017	ab 08:40	ICE 240
Amsterdam Centraal	Mi 23.8.2017	ab 12:59	

Details zur Rückfahrt

Bahnhof/Haltestelle	Datum	Zeit	Produkte
Amsterdam Centraal	Fr 25.8.2017	ab 13:01	ICE 147
Hannover Hbf	Fr 25.8.2017	ab 17:18	
Hannover Hbf	Fr 25.8.2017	ab 17:31	ICE 641
Berlin Hbf	Fr 25.8.2017	ab 19:07	

b) Ergänzen Sie den Dialog mit Informationen aus dem Fahrplan. Hören Sie dann und
10 **kontrollieren Sie.**

💬 Guten Tag. Ich hätte gern zwei Fahrkarten von Berlin Hauptbahnhof nach Amsterdam.

👂 Hin und zurück?

💬 Ja. Hin am 23. August, ab 6.30 Uhr und zurück am .... August, so gegen 13 Uhr.

👂 Haben Sie eine BahnCard?

💬 Ja, BahnCard 25, 2. Klasse. Hier, bitte.

👂 Zahlen Sie bar oder mit Kreditkarte?

💬 Mit Kreditkarte.

👂 So, einen Moment – das ist Ihre Verbindung.

Sie fahren um .... Uhr ab Berlin Hauptbahnhof. In .... müssen Sie umsteigen, aber Sie haben .... Minuten Zeit. Der Zug fährt um .... Uhr in Hannover ab und ist um .... Uhr planmäßig in Amsterdam.

💬 Ja, das ist gut. Und die Rückfahrt?

👂 Die Rückfahrt geht auch über ....

Abfahrt in Amsterdam ist um .... Uhr.

Ankunft in Hannover dann um .... Uhr.

Sie haben .... Minuten Umsteigezeit.

Der Zug nach Berlin fährt um .... Uhr und kommt um .... Uhr in Berlin an. Soll ich Sitzplätze reservieren?

💬 Nein, danke. Was kosten denn die Fahrkarten?

👂 184,80 Euro pro Person. Soll ich die Verbindung ausdrucken?

💬 Ja, bitte.

👂 Hier, bitte schön und gute Reise.

💬 Vielen Dank. Auf Wiedersehen.

c) Üben Sie den Dialog: andere Zeiten, andere Orte.

> 👍 **Internettipp**
> Recherchieren Sie:
> Orte – Zeiten – Preise
> www.bahn.de

2 **Im Reisebüro einen Flug buchen**
11

a) Hören Sie den Dialog. Notieren Sie Namen, Abflugzeiten und den Preis.

Herr/Frau ....

Hinflug: von .... am ....

um .... Uhr

Rückflug: am ....

um .... Uhr

Preis: .... pro Person

b) Hören Sie noch einmal und kontrollieren Sie.

3 Einen Fernbus buchen.

Ü6–9 **Lesen Sie den Fahrplan.**
Wählen Sie eine Situation aus und
buchen Sie die Reise im Call-Center.

1. Paar über 60 Jahre,
   Braunschweig – Rotterdam,
   einfache Fahrt, am Dienstag
2. Familie mit zwei Kindern (11 und 13 Jahre),
   Berlin – Amsterdam,
   hin und zurück, Freitag bis Sonntag
3. zwei Freunde (41 und 45 Jahre),
   Magdeburg – Den Haag,
   hin und zurück, vom 3.– 5. März

Landeskunde

Seit 2012 kann man in Deutschland mit
dem Fernbus reisen. Eine Busfahrt ist meist
billiger als eine Fahrt mit der Bahn.
http://www.busliniensuche.de

BERLIN ○— HANNOVER —○ AMSTERDAM — *Aktionspreise*

Fahrplan 1.11.2017–31.3.2018		Tägl¹⁾ ▲	Tägl¹⁾ ▲
Berlin, ZOB am Funkturm		19.30	+9.15
Magdeburg, ZOB, Bussteig 7		21.30	+8.00
Braunschweig, ZOB am Hauptbahnhof		22.45	+6.45
Hannover, ZOB am Hauptbahnhof, Haltestelle 5c		23.45	+5.45
Arnheim, Hauptbahnhof		+4.00	+1.00
Utrecht, C.S., Jaarbeursplein		+5.15	23.55
Amsterdam, Amstel Station		+5.45	23.15
Den Haag, Hauptbahnhof		+6.45	22.00
Rotterdam, Weena		+7.30	21.30

Fahrpreise in € zwischen...		Einfache Fahrt			Hin- + Rückfahrt		
Code	Aktion	Normal-Tarif	Ermäß.-Tarife E1	E2	Normal-Tarif	Ermäß.-Tarife E1	E2
... Berlin (0010) und							
6840 Arnheim		60,–	54,–	30,–	108,–	87,–	54,–
6020 Utrecht		60,–	54,–	30,–	108,–	87,–	54,–
1760 Amsterdam	33,–	60,–	54,–	30,–	108,–	87,–	54,–
1770 Den Haag		65,–	58,–	32,–	116,–	105,–	58,–
1780 Rotterdam	33,–	65,–	58,–	32,–	116,–	105,–	58,–
... Magdeburg (0030) und							
6840 Arnheim		55,–	49,–	27,–	98,–	88,–	49,–
6020 Utrecht		55,–	49,–	27,–	98,–	88,–	49,–
1760 Amsterdam		55,–	49,–	27,–	98,–	88,–	49,–
1770 Den Haag		60,–	54,–	30,–	108,–	97,–	54,–
1780 Rotterdam		60,–	54,–	30,–	108,–	97,–	54,–
... Braunschweig (0550), Hannover (0370) und							
6840 Arnheim		43,–	39,–	22,–	77,–	69,–	39,–
6020 Utrecht		43,–	39,–	22,–	77,–	69,–	39,–
1760 Amsterdam		43,–	39,–	22,–	77,–	69,–	39,–
1770 Den Haag		49,–	44,–	25,–	85,–	77,–	43,–
1780 Rotterdam		49,–	44,–	25,–	85,–	77,–	43,–

Fahrkarten von … nach …
für Erwachsene/Kinder/Studenten/Senioren

→ einfach / hin und zurück?

einfach / hin und zurück →

→ wann …?

Hinfahrt am …, Rückfahrt am … →

→ Hinfahrt von … um … Uhr, über … und …,
Ankunft in … um … Uhr
Rückfahrt ab … um … Uhr, in … um … Uhr.

Preis →

→ … pro Person / Kinder … / Studenten …

Redemittel

eine Reise buchen

Ich hätte gern einen Flug / drei Fahrscheine nach … / Eine Fahrkarte nach … / einfache Fahrt / hin und
zurück, bitte. / Wann ist der Rückflug? / Ist das ein Direktflug? / Wann fährt der Zug/Bus ab? / Wie lange
dauert die Fahrt? / Fährt der Zug auf Gleis 3? / Wann kommt der Zug/Bus an? / Fährt der Zug/Bus
direkt nach …? / (Wo) Muss ich umsteigen / aussteigen? / Ich möchte eine Reservierung, bitte. /
Wie teuer ist das Ticket? / Kann ich mit Kreditkarte zahlen? / Können Sie mir die Verbindung(en)
ausdrucken?

4 Reisepläne vergleichen. Beantworten Sie die Fragen mit den Informationen aus den

5,6 Ü10 **Aufgaben 1–3.**

1. Was ist teurer: Bus oder Bahn?
2. Welche Reise dauert länger: Flug oder Bahn?
3. Bei welcher Reise muss man umsteigen?
4. Und womit reisen Sie am liebsten? Warum?

*Der Zug ist teurer,
aber schneller.*

3   Unterwegs mit dem Zug

1   **Wer soll was mitbringen?**

Ü11

a) Was ist richtig? Lesen Sie und kreuzen Sie an.

Hallo Tommy,

schönen Gruß von Jan. Du sollst
ihn heute bitte vor 18 Uhr noch
einmal anrufen und die
Fahrkarten ausdrucken.

Viele Grüße
Ina

1. ☐ Tommy hat Jan angerufen.
2. ☐ Ina hat Tommy angerufen.
3. ☐ Jan will, dass Tommy die Fahrkarten ausdruckt.
4. ☐ Tommy kann nicht vor 18 Uhr anrufen.
5. ☐ Ina hat die Nachricht von Jan für Tommy notiert.

b) Was bedeutet *sollen* hier?
   Kreuzen Sie an.

17

1. ☐ Jemand möchte, dass Sie etwas tun.
2. ☐ Jemand muss etwas tun.
3. ☐ Jemand will etwas nicht tun.

2   **Sprachschatten. Spielen Sie im Kurs.**

Ü12

💬 Bring bitte Musik mit.
👂 Wie bitte?
👂 Du sollst Musik mitbringen!
💬 Bring bitte Brötchen/Brezeln mit.
   Bring bitte Kekse mit.
   Bring bitte Zeitungen mit.
👂 …

Bring bitte Cola mit.

Wie bitte?

Du sollst Cola mitbringen!

3   **Im ICE. Hören und lesen Sie den Dialog. Warum ärgert sich der Mann?**

12

💬 Guten Tag, ich hätte gern einen Kaffee, bitte.
👂 Kaffee, Cappuccino, Latte Macchiato oder Espresso?
💬 Hmm, Kaffee, bitte.
👂 Normal oder koffeinfrei?
💬 Normal, danke.
👂 Große Tasse oder kleine Tasse?
💬 Groß.
👂 Mit oder ohne Milch?
💬 Mit Milch und Zucker, bitte.
👂 Zucker oder Süßstoff?
💬 Nein danke, ich möchte Zucker.
👂 Möchten Sie gleich zahlen oder erst später?
💬 Lieber sofort.
👂 Bar oder mit Karte?
💬 Sagen Sie, ist das hier ein Café oder eine Quizshow?

4   **Einen Sketch schreiben. Schreiben Sie einen *oder*-Sketch und spielen Sie.**

💬 Ich möchte einen Urlaub buchen.
👂 In die Berge oder ans Meer?
💬 …

Hose kaufen:
schwarz oder blau?

Wohnung suchen:
mit oder ohne Balkon?

4 Gute Fahrt!

1 S-Bahn-Impressionen

a) Sehen Sie das Foto an. Was sehen Sie? Was denken Sie? Vergleichen Sie im Kurs.

Bewegung und Stillstand

Kommt man mit der S-Bahn von Mahlsdorf über Kaulsdorf und Biesdorf nach Friedrichsfelde Ost, sieht man zwischen Biesdorf und Friedrichsfelde Ost links immer diese Neubauten, aus deren hunderten Fenstern man die S-Bahn zwischen Biesdorf und Friedrichsfelde Ost vor sich sieht.   *Elke Erb*

? **b)** Hören und lesen Sie den Text laut. Wie finden Sie ihn: schön, interessant, traurig, …?

13

2 Eine Zugfahrt beschreiben.
**Fahren Sie auch manchmal mit
der S-Bahn/U-Bahn oder mit dem Zug?
Was sehen Sie auf Ihrer Fahrt? Erzählen Sie.**

Jeden Morgen fahre ich mit … an … vorbei.

Ich schaue nicht aus dem Fenster, ich …

Auf dem Weg gibt es …

? **3** Reisegedichte. Hören Sie die Gedichte. Wie reisen die Tiere?

14   Ü13

Schwierige Entscheidung

Ein Maulwurf und zwei Meisen
beschlossen zu verreisen
nach Salzburg oder Gießen.
Ob sie dabei zu Fuß gehen sollen
oder aber fliegen wollen –
das müssen sie noch beschließen!

Paul Maar

Die Ameisen

In Hamburg lebten zwei Ameisen,
die wollten nach Australien reisen.
Bei Altona auf der Chaussee
da taten ihnen die Beine weh
und da verzichteten sie weise
dann auf den letzten Teil der Reise.

Joachim Ringelnatz

1 **Wortfeld Reisen. Ergänzen Sie.**

> Buch – Kreditkarte – Reisepass – Ticket – Visitenkarte – ~~Computer~~ – Sonnenbrille – Postkarte –
> Stadtplan – Portemonnaies – Hotelzimmer

1. Entschuldigung, darf ich im Flugzeug meinen *Computer*......... benutzen?

2. Vergiss das .... und deinen .... nicht, oder du kannst nicht fliegen!

3. Wie schön! Im Urlaub kann ich ein .... lesen!

4. ▢ Wo ist denn die Kantstraße? ▢ Hier in der Nähe. Hast du keinen ....?

5. Du fliegst nach Italien? Vergiss deine .... nicht! Dort ist tolles Wetter!

6. Bitte schreib mir eine .... aus dem Urlaub.

7. ▢ Haben Sie schon ein .... für mich reserviert?
   ▢ Ja, natürlich, im Hotel Central in Berlin.

8. Bei meiner Reise in die Schweiz nehme ich zwei .... mit: eins für Schweizer Franken und eins für Euro.

9. Bezahlen Sie Ihre Rechnung bar oder mit ....?

10. Mein Name ist Weimann. Darf ich Ihnen meine .... geben?

2 **Vermutungen äußern. Wo waren die Personen? Was haben sie gemacht? Was ist passiert? Formulieren Sie Vermutungen.**

3 *immer – manchmal – selten – nie.* **Was machen Sie immer, manchmal, selten oder nie im Urlaub? Schreiben Sie.**

4 **Über eine Zugfahrt sprechen**

a) **Ergänzen Sie die trennbaren Verben.**

> abholen – ankommen (2x) – abfahren – umsteigen (2x)

▢ Hallo, Nils, hier ist Mama. Wann ....[1] du denn am Mittwoch in Münster ....[2]?

▢ Hi, Mama! Ich komme am Mittwoch mit dem ICE. Der Zug ....[3] um 15.44 Uhr in

Bonn ....[4] und ....[5] dann um 17.56 Uhr in Münster ....[6].

▢ Fährst du direkt nach Münster oder ....[7] du in Köln ....[8]?

▢ Nein, ich fahre durch und muss nicht ....[9]. Ich habe auch einen großen Koffer.

▢ Kein Problem. Wir ....[10] dich mit dem Auto vom Bahnhof ....[11].

🔊 b) **Hören Sie das Telefonat und kontrollieren Sie.**

10

5 Eine Reise buchen

a) Hören Sie den Dialog. Notieren Sie die Städte, die Uhrzeiten und den Preis.

DB					Online-Ticket
Ihre Reiseverbindung und Reservierung. Hinfahrt am 15. 11.					
Halt	**Datum**	**Zeit**	**Gleis**	**Produkte**	**Reservierung**
_____	15. 11.	ab _____	13	IC 61458	1 Sitzplatz, Wagen 21, Platz 68, Tisch, Nichtraucher
_____	15. 11.	an _____	8	IC 4843	1 Sitzplatz, Wagen 32, Platz 14, Tisch, Nichtraucher
Positionen	IC Fahrkarte			**Preis** _____ MwSt. 19 %	

b) Hören Sie noch einmal und kontrollieren Sie.

6 Textkaraoke. Hören Sie und sprechen Sie die 👄-Rolle im Dialog.

👂 ...
👄 Guten Tag, wann fährt der nächste Zug nach Hamburg-Altona ab?
👂 ...
👄 Und wann komme ich in Hamburg-Altona an?

👂 ...
👄 Gut, von welchem Gleis fährt der Zug ab?
👂 ...
👄 Vielen Dank.

7 Nach Informationen fragen. Ergänzen Sie den Dialog.

🗣 *Wann* ....
👄 Der erste Zug nach Köln fährt morgen um 5.37 Uhr.

🗣 ....
👄 Moment. Der Zug kommt in Köln um 9.53 Uhr an.

🗣 ....
👄 Nein, müssen Sie nicht. Der Zug fährt direkt bis Köln.

🗣 ....
👄 Ohne BahnCard kostet die einfache Fahrt 59 Euro.

🗣 ....
👄 Ja, wir akzeptieren alle Kreditkarten.

8 Wer sagt was? Ordnen Sie die Aussagen zu: Kunde (K) oder Verkäufer (V)?

1. ☐ Zahlen Sie bar oder mit Kreditkarte?
2. ☐ Ja, wir fliegen am 25. Januar hin und am 2. Februar zurück. Geht das?
3. ☐ Super, dann sind wir mittags in Wien. Und wann genau ist der Rückflug?
4. ☐ Pro Person 130 Euro.
5. ☐ Sie landen am 2. Februar um 19 Uhr wieder in Hamburg. Soll ich die Flüge buchen?
6. ☐ Ja, das geht. Die Ankunft ist dann um 12 Uhr in Wien.
7. ☐ Moment, wie teuer ist der Flug?
8. ☐ Mit Kreditkarte bitte.
9. ☐ O. k., dann buchen Sie die Flüge bitte.

9 **Eine Urlaubsreise planen**

a) Lesen Sie die Broschüre und ergänzen Sie die Tabelle.

Das Hotel

Direkt am Strand von El Bajondillo im Süden von Spanien liegt unser schönes Hotel „Al Sur". Es hat 250 Zimmer – die meisten mit Blick auf das Meer.

Die Zimmer

Alle Zimmer sind mit Bad, Internet, TV, Telefon, Minibar und Balkon (Größe: ca. 25 m²).

Service

Zum Hotel gehören ein Pool, Tennisplätze und ein Fitness-Studio. Im Hotel gibt es Geschäfte und einen Supermarkt. Mit unseren Animateuren erleben Sie und Ihre Kinder Spaß und Entspannung!

649 € pro Person und Woche Kinder: 199 €

Wo?	das Hotel	die Zimmer	der Service	der Preis
....	....	....	....	....

b) Im Reisebüro. Schreiben Sie einen Dialog mit den Informationen aus der Tabelle in a).

Wo ...? – Was kostet ...? – Gibt es ...? – Wie groß ...?

> – Guten Tag, ich suche eine Reise in den Süden für mich und meine Familie.
>   Unser Sohn ist sechs Jahre alt. Haben Sie ein interessantes Angebot?
> + Wir haben eine Reise nach Südspanien im Angebot. Es gibt dort ein sehr schönes Hotel.
> – Wo ...

10 **Sätze mit *aber***

a) Schreiben Sie die Sätze.

1. Meine Frau möchte gern mit dem Auto nach Spanien fahren, – *ein Flug / schneller*

aber ....

2. Ich möchte gern eine große Reise machen. – *Urlaub zu Hause / billiger*

....

3. Wir machen gern Strandurlaub, – *eine Rundreise / interessanter*

....

b) Hören Sie den Dialog. Welche Aussage aus a) passt? Kreuzen Sie an.

13   1 ☐   2 ☐   3 ☐

c) Hören Sie noch einmal. Welche Aussagen sind falsch? Kreuzen Sie an und korrigieren Sie.

1. ☐ Steffi hat keinen Urlaub im August.
2. ☐ Tobi findet die Angebote in der Türkei gut.
3. ☐ Tobi und Steffi machen gern Hotelurlaub, aber Camping-Urlaub ist billiger.
4. ☐ Sie haben schon oft Urlaub im Hotel gemacht.
5. ☐ Lea macht gern Strandurlaub.

11 **Empfehlungen. Was sollen Frank und Mia tun? Ergänzen Sie die E-Mail mit einer Form von *sollen* und einem Verb aus dem Kasten.**

gehen – anrufen – kaufen

An...	frank.seidler@web.de
Cc...	
Betreff:	Urlaub

Lieber Frank,

ich habe unsere Reise gebucht! Aber wir müssen noch viel machen!

Die Frau im Reisebüro hat gesagt, ich ....¹ zum Arzt ....². Wir brauchen

noch Medikamente. Wir ....³ einen guten Reiseführer ....⁴, und am

besten auch einen Stadtplan. Ich habe mit deiner Mutter gesprochen, du ....⁹ sie

nach der Reise ....¹⁰. Ich freue mich so :-) !

Bis heute Abend. Kuss, deine Mia

12 **Flüssig sprechen. Hören Sie und sprechen Sie nach.**

14

1. für nächste Woche reservieren – eine Fahrkarte für nächste Woche reservieren –
   Er soll eine Fahrkarte für nächste Woche reservieren.
2. für die Gruppe ausdrucken – den Fahrplan für die Gruppe ausdrucken –
   Du sollst den Fahrplan für die Gruppe ausdrucken.
3. in Paris ankommen – früh morgens in Paris ankommen –
   Wir sollen früh morgens in Paris ankommen.

13 **Urlaub vom Alltag. Lesen Sie den Text und ergänzen Sie die passenden Wörter.**

bei einer Firma – etwas erleben – meine Familie – warmes Wasser – mit den Hunden – in Zelten –
gut erholt – Strandurlaub machen – in einem großen Haus

Abenteuer – Leben - 18 -

Mit dem Hundeschlitten durch die Schweiz

Immer mehr Menschen wollen im Urlaub etwas erleben. Sie buchen einen Abenteuerurlaub. Volker Mende ist einer von ihnen.

Volker Mende ist Programmierer ....¹ in Stuttgart. Er ist verheiratet und lebt mit seiner Frau und seinen beiden Kindern ....². Im Sommer fahren sie meistens ans Meer. Aber Herr Mende möchte mehr. Er sagt: „Immer nur vor dem Computer sitzen und im Sommer ....³, ist langweilig. Einmal im Jahr möchte ich ....⁴. Dann mache ich Urlaub allein, ohne ....⁵. Dieses Jahr fahre ich eine Woche mit einem Hunde-

schlitten durch die Schweiz. Ein Leben ohne Heizung und ....⁶, nur die Hunde und die Natur! Für eine Woche ist das toll." Mit einer Gruppe von drei anderen Männern und zwei Frauen wandert und fährt er ....⁷ durch die Berge in der Schweiz. Am Abend kochen sie gemeinsam und schlafen ....⁸. Nach einer Woche Abenteuerurlaub kommt Herr Mende ....⁹ nach Hause zurück. Dann macht auch der Alltag wieder Spaß.

16 Freizeit und Hobbys

Hier lernen Sie

▶ über Hobbys und Interessen sprechen
▶ positiv/negativ oder überrascht auf etw. reagieren
▶ Emotionen ausdrücken und verstehen
▶ über Vereine sprechen

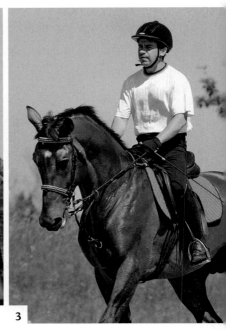

1   2   3

1   Hobbys

1   **Meine Hobbys. Ordnen Sie die Geräusche den Fotos zu.**
15

☐ am Computer spielen   ☐ reiten   ☐ Motorrad fahren
☐ Marathon laufen   ☐ im Chor singen   ☐ heimwerken /
☐ Zumba tanzen   ☐ wandern   im Haus arbeiten

2   **Leute und ihre Hobbys**
Ü1

a) Welches Hobby passt zu wem? Vermuten Sie.

Jens

Ping

Ulf

b) Hören Sie die Interviews und ordnen Sie zu. War Ihre Vermutung richtig?
16

c) Hören Sie noch einmal und sammeln Sie Informationen.

Wer?	Was?	Wie oft?	Wo?	Was ist schön?

sechsunddreißig

Basketball spielen

tauchen

Querflöte spielen

mit Acrylfarben malen

Musik hören

4 5

6

1672 1633

7 8

3 Lesestrategie: Texte durch Zahlen verstehen

Ü2

a) **Lesen Sie die Überschriften der beiden Zeitungsmeldungen. Worum geht es? Was wissen Sie über die Themen?**

Branchenreport: Fitness stärkste Sportart in Deutschland

Mehr als sieben Millionen Menschen trainieren in über 7.100 Fitness-Studios in Deutschland. Damit haben die Studios mehr Mitglieder als der größte Sportverband, der Deutsche Fußball-Bund (DFB) mit 6,8 Millionen Mitgliedern. Ziel der Fitness-Fans: den Körper in Form bringen und die Fitness verbessern. Das kostet zwischen 20 und 60 Euro im Monat – für die Gesundheit sicher nicht zu teuer.

Zermatt-Marathon: Dieses Jahr keine Streckenrekorde

Der Schweizer Patrick Wieser und die Französin Aline Camboulives sind 2016 die Sieger im 15. Zermatt-Marathon. Für die 42,195 Kilometer lange Strecke brauchte Wieser 3:06:58 Stunden, Camboulives 3:35:44 Stunden. Die Streckenrekorde behalten der Kenianer Paul Matchia Michieka (2014) und die Schweizerin Martina Strähl (2015). Insgesamt waren 2226 Läuferinnen und Läufer beim schönsten Marathonlauf in Europa am Start. http://www.zermattmarathon.ch/

b) **Lesen Sie eine der beiden Meldungen. Notieren Sie Informationen zu den markierten Zahlen. Berichten Sie Ihrer Partnerin / Ihrem Partner.**

4 Hobbys. **Was kennen Sie? Was machen Sie?**

Ich bin aktiv und mache gern Sport.

Ich bin Hobbysängerin.

Ich spiele zweimal pro Woche Gitarre in einer Hard-Rock-Band.

Ich sammle Briefmarken.

ahren

Tennis spielen

Musik machen

Ballett tanzen

angeln

2 Freizeit und Forschung

1 Freizeitaktivitäten – die Stiftung für Zukunftsfragen forscht nach

Ü3

a) Lesen Sie den Newsletter-Text. Markieren Sie die Freizeitaktivitäten.

Forschung aktuell

Newsletter 03/17

FREIZEIT-MONITOR – FERNSEHEN BLEIBT DIE NUMMER 1

Die Stiftung für Zukunftsfragen stellt heute in Berlin ihren Freizeit-Monitor vor.
Knapp 4.100 Personen ab 14 Jahren haben an der Studie teilgenommen.

Seit den 1980er Jahren sind Fernsehen und Radiohören, Telefonieren und Zeitunglesen die beliebtesten
Freizeitaktivitäten. 98 % der Bundesbürger sehen
regelmäßig fern. Sie wollen sich am Abend vor dem
5 Fernseher unterhalten und informieren. Sehr beliebt
sind auch die elektronischen Freizeitmedien, z.B.
Computerspiele oder das Internet. Der Arbeitsalltag
ist stressig, die Leute freuen sich auf das Wochenende und wollen sich ausruhen, ausschlafen oder sich
10 mit der Familie treffen. Viele wünschen sich mehr Zeit
für Hobbys, Sport und Freunde – auch ohne Computer
oder Handy. „Mehr Zeit zur Erholung und für soziale
Kontakte – diese Wünsche überraschen mich nicht.

In der hektischen Medienwelt nimmt der Wunsch nach
Ruhe und sozialen Kontakten zu", sagt Prof. Dr. Ulrich 15
Reinhardt, Leiter der Stiftung für Zukunftsfragen.
Wellness ist im Trend: Immer mehr Leute entspannen
sich mit Yoga oder Pilates oder gehen in die Sauna.
Auch die Arbeit im Garten ist beliebt und hilft gegen
Stress. Ein Trend setzt sich fort: Auf der einen Seite 20
gibt es mehr Freizeitangebote, auf der anderen Seite
müssen die Menschen aber sparen. Immer mehr Deutsche gehen lieber ins Schwimmbad als in den Aqua-
park, fahren lieber Fahrrad als Auto, und sie treffen
sich gern bei Freunden und kochen zusammen. Frei- 25
zeitvergnügen muss nicht immer Geld kosten.

b) Was hilft gegen Stress? Welche Freizeitaktivitäten sind teuer, welche billig?
Sammeln Sie im Text und ergänzen Sie weitere Hobbys.

2 Über Freizeitaktivitäten sprechen. Was machen Sie (nicht) gern in Ihrer Freizeit /
abends / am Wochenende? Fragen und antworten Sie im Kurs.

Ü4–5

Redemittel
über Freizeitaktivitäten sprechen

☺	☹
Ich mag …	Ich mag … nicht.
Ich gehe/spiele/fahre gern …	… spiele/mache/fahre ich nicht so gern.
Am liebsten …	Ich … lieber …
Ich interessiere mich für …	… finde ich nicht so gut / langweilig.

Ich gehe gern schwimmen, und ihr?

Ich schwimme nicht so gern. Ich treffe mich lieber mit meinen Freunden.

Ich mache gern Ausflüge.

3 „Autogrammjagd". Fragen Sie im Kurs und sammeln Sie Unterschriften.

Interessierst du dich für Politik?	
Freust du dich über Geschenke?	
Fühlst du dich heute gut?	
Machst du gerne Sport?	
Spielst du Klavier?	
Interessierst du dich für die aktuellen Nachrichten?	
Freust du dich über Sportsendungen im Fernsehen?	
Hast du heute schon Zeitung gelesen?	

4 Fühlen Sie sich gut?

10, 11 Ü6 **a) Lesen Sie die Sprechblasen und ergänzen Sie die Reflexivpronomen in der Tabelle.**

Ich fühle mich gut!

Toll, du fühlst dich gut.

Oh, er fühlt sich schlecht!

Wir fühlen uns schlecht!

Grammatik			
ich	*mich*	wir	....
du	....	ihr	*euch*
er/es/sie	....	sie/Sie	*sich*

b) Vergleichen Sie die Tabelle mit den Personalpronomen im Akkusativ auf Seite 130. Welche Unterschiede finden Sie?

 5 Nach dem Sport

15 Ü7 **a) Was machen Sie zuerst, dann, danach?**

Zuerst ruhe ich mich aus, dann ..., danach ...

sich ausruhen – sich umziehen – nach Hause fahren – sich schminken / sich rasieren – etwas trinken – sich duschen – etwas essen – sich eincremen – sich abtrocknen

b) Wo steht das Personalpronomen im Nominativ? Wo das Reflexivpronomen? Ergänzen Sie weitere Beispielsätze im Heft.

Pos. 1	Pos. 2	
Ich	dusche	mich.
Dann	trockne	ich mich ab.

6 Reflexive Verben mit Präpositionen

a) Markieren Sie sie in 1 und 3 auf Seite 38.

Interessierst du dich für Politik?

? b) **Hören Sie die beiden Dialoge.**
17 **Notieren Sie die Hobbys.**

Lerntipp
Das Gehirn liebt Paare:
Verben mit Präpositionen lernen!
sich interessieren für

c) **Hören Sie noch einmal. Welche reflexiven Verben mit Präpositionen aus a) hören Sie? Notieren Sie.**

7 Wortfelder im Kopf. Sammeln Sie Hobbys,
Ü8 ordnen Sie zu und vergleichen Sie im Kurs.

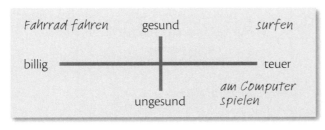

Fahrrad fahren ist billig und gesund.

Surfen ist gesund, aber teuer.

Das finde ich nicht.

3 Leute kennenlernen? Im Verein!

1 Vereinsleben. **Sehen Sie die Logos an. Welche Vereine können das sein?**

In Vereinen lernt man schnell Leute kennen, weil das Hobby für alle wichtig ist. Die Mitglieder treffen sich regelmäßig und betreiben ihr Hobby, aber sie feiern auch Feste zusammen oder renovieren das Vereinsheim.

2 **Die Deutschen und ihre Vereine. Lesen Sie den Magazin-Text und ergänzen Sie die Tabelle.**
Ü9–11

In Deutschland beobachtet.

Ziwei Teng (23), aus China

Ich habe drei Monate bei einer Familie in Kipfenberg gewohnt. Das ist ein Dorf in Bayern. Im Dorf gibt es 1700 Einwohner und mehr als 60 Vereine.
5 Alle aus der Familie waren in mindestens zwei Vereinen: die Tochter im Reitverein und im Turnverein, der Sohn im Tischtennisverein und bei der Feuerwehr. Der Vater war auch bei der Feuerwehr und dann noch im Radsportclub. Die Mutter war beim
10 Roten Kreuz, im Turnverein und im Chor, der Opa im Gartenbau- und im Kaninchenzuchtverein. Sie haben mehr Zeit mit den Leuten im Verein verbracht als mit der Familie. Oft war abends niemand zu Hause. Und am Wochenende musste ich mich entscheiden: Gehe ich mit zum Reitturnier, zum Chorsingen oder zum Radrennen? Bei uns in China haben alle weniger Freizeit und nicht so viele Hobbys. Viele kümmern sich nach der Arbeit mehr um die Familie. Ich glaube, die Deutschen sind „vereinsverrückt"! Aber als ich in Deutschland war, habe ich auch Billard im Pool-Billard-Club gespielt und im Sportverein gab's Jazz-Tanz ...

Ziwei Teng (23)

15

20

25

	Vater	Mutter	Tochter	Sohn	Opa	Ziwei
Vereine	....	....	....	....	....	....

3 **Indefinita**
16 Ü12

a) **Markieren Sie** *alle, viele, niemand* **im Text in 2.**

b) **Machen Sie Aussagen über den Kurs. Die Grafik hilft.**

niemand   wenige   viele   alle

Sport/Musik machen
essen/trinken
reiten
Tiere haben
malen

4 **Freizeit interkulturell**

a) **Gibt es Vereine auch in anderen Ländern? Was machen die Leute in ihrer Freizeit?**

b) **Schreiben Sie einen Ich-Text.**

Bei uns machen viele Sport.

Zumba gibt es bei uns nicht.

Nur wenige Leute sammeln Briefmarken.

In meiner Freizeit ... Mein Hobby ist ... / Ich bin Mitglied im ... Abends / Am Wochenende gehe ich am liebsten ...

4 Das gibt's doch gar nicht!

1 Montagmorgen in der Firma

18

a) Hören Sie den Dialog. Was ist passiert?

> *Holger hatte am Wochenende ein Spiel.*

b) Hören Sie noch einmal und markieren Sie die Reaktionen mit ☺ ☺ ☹.

    🗩 Hallo, Holger! Wie war dein Wochenende?

☐   🗩 Geht so. Ich hatte ein Spiel.

    🗩 Und, wie war's?

☐   🗩 Furchtbar! Eine Katastrophe!

    🗩 Wieso das denn? Erzähl mal!

    🗩 Wir haben 0:5 verloren!

☐   🗩 Echt? 0:5! Wie peinlich!

    🗩 Ja, und das gegen den FC Schwabhausen!

☐   🗩 Das gibt's doch gar nicht!

2 **Mit Emotionen sprechen. Sprechen Sie den Text laut: traurig, aufgeregt, gelangweilt oder erfreut. Die anderen im Kurs raten. Dann hören Sie.**

19   Ü13

Was ist das? Ich rede. Du redest. Er redet ständig. Sie redet. Sie redet laut.
Sie redet sehr laut. Wir reden. Ihr redet auch. Sie reden. Alle reden.
Wovon? Von nichts.

3 Ausrufe

Ü14

a) Welche Sätze passen zu den Bildern?
Ordnen Sie zu und setzen Sie die Ausrufe ein.

1. .... , ich habe mich geschnitten!

2. .... , in meinem Bett ist eine Spinne!

3. .... , jetzt ist die Vase kaputt!

4. .... , was ist denn das?

5. .... , wir haben im Lotto gewonnen!

b) Hören Sie und kontrollieren Sie Ihre Lösung.
Sprechen Sie nach.

20

c) Notieren Sie weitere Sätze und lesen Sie sie vor.
Der Kurs antwortet mit einem Ausruf.

4 **Ausrufe international. Ergänzen Sie die Tabelle mit Beispielen aus anderen Sprachen.**

	Deutsch	Englisch	Tschechisch	Spanisch	Japanisch	Ihre Sprache
🕷	iih	yuk	pfui	qué asco	gee / uah	
🔪	aua	ouch	aua	ay	itai	
🍰	mmh	yum-yum	hmm	qué rico	oishi	

? **1** **Drei Personen, drei Hobbys. Hören Sie die Interviews von Seite 36 noch einmal und ergänzen Sie die Informationen.**
15

1. Die beste Marathon-Zeit von Ulf war ....

2. Der schönste Marathon für Ulf war der ....

3. Mit Zumba kann man .... und sich fit halten.

4. Jens geht .... in der Woche zum Zumba.

5. Ping hat Wandern in .... entdeckt.

6. Ping und ihre Freunde wandern oft .... Kilometer.

2 **Zeitungsmeldungen verstehen**

a) Richtig oder falsch? Lesen Sie die Texte auf Seite 37 noch einmal und kreuzen Sie an.

	richtig	falsch
1. Der Deutsche Fußball-Bund hat mehr Mitglieder als die Fitness-Studios in Deutschland.	☐	☐
2. Im Fitness-Studio zahlt man zwischen 20 und 60 Euro im Monat.	☐	☐
3. Fitness-Fans wollen ihre Fitness verbessern und den Körper in Form bringen.	☐	☐
4. 2016 war der 15. Zermatt-Marathon.	☐	☐
5. Beim Zermatt-Marathon 2016 sind über 2000 Läufer gelaufen.	☐	☐
6. Martina Strähl war mit 3:35:44 die schnellste Frau beim Zermatt-Marathon 2016.	☐	☐

b) Korrigieren Sie die falschen Aussagen aus a).

3 **Newsletter-Informationen zusammenfassen.**
Lesen Sie den Newsletter auf Seite 38 noch einmal.
Ergänzen Sie die Wörter in der Sprechblase.

Gartenarbeit – Ruhe – Zeitunglesen – Yoga und Pilates – Information

Die beliebtesten Freizeitaktivitäten sind Telefonieren, Radiohören, Fernsehen und ....

........................[1]. Viele Deutsche wollen Unterhaltung und ....[2].

Aber viele Deutsche wünschen sich auch mehr ....[3]. Der Alltag ist stressig. Beliebte

Hobbys sind daher z.B. ....[4]. Gegen Stress hilft auch ....[5].

? **4** **Ein Interview verstehen**
16

a) Hören Sie das Interview mit dem Studenten Jovan Taneski aus Augsburg. Über welche Freizeitaktivitäten spricht er? Markieren Sie.

Musik hören – Tennis spielen – heimwerken – in einer Band spielen – Gitarre spielen – tanzen – reiten – Handball spielen – Computer spielen – wandern – Briefmarken sammeln – Zeitschriften lesen – Fahrrad fahren – Bücher lesen – laufen gehen

b) Hören Sie noch einmal und beantworten Sie die Fragen.

1. Welche Hobbys hat Jovan?
2. Was macht Jovan nicht gern?
3. Was findet Jovan langweilig?
4. Was macht Jovan nie?

5 Über Hobbys sprechen

a) Textkaraoke. Hören Sie und sprechen Sie die ➣-Rolle im Dialog.

17

🔊 …

➣ Ich spiele gern Computer.

🔊 …

➣ Ich finde Gartenarbeit langweilig.

🔊 …

➣ Am liebsten treffe ich mich mit Freunden.

b) Und Sie? Was machen Sie gern in der Freizeit? Was finden Sie langweilig? Was machen Sie am liebsten? Schreiben Sie. Die Redemittel auf Seite 38 helfen.

> Ich interessiere mich für Literatur.
> Ich mag …

6 Vor dem Ausgehen

a) Ergänzen Sie die Reflexivpronomen.

Sabrina und Markus haben ....^{1} mit Freunden zum Essen verabredet. Sabrina freut ....^{2} auf den Abend, aber Markus hat keine Lust.

💬 Markus, bist du schon fertig?

👄 Ich muss ....^{3} noch rasieren und ich will ....^{4} noch umziehen.

💬 Mach bitte schnell, ich möchte nicht schon wieder zu spät kommen. Du weißt doch, Anne

ärgert ....^{5} immer so schnell.

👄 Jaaa. Warum treffen wir ....^{6} so oft mit Anne und Jörg?

💬 Nie interessierst du ....^{7} für meine Freunde! Du willst ....^{8} lieber mit deinen Freunden treffen, stimmt's?

👄 Nein, ich mag deine Freunde. Ich unterhalte ....^{9} nur besser mit meinen Freunden.

💬 Ja, ich weiß. Aber komm jetzt endlich.

b) Hören Sie und kontrollieren Sie. Lesen Sie dann den Text laut.

18

7 Nach der Arbeit

a) Ordnen Sie die Zeichnungen den Wörter zu.

☐ sich beim Essen ausruhen ☐ nach Hause fahren
☐ sich duschen ☐ sich umziehen ☐ Sport machen

a   b   c   d   e

b) Was macht Sabrina wann? Schreiben Sie.

> Zuerst fährt Sabrina nach Hause, dann …

8 Flüssig sprechen. Hören Sie und sprechen Sie nach.

19

1. gefährlich. – cool, aber gefährlich. – Skifahren ist cool, aber gefährlich.
2. super. – super, aber teuer. – Skydiving ist super, aber teuer.
3. ruhig. – schön und ruhig. – Malen ist schön und ruhig.
4. anstrengend. – gesund, aber anstrengend. – Laufen ist gesund, aber anstrengend.
5. spannend. – einfach und spannend. – Fotografieren ist einfach und spannend.

9 Volkstanzfreunde Köln e.V.

a) Lesen Sie die Internetseite der Volkstanzfreunde Köln e.V. und ordnen Sie die Begriffe den richtigen Abschnitten zu.

☐ weitere Freizeitaktivitäten
☐ die Geschichte
☐ die Tanzkleidung

Volkstanzfreunde Köln e.V. – – – Volkstanz in Köln und Leverkusen – – – Über uns –

http://www.volkstanzfreunde-koeln.de/index.php

Volkstanzfreunde Köln e.V.

| Über uns ▼ | Termine ▼ | Bilder ▼ | Kontakt ▼ |

Über uns

Im Sommer 1983 haben wir uns zum ersten Mal getroffen und zusammen getanzt, seit 1991 sind wir ein Verein und heißen „Volkstanzfreunde Köln e.V.". Unsere Tanzkleidung hat die Farben der Stadt Köln: Rot und Weiß. Die Frauen tragen eine weiße Bluse und einen roten Rock, die Männer tragen ein weißes Hemd und eine schwarze Hose.

5 Wir treffen uns regelmäßig zum Tanzen, aber auch für andere Aktivitäten. Im letzten Jahr sind wir zum Beispiel eine Woche mit dem Fahrrad an der Donau entlanggefahren. Oder in Valencia, Spanien, haben wir eine Freundin und ihre Familie besucht. Manchmal gehen wir auch zusammen wandern. Tanzen, Wandern, Reisen - wir machen in unserer Freizeit gern etwas zusammen.

b) Lesen Sie den Text noch einmal und sammeln Sie Informationen in der Tabelle.

Name?	Seit wann?	Tanzkleidung Frauen und Männer?	Weitere Freizeitaktivitäten?
....	....	....	....

10 Welcher Verein passt zu Mark?

20

a) Hören Sie das Gespräch zwischen Leyla und Mark. Über welche Vereine sprechen sie? Kreuzen Sie an.

☐ Agilitiy Team Cologne e.V.   ☐ Fotowerkstatt Köln   ☐ Reitverein Porz e.V.
☐ Volkstanzfreunde Köln e.V.   ☐ Nordwest e.V.   ☐ Konzertchor Köln e.V.
☐ Kölner Karnevalsverein „Unger uns" 1984 e.V.   ☐ Rheinstars Köln

b) Was möchte Mark machen und was kann oder möchte er nicht machen? Hören Sie noch einmal und ordnen Sie zu.

Basketball spielen – tanzen lernen – Sport machen – Karneval feiern – schwimmen – reiten

Das möchte Mark machen:	Das kann/möchte Mark nicht machen:
....	....

11 **Die Deutschen und ihre Vereine. Lesen Sie den Magazin-Text auf Seite 40 noch einmal. Warum findet Ziwei die Deutschen „vereinsverrückt"? Kreuzen Sie an.**

a ☐ Es gibt in Deutschland viele Vereine für verrückte Personen.
b ☐ Es gibt viele verrückte Vereine in Deutschland.
c ☐ Die Deutschen verbringen viel Zeit in Vereinen, sie sind verrückt nach ihren Vereinen.
d ☐ Die Deutschen sind verrückt, weil es zu viele Vereine in Deutschland gibt.

12 **Indefinita. Was mag meine Familie (nicht)? Schreiben Sie acht Sätze.**

Alle Viele Wenige Niemand	mögen/mag machen/macht	(gern)	klassische Musik. die Bilder von Picasso. Spaghetti. Sport. Hunde. Gedichte. Urlaub am Meer. Familienfeiern. lange Spaziergänge. Picknicke. Städtereisen. Radtouren.

1. Alle mögen Spaghetti.
2. ...

13 **Emotionen verstehen**

a) Traurig, wütend, gelangweilt oder erfreut? Ordnen Sie die vier Emotionen den Fotos zu.

☐ .... ☐ .... ☐ .... ☐ ....

b) Hören Sie die Aussagen und ordnen Sie sie den Fotos zu.
21

c) Hören Sie noch einmal und sprechen Sie die Aussagen mit Gefühl nach.
21

14 **Ausrufe**

a) Ergänzen Sie die passenden Ausrufe: *Oh! Aua! Juhu! Iii!* und *Mist!*

1. ...., das tut weh!   **4.** ...., mein Handy ist aus!

2. ...., endlich Ferien!   **5.** ...., was für schöne Blumen.

3. ...., eine Spinne!

b) Hören Sie und kontrollieren Sie. Sprechen Sie die Sätze dann mit Gefühl nach.
22

17 Medien und Alltag

Hier lernen Sie

▶ über Medien sprechen
▶ eine Grafik verstehen und auswerten
▶ auf eine Reklamation reagieren
▶ Kurznachrichten schreiben

die Virtual-Reality-Brille

der Fernseher

das Grammophon

das Radio

die Zeitung

die Schallplatte

der Kassetten-rekorder

1 „Alte" Medien – „neue" Medien

1 Über Medien sprechen. **Welche Medien in der Collage kennen/benutzen Sie?**

Ü1

| ... | benutze brauche kenne | ich | oft/selten/nie/ jeden Tag. gut/wenig/ gar nicht. |

2 Medien nutzen. **Was machen Sie mit diesen Medien?**

| mit dem Smartphone – mit dem Tablet – mit dem Radio – mit dem Notebook – ... | Musik hören – E-Mails schreiben – chatten – Filme ansehen – ... |

> Mit dem Smartphone schreibe ich E-Mails.

Fotos bearbeiten

MP3s downloaden

Search   Music downloads

Apps kaufen

ein Magazin

ägyptische Hieroglyphen

das Telefon

das Buch

die Digitalkamera das Smartphone

das Tablet

die DVD

Social Media Plattformen

das Notebook

---

3 „Neue" Medien? Ordnen Sie die Medien in das Schema ein. Vergleichen Sie im Kurs.

hören

das Radio

das Handy

alt ──────────────────────────► **neu**

der Fernseher

das Buch

sehen

ein Telefonat führen

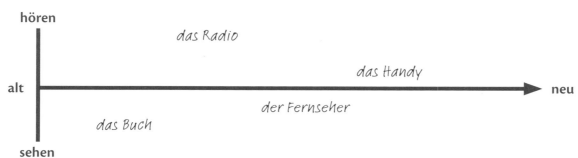

VIDEO ON DEMAND
Filme und Serien streamen

eine Schallplatte hören

eine Zeitung abonnieren

2 Medien im Alltag

1
Ü2
Schon wieder vergessen?!
Dr. Winter sagt warum.

a) Lesen Sie die Wortwolke zu
dem Ratgebertext unten.
Was meinen Sie: Worum geht es?

b) Lesen Sie den Ratgebertext. Überprüfen Sie Ihre Vermutungen aus a).

**Dr. Andreas
Winter (41),
Psychologe**

Dr. Winter weiß es!

Kennen Sie das? Sie
schreiben am Abend
einen Brief, stecken ihn
in einen Umschlag und
5 kleben die Briefmarke auf.
Dann schreiben Sie die
Adresse und den Absen-
der auf den Umschlag
und stecken den Brief in
10 die Manteltasche. Am
nächsten Morgen fahren
Sie zur Arbeit. Sie laufen an zwei Briefkästen
und an der Post am Bahnhof vorbei. Abends
kommen Sie nach Hause und ziehen den
15 Mantel aus. Und was ist in der Tasche?

Richtig. Der Brief! Mist! Sie haben den Brief
nicht eingeworfen! Aber das ist noch nicht
alles: Am nächsten Tag passiert Ihnen das
Gleiche.
20 Der Wiener Arzt Sigmund Freud (1856–1939)
hat sich gefragt: Warum vergessen wir
Dinge im Alltag? Seine Antwort: Weil wir
sie vergessen wollen. Wie war das also mit
dem Brief? Der Brief war unangenehm.
25 Vielleicht war es eine Entschuldigung, weil
Sie so lange nicht geschrieben haben. Oder
Sie müssen einen offiziellen Termin absagen.
Sie kennen den Grund für das Vergessen
nicht. Aber Ihr Gehirn entscheidet: Dieser
30 Brief bleibt in der Tasche!

c) Im Text gibt es eine zentrale Frage und eine Antwort. Markieren Sie und vergleichen Sie
im Kurs.

2 Wortfeld Brief. Nomen und Verben – was passt zusammen? Suchen Sie die Nomen im
Ratgebertext oben.

1. einen .... schreiben, lesen, einwerfen

2. .... aufkleben, kaufen

3. .... auf eine Karte oder einen Umschlag schreiben

4. an einem .... vorbeilaufen

3 Was haben Sie schon oft vergessen? Nennen Sie Beispiele und Gründe.

Was?	Grund
einen Namen	zu lang,
eine Telefonnummer	
ein Passwort	

> Ich habe schon oft
> einen Namen vergessen,
> weil ...

4 Nicht ohne mein Smartphone

Ü3

a) Lesen Sie die Grafik. Wozu nutzen Sie Ihr Smartphone (nicht)? Berichten Sie im Kurs.

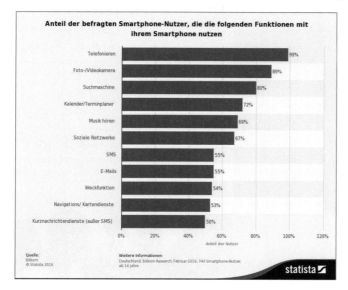

Die Weckfunktion brauche ich nicht, ich habe einen Wecker.

SMS schicke ich selten.

Ich verschicke keine E-Mails, aber Fotos.

Ich brauche keinen Stadtplan, ich nutze mein Handy.

b) Eine Kurznachricht. Schreiben Sie und lesen Sie vor.

1. Ihr Chef hat morgen um 8.42 Uhr einen Flug nach Frankfurt. Erinnern Sie ihn.
2. Sie sind in der U-Bahn. Sie wollen um 9.30 Uhr etwas mit einer Arbeitskollegin besprechen, kommen aber fünf Minuten zu spät.
3. Ihre Freundin / Ihr Freund hat einen wichtigen Test. Sie denken an sie/ihn.
4. Sie fragen, ob Ihre Freunde morgen Lust auf eine Radtour haben.

Um 8 am Kino, Schatz?

Redemittel

Kurznachrichten schreiben

Entschuldigungen
Entschuldige! Kann morgen nicht. / Komme später. / Bin zu spät. / Bin gerade in einer Besprechung. / Bitte warte auf mich! / Bin gleich da! / Tut mir leid!

Vorschläge/Erinnerungen
Lust auf …? / Morgen um … am …? / Hast du Zeit? / Nicht vergessen: Treffen uns um … am …

Abschied
Bis gleich/dann/nachher! / Wir sehen uns später! / Freu mich auf dich!

Abkürzungen (informell)
DD: drück dich / BB: bis bald / DAD: denk an dich / HDL: hab dich lieb

5 Über Computer sprechen

Ü4

a) Lesen Sie die Definitionen und ordnen Sie die Verben zu.

einen Blog schreiben	**1**	**a**	surfen
mit Skype telefonieren	**2**	**b**	mailen
eine E-Mail schreiben	**3**	**c**	googeln
bei Google suchen	**4**	**d**	posten
im Internet unterwegs sein	**5**	**e**	liken
per Klick sagen, dass man etwas mag	**6**	**f**	bloggen
eine Nachricht im Internetforum schreiben	**7**	**g**	skypen

b) Was machen Sie oft, selten, nie?   *Ich surfe ziemlich oft.*

3 Wie bitte? Was hast du gesagt?

1 Nachfragen mit *ob*. Üben Sie im Kurs.

Kommst du morgen?

Was hast du gesagt?

Ich habe gefragt, ob du morgen kommst.

1. Hast du ein Tablet?
2. Hast du die App schon installiert?
3. Hast du die Software heruntergeladen?
4. Kommst du um drei ins Internet-Café?
5. Kaufst du häufig im Netz ein?
6. Findest du Online-Einkaufen praktisch?
7. Ist meine Bestellung angekommen?
8. Hattest du Probleme mit Buchungen im Internet?

2 Indirekte Fragen mit *ob*

3 Ü5

a) Schreiben Sie die Sätze aus 1 mit *ob* und markieren Sie das Verb.

b) Ergänzen Sie die Regel.

> **Regel** Der Nebensatz beginnt mit .... und das Verb steht ....

3 Indirekte W-Fragen

3 Ü6

a) Vergleichen Sie die Dialoge. Was ist gleich, was ist anders?

1. ○ Kommst du morgen?
   ○ Entschuldigung, wie bitte?
   ○ Ich möchte wissen,
   ob du morgen kommst.

2. ○ Wann kommst du morgen?
   ○ Was hast du gesagt?
   ○ Ich möchte wissen,
   wann du morgen kommst.

b) Fragen Sie nach.

Ich möchte wissen,
Ich habe gefragt, | wann, wo, ... / ob ...

1. Wann hast du die Mailbox abgefragt?
2. Hast du das Passwort geändert?
3. Hast du die Datei gelöscht?
4. Wo hast du den Text gespeichert?
5. An wen hast du die E-Mail weitergeleitet?
6. Kannst du den Text drucken?
7. Wer hat eben angerufen?
8. Kannst du bitte die Kopfhörer abnehmen?

4 Einkaufen und reklamieren

 1 Zeitungsanzeigen. Adjektive ohne Artikel im Nominativ und Akkusativ.
14   Ü7–9   **Lesen Sie die Anzeigen. Markieren Sie die Adjektive und ergänzen Sie die Tabelle.**

Vermischtes	**Teurer Goldring** (18 Karat) und passendes Armband nur 160,– €! Angebote unter Chiffre AG/4566	**Biete wertvolle Briefmarkensammlung,** BRD ab 1949. Angebote unter Chiffre LG/073.
Alter Fernseher gesucht! ✆ 030 / 29 77 30 34		
Verschenke altes Auto, 1972, VW-Käfer, fährt noch! ☎ 089-34 26 77	**Verkaufe alten Fernseher,** suche neuen Heimtrainer. Tel.: 0171 / 33 67 87 99	**Verkaufe alte Schallplatten** aus den 70er Jahren. Frank Zappa, Bob Dylan usw. Telefon: 0172 / 346 77 95

Grammatik				
Singular	*(der)*	*(das)*	*(die)*	*Plural (die)*
Nominativ	alt .... Fernseher	alt .... Radio	alt .... Uhr	alt .... Uhren/ Radios/Fernseher
Akkusativ	alt .... Fernseher	alt .... Radio	alt .... Uhr	

2 Eine Reklamation
Ü10–11

a) Wer oder was ist ein Kuckuck? Wie sehen Kuckucksuhren aus? Wo kann man sie kaufen? Recherchieren Sie im Internet.

 b) Lesen und hören Sie den Dialog. Was ist das Problem?
21

○ Guten Morgen. Mein Name ist Schneuder. Ich habe vor zwei Tagen eine neue Kuckucksuhr bei Ihnen gekauft. Die möchte ich reklamieren. Hier ist der Kassenzettel.
○ So – warum? Ist die Uhr kaputt?
○ Nein, die Uhr geht genau. Aber der Kuckuck …
○ Was ist mit dem Kuckuck?
○ Der Kuckuck sagt nichts.
○ Das ist ganz normal, ein Kuckuck sagt nichts.
○ Ja, aber das ist doch eine Kuckucksuhr.
○ Natürlich, was haben Sie denn gedacht?
○ Der Kuckuck singt auch nicht. Der ist kaputt. Hier steht, dass ich sechs Monate Garantie habe.
○ Ein Kuckuck singt nicht. Die Garantie ist für die Uhr, aber nicht für den Kuckuck.

○ Das ist ja unglaublich. Der Kuckuck funktioniert nicht, und ich möchte mein Geld zurück oder die Uhr umtauschen.
○ Hören Sie, das geht leider nicht. Geben Sie uns die Uhr mit dem Kuckuck und wir reparieren beide.
○ Aber die Uhr ist gar nicht kaputt, nur der Kuckuck.
○ Dann gehen Sie doch zum Tierarzt.

3 Einen Pullover / Ein Handy / Eine Kuckucksuhr reklamieren. Spielen Sie im Kurs.

Redemittel
etwas reklamieren/umtauschen Den/Das/Die … habe ich schon / ist zu klein / groß / ist kaputt / geht nicht. Können Sie … umtauschen/reparieren? Bekomme ich das Geld zurück? Hier ist der Kassenzettel. Ich habe noch Garantie.
auf eine Reklamation reagieren Ja/Nein, … kann man (nicht) reparieren/umtauschen. / Ich brauche den Kassenzettel.

23

1 Medien nutzen

a) Hören Sie die Interviews. Über welche Medien sprechen Helge, Aaron und Samir? Notieren Sie.

Helge: Zeitung,

b) Wer sagt was? Ordnen Sie die Aussagen zu: Helge (H), Aaron (A) oder Samir (S).

1. ☐ Ich habe seit einem Jahr ein Handy.
2. ☐ Ich sehe fast täglich fern.
3. ☐ Ich lese oft Bücher.
4. ☐ Manchmal höre ich Schallplatten.
5. ☐ Ich benutze sehr oft mein Notebook.
6. ☐ Ich lese täglich die Zeitung.
7. ☐ Ich höre sehr selten Radio.

c) Markieren Sie die Zeitadverbien.

Helge P. (65)

Aaron F. (23)

Samir N. (29)

2 Warum vergessen wir Dinge im Alltag?

a) Lesen Sie den Ratgebertext auf Seite 48 noch einmal. Welche Gründe nennt Dr. Winter? Kreuzen Sie an.

Wir vergessen Dinge, weil
☐ es keine wichtigen Dinge sind.
☐ wir viel Stress im Alltag haben und wir nicht an alles denken können.
☐ wir nicht gern an unangenehme Dinge denken.

b) Welche Gründe gibt es noch? Ergänzen Sie weitere.

3 Kurznachrichten verstehen und schreiben

a) Lesen Sie die Nachrichten. Markieren Sie die Redemittel von Seite 49. Schreiben Sie dann die Antwort von Jana.

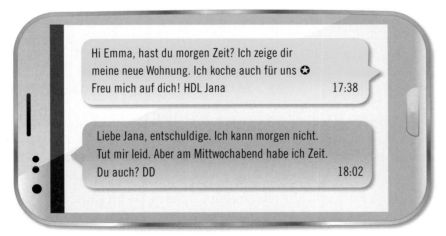

Hi Emma, hast du morgen Zeit? Ich zeige dir meine neue Wohnung. Ich koche auch für uns ✪ Freu mich auf dich! HDL Jana — 17:38

Liebe Jana, entschuldige. Ich kann morgen nicht. Tut mir leid. Aber am Mittwochabend habe ich Zeit. Du auch? DD — 18:02

b) Schreiben Sie Kurznachrichten.

1. Alina Mayer schreibt an ihren Freund Pit. Sie muss länger arbeiten. Pit soll schon das Essen machen.
2. Frau Salomon schreibt an ihren Chef. Sie erinnert ihn an ein Treffen am nächsten Tag.
3. Alex Strunz hatte einen Unfall. Er schreibt eine Kurznachricht an seine Frau. Sie soll ihn abholen.
4. Herr Bachmann hat Verspätung. Er schreibt eine SMS. Frau Wang und Herrn Li sollen auf ihn warten.
5. Paul hat zwei Theaterkarten für morgen Abend. Er schreibt Mara eine Kurznachricht und fragt, ob sie mitkommt.

4 Selbsttest: Computerverben

a) Lesen Sie den Dialog und ergänzen Sie die Verben.

liken – mailen – surfen – bloggen – skypen – posten

💬 Jeanne hat eine Nachricht bei Facebook gepostet. Das gefällt mir, ich .... [1] es.

🗨 Jeanne .... [2] häufig Nachrichten, oder?

💬 Ja, sie .... [3] gern im Internet. Sie und ihre Freundin Mandy schreiben einen Blog.

🗨 Cool, ich .... [4] auch gern. Wollen wir mit Jeanne und Mandy morgen über Skype telefonieren?

💬 Ja, super ich .... [5] ihnen, dass wir morgen .... [6].

b) Und Sie? Was machen Sie wo? Ordnen Sie zu.

Videos ansehen – mit Freunden telefonieren – Nachrichten posten – Filme ansehen – Fotos zeigen – mit Freunden chatten – Nachrichten kommentieren – Musik hören

Facebook: .... Youtube: ....

Skype: .... Twitter: ....

Instagram: .... Snapchat: ....

WhatsApp: ....: ....

5 Leiser bitte

a) Ordnen Sie die Sätze den Zeichnungen zu.

1

2

3

4

☐ Gefällt dir das Programm?
– Was hast du gefragt?
  Ich habe gefragt,

  ob dir das Programm gefällt ....

☐ Übst du noch lange?
– Was hast du gesagt?
  Ich möchte wissen,

....

☐ Findest du die Musik auch zu laut?
– Was hast du gesagt?
  Ich möchte wissen,

....

☐ Kannst du bitte langsamer fahren?
– Was hast du gefragt?
  Ich habe gefragt,

....

b) Beenden Sie die Sätze wie im Beispiel.

6 Die Internationale Funkausstellung in Berlin. **Schreiben Sie indirekte Fragen. Nutzen Sie die Satzanfänge.**

Die Internationale Funkausstellung (IFA) ist die größte Messe für Radio und Fernsehen und andere elektronische Medien. Sie sind in Berlin – was möchten Sie wissen?

1. Wann beginnt die Messe?
2. Wo findet die Messe statt?
3. Ist der Eintritt für Studenten billiger?
4. Kann man die Produkte dort kaufen?

> Es interessiert mich, ...
> Können Sie mir sagen, ...
> Wissen Sie, ...

7 Flüssig sprechen. **Hören Sie und sprechen Sie nach.**

24

1. alte Schallplatten – kauft alte Schallplatten – Mein Vater kauft manchmal alte Schallplatten.
2. schönen Schmuck – sucht schönen Schmuck – Meine Freundin sucht meistens schönen Schmuck.
3. neue Fahrräder – bestellt neue Fahrräder – Meine Schwester bestellt selten neue Fahrräder.
4. gebrauchte Kleidung – kauft gebrauchte Kleidung – Mein Kollege kauft oft gebrauchte Kleidung.

8 Selbsttest: Adjektivendung

a) **Lesen Sie die Anzeigen und ergänzen Sie die Adjektivendungen.**

Smartphone mit Tasche zu verkaufen Verkaufe schick.... schwarz.... Smartphone mit Tasche. Funktioniert wie neu!	**50 Euro** 13357 Berlin Mitte	
Monitore, Computer, Drucker Alt.... und neu.... Monitore, Computer und Drucker, modern.... Software, gut.... Beratung.	**ab 100 Euro** 10245 Berlin Friedrichshain	
Anrufbeantworter Verschenke modern.... Anrufbeantworter, schwarz, nicht benutzt. Für Selbstabholer!	10825 Schöneberg	
Fernseher HD 102 cm Verkaufe neu.... Fernseher. Groß.... Monitor, sehr gut.... Bild, neu.... Technik.	**279 Euro** 10969 Berlin Kreuzberg	

b) **Schreiben Sie eine Anzeige.**

HD Kopfhörer: blau – leicht – gute Qualität	**... Euro** 13086 Berlin Weißensee	

9 Selbsttest: Adjektive ohne Artikel / mit unbestimmtem Artikel. **Lesen Sie die E-Mail und ergänzen Sie.**

---

www.gmail.com   🔍

Hi Bea, wie geht es dir? Uns geht es gut, die Wohnung ist fast fertig, es fehlen nur noch ein paar Sachen.

Wir brauchen z.B. noch einen .... [1] (neu) Fernseher. Morgen gehen wir in ein .... [2]

(groß) Kaufhaus. Ich möchte auch noch einen .... [3] (billig) MP3-Player kaufen.

Und Gunnar interessiert sich sehr für .... [4] (altmodisch) Radios. Er spricht nur noch von

.... [5] (alt) Radios, du kennst ihn ja! Es gefällt ihm, dass es in diesen Radios .... [6]

(modern) Technik gibt. Er möchte sehr gern so ein .... [7] (toll) Radio kaufen, aber es ist zu

teuer.

Ich denke, wir kaufen nur einen .... [8] (klein) Fernseher und vielleicht einen .... [9]

(billig) MP3-Player. Telefonieren wir am Wochenende?

Viele Grüße, Sabine

---

10 Umtauschen

a) **Hören Sie den Dialog. Welche Redemittel von Seite 51 hören Sie? Markieren Sie.**

b) **Hören Sie noch einmal und beantworten Sie die Fragen.**

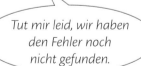

1. Warum möchte Merve den MP3-Player umtauschen?

Merve möchte den MP3-Player umtauschen, weil ....

2. Warum hat sie keinen Kassenzettel?

....

3. Wer hat den Kassenzettel?

....

4. Warum kann Merve den MP3-Player nicht umtauschen?

....

11 Textkaraoke. **Eine Reklamation. Hören Sie und sprechen Sie die 👄-Rolle im Dialog.**

👂 ...

👄 Guten Tag. Ich habe letzte Woche bei Ihnen ein Notebook gekauft. Das möchte ich reklamieren. Es geht nicht mehr.

👂 ...

👄 Ja, das habe ich schon gemacht, aber es funktioniert nicht. Der Monitor bleibt schwarz.

👂 ...

👄 Auf dem Kassenzettel steht, dass ich sechs Monate Garantie habe.

👂 ...

👄 Wie lange dauert das denn?

👂 ...

👄 Gut, dann bringe ich Ihnen morgen das Notebook. Auf Wiedersehen.

👂 ...

> *Tut mir leid, wir haben den Fehler noch nicht gefunden.*

Hier lernen Sie

▶ Freizeit: sagen, worauf man Lust hat
▶ eine Speisekarte lesen
▶ etwas im Restaurant bestellen
▶ über das Kennenlernen und über Kontakte sprechen

Wohin am Wochenende?

Tamina Schubert, 21, Potsdam

Ich treffe mich oft mit meinen Freundinnen in der Stadt. Wir gehen zum Italiener Eis essen oder einen Latte Macchiato 5 trinken und unterhalten uns über Leute, die wir kennen. Freitags gehen wir oft in einen Club, zum Beispiel ins „Waschhaus". Da gibt es House, Black und Hip-Hop. Wir 10 tanzen fast die ganze Nacht. Ist doch egal – wir müssen ja am nächsten Tag nicht arbeiten! Manchmal gehen wir auch zum Tanzen ins „Studio Latino". Das ist mal was anderes, und Salsa und Merengue sind cool.

48

1 Ausgehen – nicht nur am Wochenende

1 **Freunde treffen.**
Wann und wo treffen Sie Ihre Freunde?
Sammeln Sie.

Im Sommer oft im Schwimmbad.

Meistens am Abend zu Hause.

2 **Wohin gehen Sie am Wochenende?** Lesen Sie die Wochenendtipps und ordnen Sie die Fotos zu. Welche Wörter in den Texten passen zu den Bildern?

Tickets an der Theaterkasse abholen

einen Spieleabend machen

ins Aquarium gehen

einen Tisch reservieren
RESERVIERT

Thomas Burri, 42, Beata Stöckler-Burri, 36, Bern

Freitags gehen meine Frau und ich oft ins Theater oder in die Oper, weil wir ein Kulturabonnement haben und eine Ermäßigung bekommen. Im Frühling gibt es hier in Bern immer ein internationales Jazz-
5 Festival, das in der Schweiz sehr bekannt ist: Musiker aus der ganzen Welt treten da auf. Da gehen wir natürlich hin und treffen uns mit Freunden, die auch Jazzfans sind. Beim letzten Festival hatten wir Plätze in der ersten Reihe.

10 Unsere Freunde besuchen wir auch am Wochenende oder sie kommen zu uns. Wir kochen dann zusammen. Das ist billiger als
15 das Essen im Restaurant, und wir haben eine Menge Spaß.

Andreas Studer, 70, Bielefeld

Mein Wochenende beginnt am Donnerstagabend um 19.30 Uhr. Dann gehe ich zum Stammtisch in das Restaurant
5 „Zur goldenen Traube" und treffe mich mit alten Freunden und Kollegen. Sie sind auch Rentner. Wir spielen Karten, meistens Skat, trinken ein Bierchen oder zwei und
10 unterhalten uns über Politik und was sonst so auf der Welt passiert. Unsere Diskussionen finde ich sehr interessant.

---

3 Informationen sammeln. **Ergänzen Sie die Tabelle.**

	Tamina	Thomas und Beata	Andreas
Wohin?			
Was?			

---

4 Einen Abend planen. **Worauf haben Sie Lust?**

Ü1

Redemittel	
einen Abend planen	
Ich habe Lust auf	Kino / Theater / ein Konzert / eine Pizza / Fernsehen / Kartenspiele.
Ich würde gern	essen gehen / in einen Jazz-Club gehen / zu Hause bleiben und eine DVD gucken / mit Freunden kochen.

in die Kneipe gehen

Billard spielen

eine Lesung besuchen

ins Stadion gehen

2 Rund ums Essen

1 **Mein Lieblingsrestaurant.**
Wohin gehen Sie gern essen?
Mit wem gehen Sie essen?
Was essen Sie dort?

> Ich gehe gern zum Italiener.

> Ich gehe am liebsten Griechisch essen.

> Wir gehen manchmal mit den Kindern zu „Burger Queen".

2 **Im Restaurant „Zur goldenen Traube"**

a) Lesen Sie die Speisekarte und beantworten Sie die Fragen.

1. Was kennen Sie, was nicht?
2. Welche vegetarischen Gerichte gibt es?
3. Was mögen Sie gern, was gar nicht?

Restaurant „Zur goldenen Traube"
Im Spiegeltal 25, 38717 Wildemann

Suppen	
Gulaschsuppe mit Brot	3,80 €
Tomatensuppe mit Sahnehaube	3,80 €

Kleine und kalte Gerichte	
Wurstplatte mit Bauernbrot und Gurke	7,60 €
Ofenkartoffel mit Kräuterquark	7,30 €

Spezialitäten	
Rumpsteak mit Grilltomate, Kartoffelkroketten und Salatteller	14,90 €
Wiener Schnitzel mit Pommes Frites und Salatteller	12,20 €
Fisch-Pfanne mit Bratkartoffeln	8,90 €

Gemüse und Salate	
Großer gemischter Salatteller mit Putenbruststreifen	7,50 €
Verschiedene Salate mit Käse, Ei, Brot	7,50 €
Gemüseauflauf mit Käse überbacken	8,50 €

Desserts	
Apfelstrudel mit Vanilleeis	4,00 €
Vanilleeis mit heißen Kirschen	4,80 €

Alkoholfreie Getränke		
alkoholfreies Bier	0,33 l	2,20 €
Saft: Apfel, Orange, Tomate	0,2 l	2,00 €
Mineralwasser	0,25 l	1,80 €

Alkoholische Getränke		
Bier vom Fass	0,5 l	3,20 €
Rot-/Weißwein	0,25 l	3,50 €

b) Hören Sie den Dialog und markieren Sie die Gerichte in der Speisekarte.
22

c) Vorspeise, Hauptspeise, Dessert. Wählen Sie ein Menü. Was kostet es?

3 **Bestellen**
23   Ü2

a) Hören Sie und lesen Sie. Welche Fotos passen zum Dialog? Kreuzen Sie an.

a b c d e f g

> Haben Sie schon gewählt?
> Ja, ich hätte gern ein alkoholfreies Bier und das Rumpsteak mit Grilltomate. Und vorher eine Gulaschsuppe, bitte.
> Für mich das Wiener Schnitzel mit Salat und noch einen Apfelsaft, bitte.
> Kann ich vielleicht Pommes Frites statt Kartoffelkroketten haben?
> Aber natürlich.

b) Andere Getränke, andere Gerichte. Variieren Sie den Dialog. Die Speisekarte hilft.

④ **Rollenspiel: Mit der Familie / Mit Freunden im Restaurant.** Verteilen Sie die Rollen,
Ü3–5 wählen Sie ein Menü aus und bestellen Sie. Die Redemittel helfen.

Redemittel

im Restaurant

nach Wünschen fragen Was kann ich Ihnen bringen? Haben Sie schon gewählt?	*etwas bestellen* Ich hätte / Wir hätten gern … Ich möchte … / Ich nehme … / Noch ein/e/en …, bitte.
sich über etwas beschweren Der/Das/Die … ist/sind kalt / zu salzig. Können Sie mir bitte noch eine Gabel / ein Messer / einen Löffel / Pfeffer/Salz bringen?	*sich entschuldigen* Das tut mir leid. Ich nehme es zurück. Ich bringe Ihnen sofort die Gabel / … Einen Moment bitte, ich frage in der Küche nach.
nach dem Essen fragen Schmeckt es Ihnen? / Sind Sie zufrieden?	*das Essen kommentieren* Ja, danke, sehr gut. / Es geht.

---

5 **Von Beruf Fachmann/-frau für Systemgastronomie**
Ü6

> **Systemgastronomie,** die: Drei oder mehr Restaurants
> mit den gleichen Standards (→Corporate Identity).
> Ziel ist, dass der Gast in jedem Restaurant die gleichen
> Produkte in der gleichen Qualität bekommt.

a) **Lesen Sie den Wörterbuchausriss und nennen
Sie Beispiele für Systemgastronomie.**

b) Lesen Sie das Porträt und beantworten Sie die Fragen.

Dario Lessing, 23,
Fachmann für Systemgastronomie

Dario hat seine Ausbildung bei einer großen Restaurant-Kette gemacht. Die Restaurant-Kette, die für ihre
Hamburger und Pommes bekannt ist, verkauft auf der
ganzen Welt die gleichen Produkte. Darios Ausbildung
5 hat drei Jahre gedauert. Im Restaurant musste er
kochen, Gäste beraten, Produkte bestellen, die Produktqualität kontrollieren und an der Kasse arbeiten.
Im Büro hat er viel über Marketing gelernt und Abläufe
mitorganisiert. Dario hat letzten Monat seine Ausbil-
10 dung beendet. Nach einem kurzen Urlaub möchte er
sich spezialisieren, weil ihm die Planung und Organisation viel Spaß gemacht haben.

1. Wo hat Dario seine Ausbildung gemacht?
2. Wie lange hat die Ausbildung gedauert?
3. Wo hat er gearbeitet?
4. Welche Aufgaben hat ein Fachmann für Systemgastronomie?

? **c) Hören Sie das Interview. Welche Informationen sind neu?**
24

6 Personen oder Sachen genauer beschreiben

4   Ü7

a) Ordnen Sie die Relativsätze zu.

Hauptsatz	Relativsatz
Ein Auszubildender ist <u>ein Mann</u>, **1**	**a** <u>die</u> für Gäste im Restaurant kocht.
Eine Köchin ist <u>eine Frau</u>, **2**	**b** <u>das</u> in Deutschland sehr beliebt ist.
Kaffee ist <u>ein Getränk</u>, **3**	**c** <u>der</u> gerade eine Berufsausbildung macht.
Küchenhilfen <u>sind Leute</u>, **4**	**d** <u>die</u> dem Koch in der Küche helfen.

b) Verbinden Sie die Sätze und sprechen Sie.

Ein Mann, der Eine Frau, die	Taxi fährt, Haare schneidet, ein Flugzeug fliegt, ein Restaurant organisiert, kranken Menschen hilft, Essen für Gäste kocht,	heißt	Taxifahrer/in. Friseur/in. Pilot/in. Restaurantmanager/in. Krankenpfleger/in. Koch/Köchin.

7 Was ist das?

a) Relativpronomen. Ergänzen Sie die Sätze.

1. Ein „Gespritzter" ist in Österreich ein Getränk,

.... aus Apfelsaft und Mineralwasser besteht.

2. Restaurantkritiker sind Journalisten,

.... Essen im Restaurant testen.

3. Ein griechischer Bauernsalat ist ein Salat, ... aus Tomaten,
Gurken, Paprika, Käse und Zwiebeln besteht.

Herr Ober, was ist das?

*Das ist eine Fliege, ... in
Ihrer Suppe schwimmt.*

b) Ordnen Sie die Regeln zu.

4

         a   **b**   **c**

Latte Macchiato ist ein <u>Getränk</u>, das aus Milch und Kaffee (besteht).

☐ Der Relativsatz ist ein Nebensatz. Das Verb steht am Ende.
☐ Der Relativsatz erklärt ein Nomen im Hauptsatz.
☐ Das Relativpronomen steht nach dem Komma.

8 Spezialitäten: Wie macht man das?

4   Ü8–10

**a) Relativpronomen im Akkusativ.
Lesen Sie das Beispiel und
vergleichen Sie die Sätze.**

Baklava: ein türkischer Kuchen;
aus Mehl, Wasser, Nüssen und Zucker

Baklava ist ein türkischer Kuchen. Man macht **den Kuchen** aus Mehl, Wasser, Nüssen und Zucker.
Baklava ist ein türkischer <u>Kuchen</u>, **den** man aus Mehl, Wasser, Nüssen und Zucker (macht).

b) Beschreiben Sie wie in a).

Toast Hawaii: ein Toast; aus Toastbrot, Schinken, Ananas und Käse
Sushi: eine japanische Spezialität; aus Reis, Gemüse und Fisch
Käse-Fondue: ein Schweizer Gericht; aus Käse, Wein und Brot
Tsatsiki: eine griechische Soße; aus Joghurt, Gurke und Knoblauch

3 Leute kennenlernen

1 Anneliese und Werner

a) **Sehen Sie die Fotos an, sammeln Sie Informationen und schreiben Sie: Was sagen die Fotos über Anneliese, Werner und ihre Familie?**

a

1970
Wir haben geheiratet.

b

Die Kinder haben uns
viel Freude gemacht.

Im Ballhaus –
ich habe die
ganze Nacht mit
ihm getanzt.

c

Unsere große Familie. Mit ihnen
haben wir immer viel Spaß.

d

? b) **Hören Sie das Interview und bringen Sie die Fotos in die richtige Reihenfolge.**
25

2 **Ich mit dir und du mit mir. Ergänzen Sie die Personalpronomen im Dativ. Aufgabe 1 a) hilft.**
10

Grammatik						
Nominativ	ich	du	er/es/sie	wir	ihr	sie/Sie
Dativ	mir	dir	......../ihm/ihr	....	euch	......../Ihnen

3 *Speed-Dating* – so schnell kann man Leute kennenlernen

Ü11 a) **Lesen Sie den Magazin-Text. Notieren Sie sieben Fragen, die Sie beim ersten Kennenlernen stellen möchten.**

Partnersuche leicht gemacht!

Speed-Datings gibt es in vielen Städten. Sieben Frauen treffen sieben Männer, lernen sich sieben Minuten lang kennen und wechseln dann zu einem neuen Gesprächspartner. In einer Stunde lernen Sie so sieben neue interessante Menschen kennen.
Und wie geht das? Sie melden sich mit Ihrem Partnerprofil auf einer Internetseite an. Passen genug Teilnehmer zu Ihrem Profil, bekommen Sie per E-Mail eine Einladung zu Ihrem Speed-Dating.
Experten raten: „Sprechen Sie über interessante Hobbys und den Beruf, seien Sie ehrlich und nehmen Sie Ihren Partner ernst."

b) **Machen Sie ein *Speed-Dating* im Kurs.**

1 Der perfekte Freitagabend

27

a) Hören Sie das Gespräch zwischen Ondrej und Melissa. Welche Ideen gibt es für den Freitagabend? Kreuzen Sie an.

1. ☐ mit Freunden kochen
2. ☐ ins Aquarium gehen
3. ☐ eine DVD gucken
4. ☐ eine Lesung besuchen
5. ☐ in eine Kneipe gehen
6. ☐ in einen Club gehen
7. ☐ Live-Musik hören
8. ☐ Musik machen
9. ☐ Billard spielen

b) Was möchten Melissa und Ondrej am Abend machen? Was finden beide gut? Hören Sie noch einmal und tragen Sie in die Tabelle ein.

Melissa	Ondrej	Melissa und Ondrej
....	....	....

2 Essen kochen und bestellen

a) Welche Gerichte zeigen die Fotos? Schreiben Sie. Die Speisekarte auf Seite 58 hilft.

Deutsche Küche —
das Kochbuch für Studenten

b) Ich hätte gern …! Kombinieren Sie.

Ich hätte gern	eine Frühlingssuppe, eine Gulaschsuppe, eine Käseplatte, eine Wurstplatte, einen Hamburger,	ein Rumpsteak ein Wiener Schnitzel einen gemischten Salatteller einen Gemüseauflauf Pommes	und	eine Cola. einen Orangensaft. ein Mineralwasser. ein Bier. eine Apfelschorle.

Ich hätte gern eine Frühlingssuppe, einen
gemischten Salatteller und eine Cola.
...

3 Gespräche im Restaurant

28

a) Hören Sie die Bestellung. Was bestellen Susanne und Leon? Kreuzen Sie an.

1. Susanne bestellt
   a ☐ einen großen Salatteller.
   b ☐ einen Salatteller ohne Käse.
   c ☐ einen Salatteller mit Käse.

2. Susanne hätte gern
   a ☐ die Fisch-Pfanne mit Bratkartoffeln.
   b ☐ Fischstäbchen und Bratkartoffeln.
   c ☐ die Fisch-Pfanne mit Kartoffeln.

3. Leon bestellt
   a ☐ nur den Gemüseauflauf.
   b ☐ die Tomatensuppe und den Gemüseauflauf.
   c ☐ die Frühlingssuppe und den Gemüseauflauf.

4. Leon und Susanne trinken
   a ☐ Bier und Mineralwasser.
   b ☐ zusammen eine Flasche Mineralwasser.
   c ☐ Mineralwasser und Coca-Cola.

b) Hören Sie noch einmal. Welche Redemittel von Seite 59 hören Sie? Markieren Sie.

4 Bestellen

a) Wer sagt was? Ordnen Sie die Aussagen zu: Ober (O) oder Gast (G)?

1. ☐ Was kann ich Ihnen bringen?
2. ☐ Oh, das tut mir leid. Darf ich Ihnen noch ein Wasser bringen? Das müssen Sie natürlich nicht bezahlen.
3. ☐ Ich hätte gern zuerst die Gulaschsuppe und dann die Ofenkartoffel mit Kräuterquark.
4. ☐ Sehr gern. Und was möchten Sie trinken?
5. ☐ Ich nehme ein großes Mineralwasser, bitte.
6. ☐ Und hier kommt die Ofenkartoffel. Hat Ihnen die Suppe geschmeckt?
7. ☐ Vielen Dank, die Suppe sieht gut aus.
8. ☐ Sie war leider etwas zu salzig.
9. ☐ So, die Suppe und das Mineralwasser. Bitte schön.

b) Schreiben Sie mit den Sätzen aus a) den Dialog fertig.

♀ *Was kann ich Ihnen bringen?*
♂ *...*

5 Textkaraoke. Hören Sie und sprechen Sie die 👄-Rolle im Dialog.

29

👂 ...
👄 Ich hätte gern einen gemischten Salat mit Putenbruststreifen.
👂 ...
👄 Noch einen Toast mit Tomate, bitte.
👂 ...
👄 Ich nehme einen Kaffee.

6 Fachmann für Systemgastronomie. Hören Sie das Interview aus 5c) von Seite 59 noch einmal. Was sagt Dario? Kreuzen Sie an.

30

1. ☐ Ich habe eine Ausbildung bei einer Restaurant-Kette gemacht.
2. ☐ Ich habe in der Ausbildung gekocht, aber ich habe auch viel im Service gearbeitet.
3. ☐ Ich habe Gäste beraten und Produkte kontrolliert.
4. ☐ Ich habe fast nur im Büro gearbeitet.
5. ☐ Die Ausbildung hat mir gut gefallen.
6. ☐ Ich möchte nach der Ausbildung studieren.

7 **Beruf Bäcker/in**

a) Lesen Sie den Zeitungsartikel und ergänzen Sie die Verben.

bedienen – arbeiten – machen – beenden – beraten – dauern

10. April 2017

Estela González **Auszubildende des Monats**

Ich heiße Estela Gonzáles, komme aus Mexiko und ich wohne seit zwei Jahren in Schwerin. Ich mache eine Ausbildung zur Bäckerin. Die Ausbil-

5 dung................¹ drei Jahre. Jetzt bin ich im zweiten Jahr und nächstes Jahr................² ich meine Aus-bildung. Als Bäckerin arbeite ich in Bäckereien, Cafés oder Hotels. In der 10 Ausbildung muss ich backen und im

Service................³. Ich muss Gäste ....⁴ und................⁵. Ich sage ihnen z. B., welcher Kuchen zu welchem Fest passt. Meine Ausbil-15 dung................⁶ mir viel Spaß und mein Chef ist sehr nett. Ich kann ihn immer alles fragen. Mein großer Traum ist es, eine eigene Bäckerei mit einem Café zu haben.

Estela González (23)

b) Was ist richtig? Lesen Sie noch einmal, kreuzen Sie an und markieren Sie das Relativpronomen.

1. ☐ Estela ist eine Deutsche, die in Mexiko lebt.
2. ☐ Estela ist eine Frau, die als Bäckerin arbeitet.
3. ☐ Bäcker sind Leute, die in Bäckereien oder Cafés arbeiten.
4. ☐ Estelas Chef ist ein Mann, der sehr freundlich ist.

8 **Berufe beschreiben. Lesen Sie das Beispiel und verbinden Sie die zwei Informationen.**

Der Koch: Er arbeitet im Restaurant „Krone".
Er macht die besten Schnitzel in der Stadt.

> *Der Koch, der im Restaurant „Krone" arbeitet, macht die besten Schnitzel in der Stadt.*

1. Die Bäckerin: Sie hat gerade ihre Ausbildung beendet. Sie arbeitet jetzt in einer Bäckerei.
2. Die Journalistin: Sie hat einen Restaurantskandal aufgedeckt. Sie schreibt für die „Frankfurter Rundschau".
3. Der Kellner: Er bringt die Karte. Er ist sehr freundlich.

9 **Essen international. Kennen Sie das? Verbinden Sie die Sätze mit Relativpronomen.**

1. Gado-Gado ist ein indonesisches Essen. Es besteht aus Gemüse, Eiern und Soße.
2. Halloumi ist ein Käse aus Zypern. Er passt gut zu Rucolasalat.
3. Litschis sind Früchte aus Südchina. Sie sind etwas größer als eine Kirsche.
4. Guacamole ist eine Soße. Sie kommt aus Mexiko.

1

2

3

4

10 Mein Lieblingscafé

a) **Lesen Sie und ergänzen Sie die Relativpronomen im Nominativ und Akkusativ.**

Café Rossi

Ich sitze im Café „Rossi", ...¹ ich seit zwei Monaten kenne. Ich bestelle einen Cappuccino,

..................² immer mit einem kleinen Wasser kommt. Ich bestelle auch noch den „Rossi-Kuchen",

..................³ aus Nüssen und Kirschen besteht. Er ist sehr lecker und ich kann ihn nur empfehlen.

Beliebt ist auch das „Rossi-Sandwich", ...⁴ man aus Käse, Rucola und Tomaten macht.

Die Frau, ...⁵ im Café arbeitet, ist auch Sängerin. Am Freitagabend spielt sie mit ihrer Band im

Café. Die Band, ...⁶ aus Italien kommt, ist ziemlich gut und es gibt immer sehr

leckeres Essen. Ich bin glücklich über dieses schöne italienische Café.

---

b) **Lesen Sie die Sprechblase und verbinden Sie die Sätze mit Relativpronomen im Akkusativ.**

Christian Meier (34)

In meinem Lieblingscafé gibt es sehr guten Milchkaffee. Man bekommt ihn immer mit einem kleinen Stück Kuchen. Am Sonntag gibt es drei verschiedene Kuchen. Ich finde sie super lecker. Manchmal gibt es auch Eis. Im Winter esse ich es am liebsten mit heißen Kirschen. Die Frau im Café heißt Sandra. Ich finde sie sehr nett.

In meinem Lieblingscafé gibt es sehr guten Milchkaffee, den ...

11 Gespräche auf einer Party. **Lesen Sie den Dialog und ergänzen Sie die Relativpronomen und die Personalpronomen im Dativ.**

💬 Siehst du den Mann, ...¹ mit Henning spricht?

👤 Ja, das ist doch Christopher, ...² mit ....³ Politik studiert. Ich habe mit ....⁴ ein Seminar zusammen. Warum?

💬 Ich habe mich am Mittwoch mit ....⁵ getroffen und er gefällt ....⁶ super. Wir haben uns gut unterhalten. Er ist süß, oder?

👤 Ja, er ist nett. Oh, Henning und Christopher kommen, sie kommen zu ....⁷.

👤 Hallo! Henning und ich gehen morgen ins Theater und wir wollten fragen, ob ihr mit ....⁸ kommen wollt.

💬 Ja, gerne! Wir gehen gerne mit ....⁹ ins Theater.

Hier lernen Sie

▶ über das Stadt- und Landleben sprechen / Stadt- und Landleben vergleichen
▶ Wohnungsanzeigen lesen und verstehen
▶ einen Umzug planen
▶ über Unfälle im Haushalt berichten

1 Stadtleben oder Landluft?

1 **In der Stadt oder auf dem Land?** Ordnen Sie die Wörter aus dem Schüttelkasten zu und
Ü1 vergleichen Sie. Die Fotos und die Wort-Bild-Leiste helfen.

die Tiere – die Kuh – die Katze – die Fußgängerzone – die Natur –
der Waldweg – das Hochhaus – der Verkehrsstau – die U-Bahn –
die Luftverschmutzung – hohe Mieten – Radfahren – der Traktor –
im Garten grillen – ...

> In der Stadt gibt es Verkehrsstaus.

> Auf dem Land können Kinder draußen spielen.

> ... kann man in der Stadt und auf dem Land.

Stadt	Land	beides
die U-Bahn	der Traktor	

einen Traktor fahren

im Garten arbeiten

Tiere füttern

draußen spielen

8 10

12

13

9 11

14

2 Lieber Stadt als Land. Ergebnisse aus einer aktuellen Studie

Ü2

a) Lesen Sie den Bericht und sammeln Sie sieben Gründe für einen Umzug in die Stadt.

Deutsche Großstädter lieben das Stadtleben

Magazin | Stadt | Land 18

Das Institut „Megafors" hat über 1000 Personen für eine Studie befragt. Das Ergebnis war eindeutig: Mehr als 80 % der Bewohner von Städten mit mehr als 100.000 Einwohnern sind sehr zufrieden mit ihrem Wohnort. Sie sind
5 2016 sogar viel zufriedener als noch 2010 (65 %).

Gute Angebote in der Stadt
Ein ruhiges Leben auf dem Land? Nein! Die Großstädter in Deutschland mögen die zahlreichen, interessanten Freizeitmöglichkeiten und besonders die kurzen Wege zum
10 Einkaufen, zum Arzt oder zur Arbeit. 75 % sagen, dass eine Großstadt mehr Einkaufsmöglichkeiten als eine Kleinstadt oder das Land bietet. Das große Kunst-, Kultur- und Sportangebot ist für 71 % ein Pluspunkt und für immer mehr junge Leute ein wichtiger Grund für einen Umzug in
15 die großen Städte.

Arbeit zieht Menschen in die großen Städte
Auf dem Land ist es oft schwierig, eine Arbeitsstelle zu finden. Berufliche Gründe sind es vor allem, warum Menschen aus einer Kleinstadt oder vom Land in eine Großstadt ziehen. So ziehen 2012/2013 genauso viele Menschen für 20 einen neuen Job in die Stadt wie für eine Ausbildung oder ein Studium (34 %). 19 % wollten mit dem Umzug den Weg zur Arbeit verkürzen. In den letzten Jahren ziehen auch viele Familien mit Kindern in die Stadt, weil sie auf dem Land keinen Platz im Kindergarten finden konnten. Mehr 25 Kindergärten sind für die meisten fast ebenso wichtig wie Schulen, die nahe am Wohnort liegen. Circa 30 % hatten keinen konkreten Grund für den Umzug. Sie wollten insgesamt lieber in der Großstadt leben als auf dem Land oder in einer Kleinstadt. 30

b) Und Sie? Wo wohnen Sie lieber? Auf dem Land oder in der Stadt? Fragen und antworten Sie. Begründen Sie Ihre Meinung.

...ne Ausstellung besuchen

bummeln gehen

im Stau stehen

sich im Park treffen

2 Vom Land in die Stadt

? 1 26 Ü3 **Früher Tannhausen, heute Stuttgart. Frank Eisler und Jessica Schmidt sind umgezogen**

a) Hören Sie das Interview mit Frank und Jessica. Welche Vor- und Nachteile zum Leben auf dem Land und in der Stadt nennen Sie? Kreuzen Sie an.

Jessica Schmidt (29), Frank Eisler (32)

	Vorteile	**Nachteile**
Land	☐ billige Mieten ☐ mehr Platz für Kinder ☐ Natur	☐ lange Fahrt zur Arbeit ☐ weniger Kulturangebote ☐ schlechte Busverbindungen
Stadt	☐ S- und U-Bahn ☐ viele Geschäfte ☐ gutes Kulturprogramm	☐ Lärm ☐ höhere Mieten ☐ unbekannte Nachbarn

b) Hören Sie noch einmal. Frank (F) oder Jessica (J), wer stimmt den Aussagen zu?

1. ☐ Im Mietshaus in der Stadt kennt man oft seine Nachbarn nicht.
2. ☐ Es gibt in der Großstadt viele kulturelle Angebote. Man kann sich kaum entscheiden.
3. ☐ In der Stadt braucht man eigentlich kein Auto, weil es Busse und Bahnen gibt.
4. ☐ Das Landleben ist teuer, weil man oft mit dem Auto fahren muss und der Benzinpreis steigt.
5. ☐ Auf dem Land gibt es mehr Möglichkeiten zur Freizeitgestaltung in der Natur als in der Stadt.

2 Ü4 *sch*-Laut

👄 27 **a) Lesen Sie auf Seite 152 und sprechen Sie nach. Machen Sie die Lippen rund.**

? 28 **b) Hören Sie den Dialog. Achten Sie auf die *sch*-Laute.**

3 Ü5 Pro Stadt oder pro Land?

a) Lesen Sie die Posts und entscheiden Sie, wer pro Stadt (S) / pro Land (L) oder neutral (N) argumentiert.

b) Sammeln Sie in den Beiträgen die Vor- und Nachteile vom Stadt- und Landleben.

4 Modalverben im Präteritum: *konnten/mussten/wollten/durften*

33 Ü6

a) Markieren Sie die Modalverben im Präteritum auf Seite 67/68.

b) Lesen Sie die Beispiele und ergänzen Sie die Tabelle.

💬 Weißt du noch? In der Wohnung in der Stadt durftest du keinen Hund haben.
👥 Stimmt. Wir durften keine Tiere halten, das war verboten.

> **Minimemo**
>
> **Modalverben im Präteritum:**
> ohne Umlaut –
> aber immer ein *t*:
> wir konnten / ihr
> musstet / sie durften

Grammatik				
	müssen	dürfen	können	wollen
ich	*musste*	....	....	*wollte*
du	....	*durftest*	....	....
er/sie/es/man	....	....	....	....
wir	....	....	....	....
ihr	....	....	*konntet*	....
sie/Sie	....	....	....	....

5 Vergleiche mit *so/ebenso/genauso ... wie* und *als*

32 Ü7

a) Lesen Sie das Beispiel und ergänzen Sie die Regel.

Uns gefällt es in der Stadt genauso gut wie auf dem Land.
Auf dem Land lebt man ruhiger als in der Stadt.

Regel *wie* oder *als*:

genauso + Adjektiv (Grundform) + ...; Komparativ + ...

b) Sammeln Sie Sätze mit Vergleichen auf Seite 67/68 und kontrollieren Sie die Regel.

6 **Und bei Ihnen?** Ergänzen und sortieren Sie Vor- und Nachteile für das Stadt- oder Landleben
wie in 1a). Vergleichen Sie im Kurs.

Redemittel
Vor- und Nachteile nennen
Ich lebe lieber ... als ...
Ich finde es schöner auf dem Land / in der Stadt, weil ...
Ich lebe auf dem Land genauso gern wie in der Stadt.
Ich lebe auf dem Land / in der Stadt genauso gern wie ...
Ein Vorteil/Nachteil ist, dass ...
Bei uns gibt es auf dem Land / in der Stadt (kein-) ... Das ist ein Vorteil/Nachteil.
Für mich ist es (un)wichtig, dass ...

7 **Mit der Familie aufs Land ziehen oder in der Stadt bleiben? Eine Diskussion führen.**
Bilden Sie eine Stadt- und eine Landgruppe. Tauschen Sie Argumente aus.
Wer kann die andere Gruppe überzeugen?

3 Auf Wohnungssuche in Stuttgart

1
Ü8
Wohnungsanzeigen in Zeitungen lesen.
Beantworten Sie die Fragen.

1. Wie groß ist die größte Wohnung?
2. Wie teuer ist die billigste Wohnung?
3. Welche Wohnung liegt in der Nähe vom Hauptbahnhof?
4. Welche Wohnung hat einen Balkon?
5. Zu welcher Wohnung gehört eine Terrasse?

Internettipp
www.immonet.de
www.immmo.at
www.immoscout24.ch

Wohnungen Stuttgart

Stuttgart/Feuerbach, schöne AB-Whg. Wfl. 70 m². 3 ZKB, Terrasse, Keller, ca. 5 Min. zur S-Bahn. Kaltmiete: Euro 820,– + NK, KT: Euro 820,–. Frisch Immobilien, Goetheplatz 4, 70374 Bad Cannstatt, **Tel. 0711-30 22 566**　**a**

Stuttgart/Mitte, 2-Zi.-Whg, NB, 65,50 m², 877,5 Euro Miete + 235 Euro NK, KT: 1 Monatsmiete, Dewald Immobilien Stuttgart, ☎ **0711/34 35 33**　**c**

Stuttgart/Möhringen, 2 Zi., Wfl. 45 m², Miete: 460,– Euro, Garage, BLK, ideal für Flughafenpersonal, Infos unter ☎ **0711/8 88 55**　**b**

Stuttgart, 1-Zi.-EG-Whg., möbliert, Euro 365 (plus NK 60,00), Wfl. ca. 20 m², ruhige, zentrale Lage, Keller u. Stellplatz, 10 Min. zum Hbf. Rufen Sie uns an: **Tel. 0711/67 48 43**　**d**

Abkürzungen

Whg.	Wohnung
1 Zi.	1 Zimmer
AB	Altbau
NB	Neubau
EG	Erdgeschoss
DG	Dachgeschoss
3 ZKB	3 Zimmer und Küche, Bad
KT	Kaution
BLK	Balkon
Wfl.	Wohnfläche
NK	Nebenkosten
Hbf.	Hauptbahnhof
m²	Quadratmeter

2
29 Ü9
Informationen erfragen und eine Wohnungsbesichtigung vereinbaren

a) Hören Sie das Telefongespräch. Zu welcher Anzeige aus 1 passt es?

b) Hören Sie das Gespräch noch einmal und sammeln Sie Informationen.

Lage:　Erdgeschoss
NK:

c) Hören Sie noch einmal. Welche Redemittel hören Sie? Markieren Sie im Redemittelkasten.

Redemittel

nach Informationen zu einer Wohnung fragen

Ich interessiere mich für … in der Anzeige …
Wie viele Quadratmeter/Zimmer hat …?
Wo liegt die Wohnung / das Haus? Liegt … zentral?
Wie hoch ist die Miete? / sind die Nebenkosten?
Muss man eine Kaution bezahlen? / Hat die Wohnung eine/einen …?
Wann kann ich mir die Wohnung ansehen / das Haus besichtigen?

3 Partnerspiel: Nach einer Wohnung fragen. Sie sind Spielerin/Spieler 1. Ihre Partnerin / Ihr Partner arbeitet mit der Seite 126. Fragen Sie nach Wohnung a) und benutzen Sie die Redemittel. Beantworten Sie dann die Fragen von Spielerin/Spieler 2 zu Wohnung b).

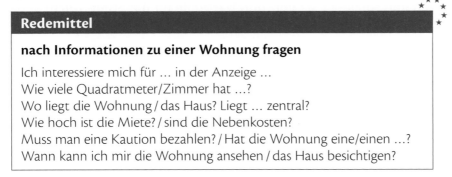

Ruhige, sonnige Whg.
im Zentrum Stuttgarts
zu vermieten. Tel.: 73 55 91　**a**

2 ZKB, ab 01. 05. frei, 62 m²
Euro 520 + 75 NK + 1 Monatsmiete KT,
kein BLK, im Zentrum, Nähe Hbf.
Besichtigung So. zw. 9 und 11 Uhr　**b**

Guten Tag. Ich habe Ihre Anzeige gelesen. Ist die Wohnung noch frei?

4 Der Umzug

1 Die Checkliste für den Umzug

?
30

a) Dagmar und Jens planen ihren Umzug.
   Was haben die beiden schon gemacht?
   Hören Sie und kreuzen Sie auf der Checkliste an.

b) Fragen und Antworten Sie.

Hast du schon	Sachen sortiert? / einen LKW gemietet? / ...?	Ja, habe ich. / Nein, muss ich noch machen.

Umzugscheckliste

Babysitter für den Umzugstag organisieren	☐
Umzugskartons besorgen	☐
LKW mieten	☐
Freunde um Hilfe bitten	☐
Packen	
– Sachen sortieren	☐
– Hausrat einpacken	☐
– Kartons beschriften (Inhalt/Zimmer)	☐
Extrakartons packen für	
– Babybedarf	☐
– Verpflegung und Getränke für die Helfer	☐
– wichtige Medikamente	☐
Parkplatz reservieren	☐

2 Chaos am Umzugstag
Ü10–11

a) Was müssen Sie tun? Ordnen Sie zu.

  Sie haben sich am Kopf gestoßen. **1**

 Ihr Kollege hat sich das Bein gebrochen. **2**

 Ein Freund hat sich geschnitten. **3**

Ein Kind hat sich an der Hand verbrannt. **4**

a Sie rufen den Notarzt.

b Sie halten die Hand unter kaltes Wasser.

c Sie kühlen die Stelle mit Eis.

d Sie reinigen die Wunde und kleben ein Pflaster auf die Stelle.

b) Der Unfall. Bringen Sie die Fotos in die richtige Reihenfolge. Berichten Sie.

a

1. ☐   2. ☐   3. ☐

b

c

?
31

c) Wer sagt was? Ordnen Sie zu. Hören Sie dann und kontrollieren Sie.

	Dagmar	Jens
1. Ich habe gerade Bücher eingeräumt.	☐	☐
2. Ich wollte unser Geschirr auspacken.	☐	☐
3. Ich habe nicht aufgepasst und da habe ich mich geschnitten.	☐	☐
4. Wir mussten die Wunde reinigen.	☐	☐
5. Und wir hatten sogar Pflaster und Salbe in der Hausapotheke.	☐	☐

3 Die Hausapotheke. Was haben Sie auch zu Hause? Kreuzen Sie an.

☐ das Pflaster   ☐ der Verband

☐ das Nasenspray   ☐ die Schere

☐ die Salbe   ☐ die Tabletten

☐ die Tropfen

? 1 Stadt oder Land?

31

a) Hören Sie einen Teil aus einem Bewerbungsgespräch. Zu welchen Punkten sagt Ansgar Klein etwas? Kreuzen Sie an.

1. ☐ zum Landleben
2. ☐ zu seiner Wohnung
3. ☐ zum Verkehr in der Stadt
4. ☐ zur Luftverschmutzung in der Stadt
5. ☐ zu seinen Freizeitaktivitäten
6. ☐ zu seiner Familie
7. ☐ zu den Arbeitszeiten
8. ☐ zu seiner alten Firma

Ansgar Klein im Bewerbungsgespräch

b) Hören Sie noch einmal. Welche Aussagen sind richtig? Kreuzen Sie an und korrigieren Sie die falschen Aussagen.

1. ☐ Herr Klein lebt auf dem Land.
2. ☐ Er möchte in der neuen Firma arbeiten, aber nicht aufs Land ziehen.
3. ☐ Er mag das Landleben, weil er als Kind viel bei der Oma auf dem Land war.
4. ☐ Herr Klein hat keine Familie.
5. ☐ Er will, dass seine Kinder draußen spielen können und die Natur erleben.
6. ☐ Er hat kein Auto und er möchte auch kein Auto fahren.
7. ☐ Für ihn sind 70 Kilometer zur Arbeit kein Problem.

Herr Klein lebt in Hamburg.

2 Deutsche Großstädter lieben das Stadtleben

a) Lesen Sie noch einmal den Bericht auf Seite 67. Suchen Sie die folgenden Wortanfänge und ergänzen Sie sie.

1. der Groß*städter* ....
2. das Stadt.......................
3. die Freizeit.......................
4. die Einkaufs.......................
5. die Klein.......................

6. das Sport.......................
7. der Plus.......................
8. die Arbeits.......................
9. der Kinder.......................
10. der Wohn.......................

b) Ordnen Sie ein passendes Wort aus a) zu.

a ☐ … ist in Deutschland eine Stadt mit weniger als 20.000 Einwohnern.

b ☐ … ist ein Mensch, der in einer Großstadt lebt.

c ☐ … ist ein Vorteil bzw. eine positive Sache.

d ☐ Dort spielen und lernen Kinder gemeinsam im Alter von ein bis sechs Jahren.

e ☐ Ein Volleyballverein, Skiclub oder ein Fitness-Studio ist ein …

f ☐ Ein Supermarkt bietet gute …

c) Schreiben Sie das Gegenteil wie im Beispiel. Der Bericht auf Seite 67 hilft.

1. unzufrieden   *zufrieden* ....
2. schlecht   ....
3. laut   ....
4. wenige   ....
5. uninteressant   ....

6. lang   ....
7. klein   ....
8. alt   ....
9. unwichtig   ....
10. leicht   ....

d) Ergänzen Sie die Sätze mit Hilfe der Informationen aus dem Bericht auf Seite 67.

1. Viele Großstädter ....

2. Besonders wichtig sind den Großstädtern ....

3. Für 71% ....

4. Das sind drei Gründe für einen Umzug in die Stadt: ....

5. Kindergärten ....

3 **Tannhausen oder Stuttgart? Sammeln Sie Informationen zu Einwohnern, Lage, Verkehr und Kultur aus der Internetseite in einer Tabelle.**

http://www.badenwuerttemberg_aufeinenBlick.de

Unser Land   Regierung   BW gestalten   Service

STUTTGART

Lage: Stuttgart liegt in Süddeutschland und ist die Landeshauptstadt von Baden-Württemberg.

Stuttgart in Zahlen: Stuttgart ist die sechstgrößte Stadt in Deutschland und hat über 600.000 Einwohner.

Verkehr: In Stuttgart kann man mit Auto, Bahn, Zug, Flugzeug und sogar mit dem Schiff anreisen. Die Stadt ist ein Verkehrsknotenpunkt.

Kulturangebote: In Stuttgart gibt es Theater, Oper, Ballett, Musicals und viele Museen (z. B. das Mercedes-Benz Museum). Wer Musik liebt, ist in Stuttgart richtig. Dort gibt es das Staatsorchester Stuttgart (400 Jahre Tradition!), viele Chöre und Musikvereine.

TANNHAUSEN

Lage: Tannhausen ist ein kleines Dorf im Bundesland Baden-Württemberg. Es ist etwa 100 Kilometer von Stuttgart entfernt, an der Grenze zu Bayern.

Tannhausen in Zahlen: Das Dorf hat nur 1.843 Einwohner, aber viele Vereine, z. B. den Musikverein oder Schachclubs.

Verkehr: Tannhausen liegt nicht an der Autobahn und hat auch keinen Bahnhof. Reisen Sie mit PKW oder Bus an.

Kulturangebote: Besuchen Sie die alte Kirche oder gehen Sie wandern oder Radfahren in der schönen Natur!

	Einwohner	Lage	Verkehr	Kultur
Stuttgart	über 600.000			
Tannhausen				

 4 *sch*-**Laut. Hören Sie und sprechen Sie nach.**

32

die Stadt – der Stau – stehen – die Straße – schön – der Stift – das Schiff

5 Meinungen zum Stadt- bzw. Landleben. **Welche Person passt? Lesen Sie noch einmal die Beiträge auf Seite 68 und ergänzen Sie die Namen.**

1. .... musste (zu) viel Geld für die Wohnung zahlen.

2. .... konnte einen Kompromiss zwischen Stadt und Land finden.

3. .... wollte keine Angst mehr um die Kinder haben.

4. .... hatte Glück und konnte das Haus auf dem Land verkaufen.

5. .... findet das Landleben ätzend.

6. .... findet große Städte laut, dreckig und teuer.

6 Erinnerungen – **Was mussten, wollten, konnten und durften Sie (nicht)? Kombinieren Sie. Schreiben Sie zehn Sätze. Lesen Sie die Sätze dann laut und schnell.**

> Ich musste mit drei Jahren in den Kindergarten gehen.
> Ich konnte mit vier Jahren noch nicht Fahrrad fahren, aber mit sechs Jahren.

| Ich | durfte konnte musste wollte | bei meiner Oma in der alten Wohnung auf dem Land als Kind im Mietshaus in der Stadt im Garten mit meinen Freunden mit der Familie im Sommer/Herbst | (nicht) | lesen / Fahrrad fahren / Ski fahren / in die Disko gehen / in die Schule gehen / spielen / arbeiten / Traktor fahren / Tiere füttern / ein Haustier haben / allein einkaufen / … |

7 Vergleiche

a) **Stimmt das? Kreuzen Sie an. Vergleichen Sie mit den Aussagen in den Beiträgen auf Seite 67/68.**

	richtig	falsch
1. In der Stadt sind die Einkaufsmöglichkeiten besser als auf dem Dorf.	☐	☐
2. Auf dem Land bezahlt man genauso hohe Mieten wie in der Stadt.	☐	☐
3. In der Stadt gibt es mehr Arbeitsstellen als auf dem Land.	☐	☐
4. In der Stadt ist es ebenso ruhig wie auf dem Land.	☐	☐
5. Im Dorf leben die Menschen anonymer als in der Stadt.	☐	☐

b) **Markieren Sie in den Sätzen in a) die Vergleiche.**

c) *als* oder *wie*? **Ergänzen Sie und beantworten Sie dann die Frage.**

1. Was ist genauso groß .... eine Giraffe?

2. Was ist lauter .... ein Flugzeug?

3. Welche Stadt ist größer .... Berlin?

4. Welches Tier ist ebenso intelligent .... ein Hund?

5. Welches Land hat weniger .... sechs Millionen Einwohner?

> 1. Unser Baum im Garten ist genauso groß wie eine Giraffe.

8 **Wohnungsanzeigen verstehen. Lesen Sie die Anzeigen. Ordnen Sie jeder Wohnungsanzeige eine Person zu. Eine Person passt zu keiner Wohnungsanzeige.**

Wohnungen

1 □ **Frankfurt am Main/Nordend-West,** 1,5 Zimmer in einer 5 Personen-WG; im EG; Wfl. 17,00 m², ideal für Studenten und Singles, Extras: BLK, Garten, 160,00 EUR Kaltmiete, Infos unter ☎ **069 25249933**

2 □ **Nachmieter gesucht!** Schöne vollmöblierte 1 ZKB-DG-Whg. in der Schlossstr. in Bocken/Frankfurt a. Main; Wfl. 15,00 m²; 240,00 EUR Kaltmiete + KT (drei Mieten); Kontakt unter **Höfel@immobilianet.de**

3 □ **Sehr schönes 1-Zi-Apartment in Uniklinik-Nähe.** 330,00 EUR Kaltmiete (NK 65 Euro); 23,00 m² Wohn-fläche; BLK, Keller und Stellplatz für Auto; Immobilien Mainmetropole ☎ **069 13256735**

Wir suchen

A **Studentin,** 21 Jahre, (Deutsch) sucht WG, Zim-mer mindest. 18 m², max. 150, - Euro Kaltmiete; BLK, nicht im EG! Kontakt unter **0151-34652156** o. **eva.berg@web.de**

B **Junges Paar,** (23 und 25 Jahre) sucht kleine 1 ZKB Whg., bis 350,00 EUR Kaltmiete, mind. 20,00 m² und mehr; Autostellplatz; Kontakt: **0173-10578890**

C **Ärztin** sucht 1ZKB, vollmöbliert; wenn möglich: in Frankfurt/Main Nähe Uniklinik, max. Kaltmiete 270,00 Euro; Kontakt unter **0178-23567193**

D **Student (Medizin)** sucht Zimmer in WG oder kleine 1 ZKB-Whg., kein DG, max. 200,- Euro Kaltmiete; Kontakt unter **0151-34652156**

Katze, schwarz, **am 24. 03** wegge-laufen, in Frankfurt

---

9 **Textkaraoke**

👄 **a) Hören Sie und sprechen Sie die** 〰️**-Rolle im Dialog.**

33

👂 …

〰️ Guten Tag, hier Weinert. Sie haben eine Anzeige für ein 1-Zimmer-Apartment in der Frankfurter Allgemeinen Zeitung. Ich interessiere mich für die Wohnung.

👂 …

〰️ Genau. Wo liegt denn die Wohnung?

👂 …

〰️ Das ist natürlich super praktisch. Ich habe ab Mai eine Stelle an der Klinik.

👂 …

〰️ Gerne! Ich habe nur noch ein paar Fragen. Muss man eine Kaution zahlen?

👂 …

〰️ Kein Problem, bis gleich.

b) Welche Anzeige aus 8 passt zum Telefonat? Notieren Sie.

Anzeige: □

👄 **10** **Flüssig sprechen. Hören Sie und sprechen Sie nach.**

34

1. gestoßen. – mich am Kopf gestoßen. – Ich habe mich am Kopf gestoßen.
2. gebrochen. – mir das Bein gebrochen. – Ich habe mir das Bein gebrochen.
3. geschnitten. – mir in den Finger geschnitten. – Ich habe mir in den Finger geschnitten.
4. verbrannt. – mich an der Hand verbrannt. – Ich habe mich an der Hand verbrannt.

---

11 **Wörter in Paaren lernen**

a) Verbinden Sie. Manchmal gibt es zwei Möglichkeiten.

die Wunde **1**   **a** rufen
den Notarzt **2**   **b** kühlen
ein Pflaster **3**   **c** brechen
die Stelle **4**   **d** reinigen
das Bein **5**   **e** aufkleben

die Wunde kühlen/reinigen

Ich kühle die Wunde mit Eis.

b) Schreiben Sie die Wortverbindungen und einen Beispielsatz auf eine Karteikarte.

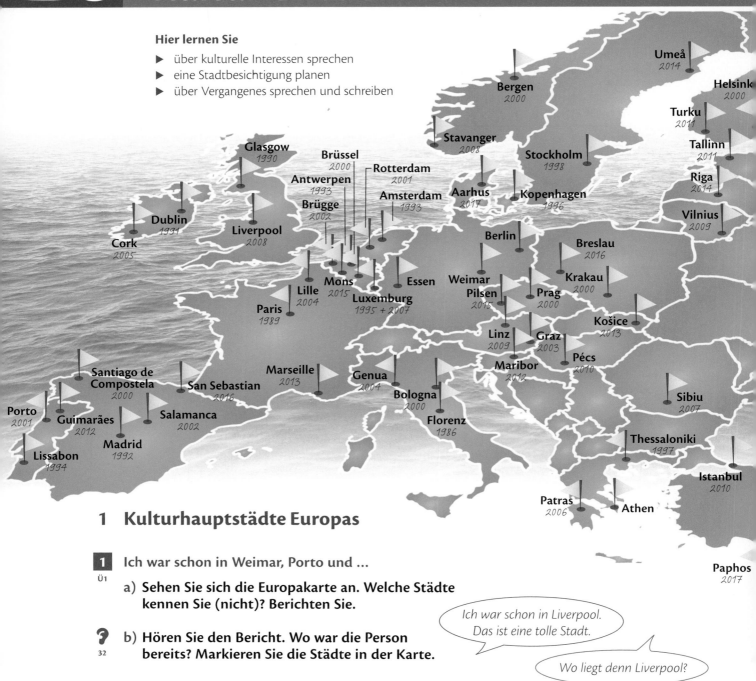

Hier lernen Sie

▶ über kulturelle Interessen sprechen
▶ eine Stadtbesichtigung planen
▶ über Vergangenes sprechen und schreiben

Umeå 2014
Helsink 2000
Bergen 2000
Turku 2011
Stavanger 2008
Tallinn 2011
Stockholm 1998
Riga 2014
Glasgow 1990
Brüssel 2000
Rotterdam 2001
Aarhus 2017
Kopenhagen 1996
Vilnius 2009
Antwerpen 1993
Amsterdam 1993
Brügge 2002
Dublin 1991
Liverpool 2008
Berlin
Breslau 2016
Cork 2005
Krakau 2000
Mons 2015
Essen
Weimar
Lille 2004
Luxemburg 1995 + 2007
Pilsen 2015
Prag 2000
Košice 2013
Paris 1989
Linz 2009
Graz 2003
Pécs 2010
Santiago de Compostela 2000
San Sebastian 2016
Marseille 2013
Genua 2004
Maribor 2012
Porto 2001
Guimarães 2012
Salamanca 2002
Bologna 2000
Sibiu 2007
Madrid 1992
Florenz 1986
Thessaloniki 1997
Lissabon 1994
Istanbul 2010
Patras 2006
Athen
Paphos 2017

1 Kulturhauptstädte Europas

1
Ü1

Ich war schon in Weimar, Porto und …

a) Sehen Sie sich die Europakarte an. Welche Städte kennen Sie (nicht)? Berichten Sie.

b) Hören Sie den Bericht. Wo war die Person bereits? Markieren Sie die Städte in der Karte.
32

> Ich war schon in Liverpool. Das ist eine tolle Stadt.

> Wo liegt denn Liverpool?

2
Ü2

Kultur erleben. Sehen Sie sich die Wort-Bild-Leiste an. Fragen und antworten Sie im Wechsel. Die Redemittel helfen.

Redemittel	
so kann man fragen	**so kann man antworten**
Waren Sie schon einmal auf einem Festival / in einem Ballett / in einer Galerie / …?	Ja, da war ich schon (oft / einige Male).
	Nein, ich war noch nie …
Gehen Sie gern auf den Flohmarkt / …?	Ja, ich mag / liebe … / Ich bin ein Fan von …
Mögen Sie Musicals / klassische Musik / … ?	Nein, das interessiert mich (wirklich) nicht.
Interessieren Sie sich (auch) für Architektur / …?	Ich bin kein großer Fan von …

die Galerie   das Ballett   das Musical   das Festival

Sie haben Lust auf Europa?
Besuchen Sie eine Kulturhauptstadt!

Reisen Sie gerne? Lieben Sie Kultur? Besuchen Sie doch eine Kulturhauptstadt! FrauvonHeute-Redakteurin Sara Pfeiffer erklärt Ihnen ein attraktives Konzept.

5 **1985** war Athen die erste Kulturstadt Europas (seit 2005 heißt es Kulturhauptstadt). Das Ziel war, dass sich Menschen aus verschiedenen Ländern und Kulturen besser kennenlernen. Danach hatten noch 10 viele andere europäische Großstädte diesen Titel, zum Beispiel Berlin, kurz vor dem Fall der Berliner Mauer im Jahre 1988. Elf Jahre später war Weimar Kulturhauptstadt – die erste deutsche Kleinstadt. Die 15 letzte deutsche Kulturhauptstadt war auch „speziell", weil es eine ganze Region war: das Ruhrgebiet. Die Stadt Essen war der Vertreter für 53 Städte im RUHR.2010-Projekt. Es gab über 5.500 Veranstaltungen und viele Kultur-Projekte. Aber das 20 tollste Erlebnis für mich war, dass es am 18. Juli 2010 für 31 Stunden keine Autos auf der Autobahn A40 25 gab. Auf der 60 km langen Strecke waren fast 20.000 Tische

gesperrte Autobahn bei Essen

Weimar 1999 – Kleinstadtidylle

Athen 1985 – die 1. Kulturhauptstadt Europas

30 mit Programmen von Vereinen, Familien, Nachbarn und Institutionen. Ich war den ganzen Tag zu Fuß auf der Autobahn unterwegs und habe viele Menschen kennengelernt. Besuchen Sie einmal eine Kulturhauptstadt! Es lohnt sich. 35 Jedes Jahr bewerben sich viele Städte, weil der Titel Kulturhauptstadt Vorteile bringt: Geld von der Europäischen Union und viele Touristen, die die Stadt besuchen. Bis 2021 stehen alle Kulturhauptstädte fest. Auch die Länder bis 2033 sind 40 klar. Wir haben Ihnen auf den folgenden Seiten einige Reisetipps zusammengestellt.

– 24 –

3 Europa stellt sich vor
Ü3–4

a) **Lesen Sie den Magazin-Artikel. Ergänzen Sie die fehlenden Jahreszahlen in der Karte. Ordnen Sie den Fotos eine Zeile zu.**

b) **Machen Sie sich zu folgenden Punkten Notizen und berichten Sie.**

Ziel · deutsche Kulturstädte · RUHR.2010 · das A40-Projekt · Vorteile · …

4 Welche Stadt wird (Welt-)Kulturhauptstadt 2033? **Wählen Sie eine Stadt, die Sie kennen und mögen. Begründen Sie Ihre Wahl.**

der Flohmarkt

der Zirkus

der Botanische Garten

das Schloss

2 Kulturreise: Eindrücke gestern und heute

1 Drei Tage Weimar

Ü5

a) **Lesen Sie den Blog-Eintrag vom 12. März. Wer ist Alexandr Karpow und warum ist er in Weimar?**

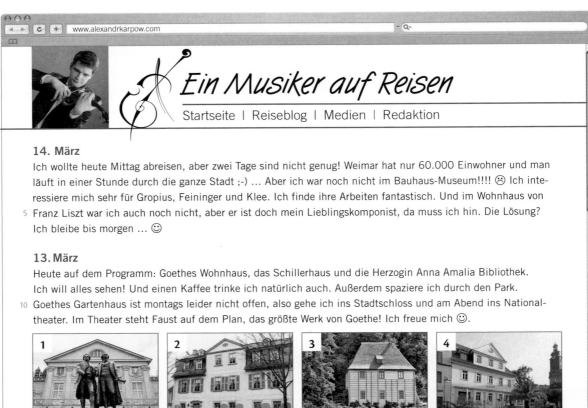

www.alexandrkarpow.com

Ein Musiker auf Reisen

Startseite | Reiseblog | Medien | Redaktion

14. März
Ich wollte heute Mittag abreisen, aber zwei Tage sind nicht genug! Weimar hat nur 60.000 Einwohner und man läuft in einer Stunde durch die ganze Stadt ;-) … Aber ich war noch nicht im Bauhaus-Museum!!!! ☹ Ich interessiere mich sehr für Gropius, Feininger und Klee. Ich finde ihre Arbeiten fantastisch. Und im Wohnhaus von
5 Franz Liszt war ich auch noch nicht, aber er ist doch mein Lieblingskomponist, da muss ich hin. Die Lösung? Ich bleibe bis morgen … ☺

13. März
Heute auf dem Programm: Goethes Wohnhaus, das Schillerhaus und die Herzogin Anna Amalia Bibliothek. Ich will alles sehen! Und einen Kaffee trinke ich natürlich auch. Außerdem spaziere ich durch den Park.
10 Goethes Gartenhaus ist montags leider nicht offen, also gehe ich ins Stadtschloss und am Abend ins Nationaltheater. Im Theater steht Faust auf dem Plan, das größte Werk von Goethe! Ich freue mich ☺.

vor dem Nationaltheater   vor Schillers Wohnhaus   Goethes Gartenhaus war heute geschlossen   Residenz-Café (das „Resi")

12. März
Als Musiker bin ich beruflich oft im Ausland. Ich war schon viele Male in Deutschland, aber nicht im Urlaub. Schade. ☹ Im Kulturstadtjahr 1999 war ich das erste Mal in Weimar bei den „Weimarer Meisterkursen". Das ist
15 ein Musik-Festival. Dort treffen sich Profis, Studenten und natürlich das Publikum. Ich habe viel von Freunden über Weimar gehört. Das hat mich neugierig gemacht. In die kleine Stadt habe ich mich sofort verliebt. Jetzt bin ich wieder hier. Meine Nichte Adia studiert in Weimar Musik! Und ich arbeite auch für einen Tag an der Hochschule für Musik FRANZ LISZT (SUPER!), zwei Tage habe ich frei. Adia freut sich, dass wir heute zusammen Geige spielen! Wir geben ein Konzert.

b) **Lesen Sie den ganzen Blog. Welchen Aussagen stimmt Alexandr Karpow zu? Kreuzen Sie an.**

1. ☐ Arbeiten in Weimar macht keinen Spaß.
2. ☐ Ein Besuch in Weimar lohnt sich.
3. ☐ J. W. von Goethe ist ein wichtiger Autor.
4. ☐ Nach zwei Tagen ist Weimar langweilig.

5. ☐ Weimar ist eine wunderschöne Stadt.
6. ☐ Weimar ist nur etwas für Fans von Musik.
7. ☐ Weimar ist eine Großstadt.
8. ☐ Die Bauhaus-Künstler sind einfach klasse!

c) **Erklären Sie die folgenden Begriffe. Der Blog hilft. Nutzen Sie ggf. auch ein Wörterbuch.**

> das Kulturstadtjahr – das Festival – das Werk – die Lösung

2 Weimar zu Fuß
Ü6

a) Sehen Sie sich die Karte an. Wo liegen die Sehenswürdigkeiten? Berichten Sie.

1. ☐ Hotel Elephant
2. ☐ das Cranachhaus
3. ☐ Anna Amalia Bibliothek
4. ☐ Hochschule für Musik

5. ☐ Schloss
6. ☐ Shakespeare-Denkmal
7. ☐ Goethehaus
8. ☐ Bauhausmuseum

9. ☐ Bauhaus-Universität
10. ☐ Liszthaus
11. ☐ Schillerhaus
12. ☐ Deutsches Nationaltheater

? **b) Wo war Alexandr auf seinem Spaziergang durch Weimar?**
33 **Hören Sie und kreuzen Sie die Sehenswürdigkeiten und Orte in a) an.**

> *Das Schloss liegt auf 1 d.*

? **c) Hören Sie noch einmal. Tragen Sie die Route auf dem Stadtplan ein und erzählen Sie.**
33

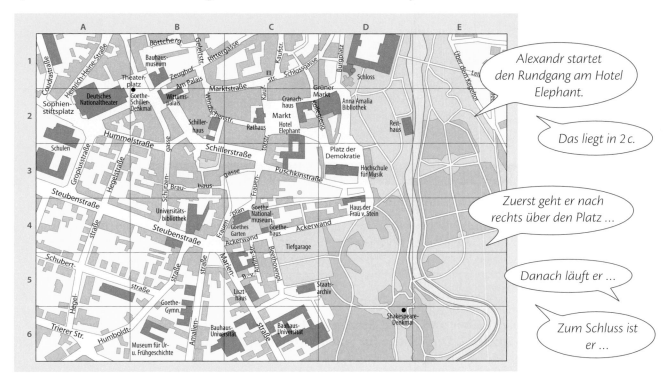

> *Alexandr startet den Rundgang am Hotel Elephant.*

> *Das liegt in 2 c.*

> *Zuerst geht er nach rechts über den Platz …*

> *Danach läuft er …*

> *Zum Schluss ist er …*

? **d) Hören Sie den zweiten Teil von Alexandrs Bericht. Notieren Sie in Stichpunkten**
34 **Informationen zu den Ausflugszielen.**

3 Neugierig auf Weimar? **Sagen Sie, was Sie (nicht) gerne machen möchten. Die Redemittel helfen.**

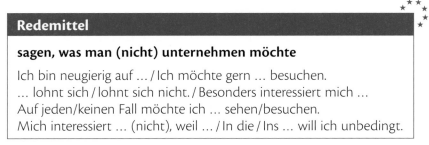

Redemittel
sagen, was man (nicht) unternehmen möchte
Ich bin neugierig auf … / Ich möchte gern … besuchen.   … lohnt sich / lohnt sich nicht. / Besonders interessiert mich …   Auf jeden/keinen Fall möchte ich … sehen/besuchen.   Mich interessiert … (nicht), weil … / In die / Ins … will ich unbedingt.

4 Projekt: www.weimar.de. **Organisieren Sie ein Programm für zwei Tage in Weimar. Planen Sie An- und Abreise, Unterkunft, Besichtigungen und einen Theaterbesuch.**

3 Über Vergangenes sprechen und schreiben

1 Entschuldigen Sie. Ich suche …

?
35
Ü7

a) Hören Sie die Gespräche. Was gab es früher, was ist hier heute? Verbinden Sie.

| früher: | Bäcker | Supermarkt | Blumenladen | Wohnhaus | Kneipe |
| heute: | Hotel | Obstladen | Bank | Café | Kiosk |

b) Sehen Sie die Zeichnungen an. Vergleichen und beschreiben Sie: Was gab es früher, was gibt es heute? Der Redemittelkasten hilft.

1929

2017

Redemittel

etwas vergleichen: früher und heute

Früher gab* es … / Früher war(en) hier … Heute gibt es … / Heute ist/sind hier … * es gab (Präteritum) = es gibt	ein Theater / ein Kinocenter / ein Hotel / ein Café / einen Bäcker / einen Supermarkt / einen Kiosk / eine Ampel / eine Fußgängerzone / eine Haltestelle

2 Partnerspiel: früher und heute. **Stellen Sie Fragen und ergänzen Sie die Antworten von Spielerin/Spieler 2. Die Tabelle für Spielerin/Spieler 2 ist auf Seite 126.**
Ü8

in der Bebelstraße	in der Müllerstraße	in der Bahnhofstraße
früher:	früher: *ein Bäcker*	früher: *eine Schule* ....
heute: *eine Schule*	heute:	heute: ....

in der Kastanienallee	in der Goethestraße	auf dem Domplatz
früher:	früher: *ein Theater*	früher: ....
heute: *ein Kino*	heute:	heute: *Büros* ....

Spieler 1

Heute ist in der Bebelstraße eine Schule.

| Was | war <br> gab es | hier früher? |

Spieler 2

Früher war hier …
Heute gibt es in der Müllerstraße …
Was …

3 Johann Wolfgang von Goethe – ein Genie mit vielen Interessen

Ü9

a) Lesen Sie die Biografie. Warum gilt Goethe als „Universalgenie"?

Johann Wolfgang von Goethe wurde am 28. August 1749 in Frankfurt am Main geboren. Sein Vater unterrichtete ihn am Anfang. Danach hatte er Hauslehrer.

Goethe war erst 16 Jahre alt, als er 1765 Jura in Leipzig studierte. Sechs Jahre später arbeitete er dann als Anwalt. Schon sein erster Roman zeigte, dass er ein Genie war:

5 Goethe verliebte sich 1772 unglücklich in Charlotte Buff („Lotte"). Er verfasste seinen ersten Roman (*Die Leiden des jungen Werther*) in nur vier Wochen! Der Roman machte ihn in ganz Europa berühmt. Als Goethe etwas älter war, hatte er viele Interessen: Architektur, Archäologie, Farben, Mineralogie, Chemie, Wetter und Mathematik. Er verfasste also nicht nur Gedichte und Dramen. Er erforschte zum Beispiel auch die Farben.

10 Goethe schrieb über Liebe, Leben, Tod und Teufel. Er konnte die Menschen sehr gut beschreiben. Seine Werke (*Werther, der Erlkönig oder Faust* ...) sind heute noch aktuell.

b) Verbinden Sie. Kontrollieren Sie mit den Aussagen aus a). Lesen Sie laut und schnell.

J. W. von Goethe   liebte   Recht in Leipzig.
Goethes Vater   verfasste   Goethe leider nicht.
Charlotte   unterrichtete   seinen Sohn in den ersten Jahren.
                          studierte   weltberühmte Gedichte und Dramen.

 4 **Lebte, arbeitete, forschte ... Schreiben Sie die Tabelle in Ihr Heft. Ergänzen Sie mit den**
35 Ü10 **Verben aus 3 und formulieren Sie die Regel.**

Grammatik		leben	erforschen	arbeiten	...
Singular	ich/er/sie	leb-te	...	arbeit-e-te	...
Plural	wir/sie	leb-ten	...	...	...

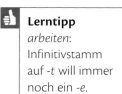

Lerntipp
arbeiten:
Infinitivstamm
auf -*t* will immer
noch ein -*e*.

Regel Regelmäßige Verben im Präteritum

Singular: Infinitivstamm + ...   Plural: Infinitivstamm + ...

 5 **Eine Aussage, zwei Zeitformen. Vergleichen und ergänzen Sie: Präteritum oder Perfekt?**
34 Ü11

Eine Stadtführerin erklärt:
„Der junge Goethe hat einige Monate in Wetzlar gelebt. Hier hat er sich in Charlotte verliebt."

Gesprochene Sprache: ....

Im Reiseführer steht:
Der junge Goethe lebte einige Monate in Wetzlar. Hier verliebte er sich in Charlotte.

Geschriebene Sprache: ....

 6 **Als Goethe in Leipzig wohnte ... Vergleichen Sie die Sätze. Wo steht das Verb? Schreiben Sie**
18 Ü12–13 **wie im Beispiel.**

1. Goethe war erst 16 Jahre alt, als er Jura in Leipzig studierte.
2. Als er etwas älter war, hatte Goethe viele Interessen.

                                          Position 2

Goethe   war   erst 16 Jahre alt, als er Jura in Leipzig studierte.
Als er Jura in Leipzig studierte,   war   Goethe erst 16 Jahre alt.

7 **Goethe-Biographie.** **Recherchieren und berichten Sie.**

1 Kommen Sie nach Pilsen!

a) Lesen Sie den Internet-Artikel. Geben Sie jedem Foto einen Titel.

| Startseite | Stadtamt | Über die Stadt | Kontakt |

Kommen Sie nach Pilsen – Kulturhauptstadt 2015!

Pilsen ist die viertgrößte Stadt in Tschechien. Sie hat 168.000 Einwohner, ist also nicht so groß wie Paris, Berlin oder Rom. Aber in Europa kennen viele Pilsen. Warum? Wer Autos und die Firma Škoda mag und gern Bier trinkt, kennt Pilsen! Aber das ist nicht alles. Pilsen hat viele
5 Sehenswürdigkeiten. Interessieren Sie sich für Architektur? Besuchen Sie die St.-Bartholomäus-Kathedrale. Sie möchten gern wissen, wie man Bier macht? Gehen Sie ins Bier-Museum und trinken Sie ein echtes Pilsener Bier! Sie reisen mit der ganzen Familie an? Ein Besuch im Zoo oder ein Spaziergang durch den Park macht auch Ihren Kindern Spaß.

10 2015 war ein ganz besonderes Jahr. In der Stadt gab es 50 große Projekte und mehr als 600 (!) Veranstaltungen. Die Stadt war für alle interessant – für junge Menschen, Familien aber auch für Senioren.

Pilsen ist immer eine Reise wert!

b) Welche Aussagen sind richtig? Kreuzen Sie an und korrigieren Sie die falschen.

1. ☐ Pilsen ist eine der größten Städte in Tschechien.
2. ☐ Mit 168.000 Einwohnern ist Pilsen größer als Berlin.
3. ☐ Die Stadt ist in Europa wenig bekannt.
4. ☐ Eine Sehenswürdigkeit von Pilsen ist z. B. die St.-Bartholomäus-Kathedrale.
5. ☐ Für Kinder gibt es keine Freizeitangebote.

c) Was kann man in Pilsen machen? Beenden Sie die Sätze.

1. Wer Architektur liebt, …
2. Bier-Fans können …
3. Pilsen ist auch kinderfreundlich: …
4. Im Kulturhauptstadtjahr gab es …

2 Waren Sie schon einmal …? Schreiben Sie eine Frage zur Antwort.

1. .... – Ja, ich bin ein großer Fan von Festivals!
2. .... – Nein, ich war noch nie in einer Galerie.
3. .... – Für Musicals interessiere ich mich nicht.
4. .... – Ich bin kein Fan von Flohmärkten.

3 Lust auf Europa?

a) Verbinden Sie und kontrollieren Sie mit dem Magazin-Artikel auf Seite 77.

erste Kulturhauptstadt Europas	1	a Berlin
Kulturstadt kurz vor dem Fall der Mauer	2	b das Ruhrgebiet
eine Kulturhauptstadt-Region	3	c Weimar
erste deutsche Kleinstadt mit dem Titel	4	d Essen
Vertreter für 53 Städte	5	e Athen

b) Welche Aussagen sind richtig? Kreuzen Sie an und vergleichen Sie mit der Europakarte auf Seite 76. Korrigieren Sie die falschen Aussagen.

1. ☐ Florenz war im Jahre 1986 Kulturhauptstadt.
2. ☐ Das spanische Porto war gemeinsam mit Rotterdam 2001 Kulturhauptstadt.
3. ☐ Deutschland hatte bis jetzt vier Kulturhauptstädte.
4. ☐ Bis jetzt hatte noch keine Stadt in Norwegen und Irland den Titel.
5. ☐ Maribor und Marseille waren zusammen Kulturhauptstadt.

4 Wörter zusammen lernen

a) *sein oder haben?* Ergänzen Sie mit Hilfe des Magazin-Artikels auf Seite 77.

1. Lust auf Europa ....
2. ein attraktives Konzept ....
3. ein Ziel ....
4. einen Titel ....
5. das tollste Erlebnis ....
6. zu Fuß unterwegs ....

b) Markieren Sie die Wortverbindungen im Magazin-Artikel auf Seite 77 und notieren Sie die Zeile.

.... 1. Kultur lieben
.... 2. ein Konzept erklären
.... 3. etwas lohnt sich
.... 4. etwas bringt Vorteile
.... 5. Reisetipps zusammenstellen

c) Markieren Sie die Wortverbindung in der Frage und antworten Sie.

1. Finden Sie, dass die Kulturhauptstädte ein attraktives Konzept sind?
2. Haben Sie im Sommer Lust auf Meer oder auf Berge?
3. Lieben Sie Kunst und Kultur?
4. Welchen Vorteil bringt es, wenn man Deutsch lernt?
5. Können Sie mir einen guten Reisetipp geben?
6. Wie oft sind Sie in der Woche zu Fuß unterwegs?
7. Was war Ihr tollstes Erlebnis?

1. Ich finde, das ist ein sehr attraktives ...

5 Ein Musiker auf Reisen. Sammeln Sie Wörter und Ausdrücke im Blog auf Seite 78.

1. Alexandr Karpow: *Musiker, spielt Geige, Nichte:* ....
2. Kulturstadtjahr 1999: ....
3. Weimar: ....
4. Alexandrs Spaziergang: ....

6 Orientierung auf dem Stadtplan

a) Alles falsch! Sehen Sie sich den Stadtplan auf Seite 79 an. Korrigieren Sie die Sätze.

1. Das Goethe-Haus steht am Theaterplatz, 200 Meter vom Haus der Frau von Stein.
2. Die Universitätsbibliothek liegt nordwestlich vom Schillerhaus.
3. Das Rathaus findet man auf dem Wielandplatz.
4. Die Bauhaus-Universität liegt südöstlich vom Liszthaus.
5. Das Schloss steht am Platz der Demokratie.

b) Schreiben Sie mindestens vier weitere Sätze zum Stadtplan.

? **7** **Früher gab's hier …**

35

a) Hören Sie das Gespräch. Kreuzen Sie das passende Foto an.

1

2

3

b) Hören Sie noch einmal. Welche Aussage ist richtig? Kreuzen Sie an.

1. ☐ Oma Traudel geht es nicht sehr gut.
2. ☐ Sie zeigt ihrer Enkelin ein Buch über Hamburg.
3. ☐ Heute gibt es in der Wiesenstraße ein Wohnhaus, früher gab es ein Hotel.
4. ☐ In der Goethestraße gab es früher einen Bäcker. Heute ist dort ein Theater.
5. ☐ Christina wusste nicht, dass es dort früher einen Bäcker gab.
6. ☐ Früher gab es in der Schlossgasse einen Kiosk. Heute gibt es dort einen Supermarkt.

c) Korrigieren Sie die falschen Aussagen aus b).

8 **Und Sie? Was war früher, was ist heute? Schreiben Sie Sätze.**

| Früher | hatte ich viel Zeit für mich.
habe ich viel gelesen.
bin ich oft ausgegangen.
durfte ich noch nicht Auto fahren.
konnte ich nicht schwimmen. | Heute | habe ich weniger / sogar noch mehr.
lese ich weniger / noch mehr.
gehe ich nicht / (noch) viel mehr aus.
kann ich (auch nicht) fahren.
kann ich es gut / immer noch nicht. |

Früher hatte ich viel Zeit für mich. Heute habe ich sogar noch mehr.

9 **Eine berühmte Dreiecksgeschichte**

a) Lesen Sie den Schulbuchtext und sehen Sie die Skizze an. Sammeln Sie Informationen zu den Personen. Erweitern Sie die Skizze im Heft.

Werther

Lotte — verlobt mit — Albert

Das Bild zeigt eine Szene aus Goethes Roman „Die Leiden des jungen Werther", der ihn über Nacht berühmt machte. Werther, der Romanheld, berichtet seinem Freund Wilhelm in Briefen von seiner unglücklichen Liebe zu Lotte. Er lernt sie auf einem Ball kennen und verliebt sich sofort in sie. Aber Lotte ist mit Werthers
5 *Freund Albert verlobt. Werther besucht Lotte gern. Sie ist schön und alle bewundern sie, weil sie sich liebevoll um ihre acht Geschwister kümmert. Ihre Mutter ist tot. Lotte mag Werther, aber sie liebt ihren Verlobten Albert. Weil sie ihn heiratet, endet Werthers Liebe tragisch.*

b) Schreiben Sie W-Fragen zum Text und stellen Sie sie im Kurs. Die anderen antworten.

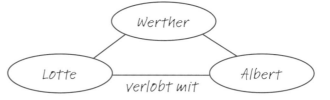

Wen heiratet Lotte?   *Was bedeutet Romanheld?*   *Wer ist jetzt in wen verliebt?*

10 **Johann Wolfgang von Goethe und sein Leben. Lesen Sie die Notizen. Schreiben Sie einen Bericht. Setzen Sie die Verben ins Präteritum.**

> – Goethe studiert ab 1765 Jura, ab 1771 arbeitet er für vier Jahre als Anwalt
> – 1775 verlobt er sich mit Anna Elisabeth Schönemann, trennt sich aber wieder
> – 1772 verliebt er sich unglücklich in Charlotte Buff
> – er arbeitet ab 1776 in Weimar als Minister, verfasst dort Gedichte und Dramen
> – reist von 1786 bis 1788 durch Italien, er lebt u.a. in Venedig, Rom und Neapel
> – ist ab 1788 mit Christiane Vulpius zusammen, heiratet sie aber erst 1806

11 **Walter Gropius. Die Museumsführerin berichtet. Schreiben Sie einen Bericht für den Reiseführer im Präteritum.**

Das ist Walter Gropius.

Walter Gropius hat von 1903 bis 1907 Architektur in München und Berlin studiert. Danach hat er ein Architekturbüro eröffnet und dort gearbeitet. 1915 hat er Alma Mahler geheiratet und vier Jahre später das „Staatliche Bauhaus in Weimar" gegründet. Doch er war nicht sehr lange in Weimar – bis 1926. Von 1926 bis 1934 hat er viele Wohnhäuser gebaut. Ab 1934 hat er dann in Großbritannien gelebt, aber schon 1937 in den USA an der Harvard-Universität gearbeitet. Er hat bis zu seinem Tod 1969 in den USA gelebt. Seine Architektur und das Bauhaus sind weltberühmt.

Walter Gropius studierte von ...

12 **Eine unglückliche Liebe. Schreiben Sie *als*-Sätze wie im Beispiel.**

1. Werther lernt Lotte kennen – verliebt sich sofort in sie
2. Albert war auf Reisen – Werther besucht Lotte oft
3. Lotte heiratet ihren Verlobten Albert – Werther endet tragisch
4. Goethe verfasst den Roman – dieser macht ihn in ganz Europa berühmt

> 1. Als Werther Lotte kennenlernte, verliebte er sich sofort in sie.

13 **Als ich ... Ergänzen Sie den Satzanfang wie im Beispiel.**

1. *Als ich Ada (meinen Hund) zum ersten Mal gesehen habe* , war ich sofort verliebt.
2. ...., bin ich in die Schule gekommen!
3. ...., habe ich mit Deutsch angefangen.
4. ...., arbeitete ich das erste Mal.
5. ...., wollte ich unbedingt [Beruf] werden.

Hier lernen Sie

▶ über Berufswünsche sprechen
▶ Stellenanzeigen verstehen
▶ einen Lebenslauf schreiben
▶ am Telefon: eine Nachricht hinterlassen

BERUFE
MIT ZUKUNFT

Umschulung
als Schlüssel für die Zukunft

Cindy Gerlach aus Chemnitz hat eine Ausbildung zur Mechanikerin in Textiltechnik gemacht. Nach der Ausbildung war Cindy arbeitslos. „Ich habe circa
5 100 Bewerbungen geschrieben – alle ohne Erfolg. Die Arbeitsagentur hat auch nichts für mich gehabt. Dann habe ich eine Umschulung zur Elektronikerin für Energie- und Gebäudetechnik gemacht.
10 Das Reparieren von elektrischen Geräten macht mir Spaß und ich habe sofort eine Stelle in Berlin gefunden."

1

2

3

4

5

10/17 | BERUF HEUTE | MAGAZIN   12

1 Berufe: Ausbildung, Umschulung

1 **Im Labor, in der Werkstatt ... Sehen Sie sich die Magazinseiten an.**
Ü1 **Welche Berufe auf den Fotos kennen Sie? Wo arbeiten die Personen? Die Wort-Bild-Leiste hilft.**

Eine Tierärztin arbeitet in einer Praxis.

2 **Informationen sammeln. Lesen Sie die Magazin-Beiträge. Cindy (C) oder Mehmet (M)?**
Ü2 **Ergänzen Sie.**

1. .... hat eine Umschulung gemacht.
2. .... hat in einer Restaurantküche gearbeitet.
3. .... war arbeitslos.
4. .... hat eine technische Ausbildung gemacht.
5. .... ist selbstständig.
6. .... hat sich oft beworben.

 im Labor  im Stall  im Büro  in der Werkstatt

Jetzt bin ich hier der Chef!

Mehmet Güler ist 2003 nach Köln gekommen. Damals war er 16. Er hat in der Volkshochschule Deutsch gelernt. Sein erster Arbeitsplatz war auf dem Markt. Das frühe Aufstehen war kein Problem. Dann hat er in einer Restaurantküche gejobbt. Mit 18 hat er eine Ausbildung zum Bäcker gemacht. Drei Jahre lang war er zwei Tage in der Berufsschule und drei Tage in einer Großbäckerei. „Das Lernen war nicht einfach", sagt Mehmet. Später hat er sich selbstständig gemacht und eine Bäckerei eröffnet. Heute hat er in Köln und Leverkusen drei Läden und acht Angestellte. „Am Anfang war es nicht leicht. Heute bin ich froh, dass ich die Firma gegründet habe. Denn ich bin gerne mein eigener Chef."

6

7

8

9

Am 27. März ist wieder Girls'Day Mädchen-Zukunftstag

Jedes Jahr im April ist Girls' Day. Alle Mädchen ab der fünften Klasse können mitmachen, neue Berufe kennenlernen und testen. In den Bereichen Technik, Wissenschaft und Handwerk gibt es viele Berufe mit wenigen Frauen. Das heißt: Beste Chancen für die Karriere in einem Betrieb, Girls! Mehr Informationen unter www.girls-day.de

3 Girls' Day. Lesen Sie die Anzeige. Was ist der Girls' Day? Wie finden Sie die Idee? Berichten Sie.

4 Über Berufserfahrungen sprechen. Was haben Sie schon beruflich gemacht?
Ü3

Redemittel	
Nach der Schule habe ich	eine Ausbildung zum/zur … gemacht. als/in/bei … gearbeitet. ein Praktikum in/bei … gemacht. … studiert.
Nach der Schule / der Ausbildung / dem Studium wollte ich …, aber …	

Nach der Schule habe ich eine Ausbildung zum Koch gemacht.

In den Schulferien habe ich auf dem Feld gearbeitet. Meine Eltern sind Bauern. Ich habe ihnen geholfen.

 auf dem Feld
 auf dem Bau
 im Gewächshaus
 in der Fabrikhalle

2 Arbeit suchen und finden

1 Stellenanzeigen

Ü4

a) Lesen Sie die Stellenanzeigen. Welche Qualifikationen sollen die Bewerberinnen und Bewerber haben? Markieren Sie die Informationen.

1. Wir suchen ... Altenpfleger/in

Ihr Profil: Ausbildung als Altenpfleger/in oder Pflegehelfer/in, gute Deutschkenntnisse, Flexibilität und Teamfähigkeit, eig. PKW (ambulante Pflege), Schichtdienst, auch am Wochenende
5
Bewerbungen an: APD - Ambulante Pflegedienste Naumburger Str. 3, 07743 Jena, Tel. 03641-94535

2. Kaufmann/-frau für Büromanagement

Sie organisieren und koordinieren Termine und über-
10 nehmen spannende Aufgaben.
Sie haben eine Ausbildung als Bürokaufmann/-frau?
Sie haben Kenntnisse in Word, Excel und Access?
Sie sind höflich und können gut organisieren?
Sie arbeiten gern in Teams?
15 Sie sprechen gut Englisch und Französisch?
Dann rufen Sie an **(0444-763449)** oder bewerben sich unter **www.feltenag-willisau.com**

3. Kaufmann/-frau im Außenhandel

<u>Aufgaben:</u> Kundenkontakte, Marketing, <u>Ihr Profil:</u> Ausbildungsabschluss, sehr gute Deutsch- und Eng- 20 lischkenntnisse, Computerkenntnisse. Flexibilität, Mobilität, Teamfähigkeit, <u>Ihre Chancen:</u> interessante Auslandstätigkeit, attraktive Sozialleistungen
<u>Kontakt:</u>
Rechle Personalservice GmbH, Pützstr. 25, 53129 25 Bonn. Matthias Bach: 0412-3493439, www.RPSG.com

4. Wir suchen Maurer (m/w).

Auch Berufsanfänger. Sie arbeiten auf Baustellen in der Schweiz. Führerschein, Vollzeit, flexible Arbeitszeiten zwischen 6 und 22 Uhr 30
Bewerbung bitte an: **_Willi Weber, Beethovenstr. 35, 28209 Bremen, wweber@gmail.de_**

b) Kreuzen Sie die passende(n) Anzeige(n) an und nennen Sie die Berufe.

    1. 2. 3. 4.

1. Arbeitsstelle, für die man einen Führerschein braucht. ☐ ☐ ☐ ☐
2. Arbeitsstelle, für die man Computerkenntnisse braucht. ☐ ☐ ☐ ☐
3. Arbeitsstelle, für die man Fremdsprachenkenntnisse braucht. ☐ ☐ ☐ ☐
4. Arbeitsstelle, für die man Teamfähigkeit braucht. ☐ ☐ ☐ ☐

c) Typische Wörter in Stellenanzeigen. Ergänzen Sie die Tabelle.

Berufe	Ausbildung	Tätigkeiten	Qualifikationen
....	....	Kundenkontakt........	Englischkenntnisse...

2 Berufsrecherchen

a) Wählen Sie einen Beruf aus, der Sie besonders interessiert, und recherchieren Sie Tätigkeiten und Qualifikationen.

b) Recherchieren Sie zu 1. – 3. im Internet und notieren Sie die Informationen. Präsentieren Sie Ihre Ergebnisse.

1. Tipps für Bewerbungen und für den Lebenslauf
2. Wo finde ich Praktika?
3. Was heißt „Ausbildung" in Deutschland?

Internettipp
www.planet-beruf.de
www.arbeitsagentur.de

Gute Tipps bekommt man online unter ...

3 Der tabellarische Lebenslauf

Ü5

a) Lesen Sie den Lebenslauf und beantworten Sie die Fragen. Unter welchen Überschriften finden Sie die Antworten?

Lebenslauf

Persönliche Daten

Name	Kristina Gärtner
Anschrift	Ahornweg 23
	53177 Bonn
	Tel.: (02 28) 31 21 567
	K.Gärtner@gmx.de
geboren am	30. 05. 1986 in Bonn

Schulausbildung

1992 - 1996	Elsa-Brändström-Grundschule in Bonn
1996 - 2005	Beethoven-Gymnasium in Bonn
	Abschluss: Abitur

Berufsausbildung

09/2005 - 07/2008	Ausbildung zur Industriekauffrau
	ARIBO GmbH, Bonn

Berufserfahrung

08/2008 - 02/2012	Buchhaltung, TEPCO, Bonn
03/2012 - 02/2017	Sachbearbeitung und Buchhaltung,
	SBK Köln GmbH, Köln

Fremdsprachen Englisch (C1), Spanisch (B2), Französisch (A2)

Hobbys Lesen, Fotografieren, Tanzen

> *Die Antwort zur Frage 1 steht unter „Schulausbildung".*

1. Welche Schulen hat Kristina besucht?
2. Wo wohnt sie?
3. Welchen Schulabschluss hat sie gemacht?
4. Von wann bis wann ist sie zur Schule gegangen?
5. Welche Ausbildung hat sie gemacht?
6. Wo hat sie gearbeitet? Von wann bis wann hat sie dort gearbeitet?
7. Welche Sprachen spricht sie?
8. Was macht sie gern in ihrer Freizeit?

b) **Machen Sie sich Notizen und schreiben Sie Ihren eigenen Lebenslauf.**

> *… hat von September 2006 bis zum August 2009 eine Ausbildung zum … gemacht. Dann hat er …*

Sehr geehrter Herr Bach,

in Ihrer Stellenanzeige im General-Anzeiger vom 15. 01. 2017 suchen Sie eine Industriekauffrau. Ich bewerbe mich um diese Stelle. Meinen Lebenslauf sende ich Ihnen als Anhang. Ich freue mich über eine Einladung zu einem Gespräch.

Mit freundlichen Grüßen
Kristina Gärtner

> *… hat fünf Jahre studiert. Sie …*

c) **Stellen Sie Ihrer Partnerin / Ihrem Partner die Fragen aus a) und berichten Sie.**

3   Berufswünsche: Eigentlich wollte ich Ärztin werden

🔍 💬 1 Interviews

36 36 Ü6

a) Hören Sie die Berufswünsche und notieren Sie: Was wollten Daniel (D), Maria (M), Hermann (H), und Christina (C) werden? Was sind sie heute?

b) Hören Sie noch einmal. Wer sagt was? Kreuzen Sie an.

		D	M	H	C
1.	Ich wollte Tierärztin werden, weil meine Mutter Tierärztin war.	☐	☐	☐	☐
2.	Ich habe Geschichte studiert, denn das Fach war interessant.	☐	☐	☐	☐
3.	Heute bin ich selbstständig, denn ich arbeite nicht gern für andere.	☐	☐	☐	☐
4.	Als Jugendlicher wollte ich Biologe werden, weil mich Biologie interessiert hat.	☐	☐	☐	☐
5.	Ich wollte nicht Lehrer werden, denn meine Eltern waren Lehrer.	☐	☐	☐	☐

🔍 2 Gründe nennen mit *weil* und *denn*

1,21 Ü7

a) Vergleichen Sie die Sätze. Markieren Sie dann die Verben und ergänzen Sie die Regel.

Hauptsatz
Ich wollte Tierärztin werden,

Nebensatz
weil mein Vater auch Tierarzt war.

Hauptsatz
Ich wollte Tierärztin werden,

Hauptsatz
denn mein Vater war auch Tierarzt.

Regel Mit *weil* beginnt ein .... satz. Nach *denn* folgt ein ....

b) Ergänzen Sie *weil* oder *denn*. Markieren Sie dann die Verben.

1. André sucht einen neuen Job, ... er hat Probleme mit seinen Kollegen.

2. Martin will eine Umschulung machen, ... er mehr Geld verdienen will.

3 Wendungen rund um den Beruf

Ü8–9

a) Über Berufe sprechen. Finden Sie weitere Wendungen in dieser Einheit.

eine Ausbildung machen / ich bin Lehrer geworden / eigentlich wollte ich … werden /
an der Universität arbeiten / sich selbstständig machen / …

b) Nomen und Verben verbinden. Notieren Sie die Verben zu den Nomen aus dieser Einheit.

1. eine Ausbildung … **2.** einen Lebenslauf … **3.** einen Schulabschluss … **4.** sich um eine Stelle …
5. eine Umschulung … **6.** einen Praktikumsplatz … **7.** eine Bewerbung …

🔍 4 Wortbildung

26 Ü10–11

a) Nomen mit *-ung*. Schreiben Sie das passende Verb.

1. die Wohnung – *wohnen* .... **3.** die Einladung – ....

2. die Bestellung – .... **4.** die Planung – ....

> 👍 **Lerntipp**
> In Nomen mit *-ung* findet man meistens ein Verb.

b) Sammeln Sie weitere Beispiele in der Einheit.

**c) Das Rauchen, das Parken, das …
Aus Verben Nomen machen.
Sammeln Sie Beispiele auf
Seite 86/87.**

> **Minimemo**
> *-ung*: Artikel: die
> die Wohnung
> die Ausbildung
> die Anmeldung

4 Höflichkeit am Arbeitsplatz: Der Ton macht die Musik

1 Höflichkeit hören. Vergleichen Sie. Was klingt für Sie höflicher? Kreuzen Sie an.

37

	a)	b)
1. Könnten Sie mal die Tür aufmachen?	☐	☐
2. Kann ich Sie morgen zurückrufen?	☐	☐
3. Der Platz ist noch frei, oder?	☐	☐
4. Kannst du mich bitte morgen anrufen?	☐	☐

Minimemo
Höflich oder unhöflich?
Die Intonation entscheidet!

2 Höfliche Sprachschatten. Ihre Partnerin / Ihr Partner bittet Sie um etwas. Spielen Sie Echo.
Ü12–13 **Seien Sie höflich.**

Könntest du	bitte das Fenster	zumachen?	Das Fenster zumachen? Ja, natürlich.
Könnten Sie	mir bitte das Wörterbuch	geben?	Das Wörterbuch? Ja, klar.
	bitte lauter	sprechen?	Lauter sprechen? Ja, natürlich.
Hättest du	ein Taschentuch für mich?		Ein Taschentuch? Ja, gerne.
Hätten Sie	morgen mal Zeit für ein Treffen?		Morgen? Ja, natürlich.

3 Telefonieren trainieren. Hören Sie das Gespräch und kreuzen Sie
38 Ü14 **die richtigen Aussagen an.**

1. ☐ Frau Kalbach spricht mit Herrn Bach.
2. ☐ Herr Bach ist nicht da.
3. ☐ Frau Kalbach ruft an, weil sie gern einen Termin mit Herrn Bach hätte.
4. ☐ Die Besprechung dauert bis 15 Uhr.
5. ☐ Frau Kalbach möchte keine Nachricht hinterlassen.
6. ☐ Frau Kalbach möchte Herrn Bach später noch einmal anrufen.

4 Ein Rollenspiel. Wählen Sie eine Rollenkarte aus, schreiben Sie einen Dialog und präsentieren Sie.

1. Herr Granzow + Frau Müller:
Herr Granzow ruft bei der SBK Software GmbH an und möchte Herrn Tauber sprechen, der aber nicht da ist. Herr Granzow hinterlässt seine Telefonnummer und bittet um Rückruf. Er braucht dringend einen Termin mit Herrn Tauber.

2. Frau Rodríguez + Herr Klein:
Frau Rodríguez ruft beim Goethe-Institut in München an und möchte Herrn Schmidt sprechen. Herr Schmidt ist in einer Besprechung. Frau Rodríguez hinterlässt die Nachricht, dass die Flüge nach Madrid reserviert sind.

Redemittel

sich vorstellen
Guten Tag. Hier ist/spricht …
Mein Name ist …

sich verbinden lassen
Ich möchte mit Herrn/Frau … sprechen.
Könnten Sie mich bitte mit Herrn/Frau … verbinden?

den Grund für den Anruf nennen
Ich rufe an, weil … / Ich möchte wissen, ob …
Es geht um …

eine Nachricht hinterlassen
Könnte ich eine Nachricht für … hinterlassen?
Herr/Frau … möchte mich bitte unter der Nummer … zurückrufen.

jdn. unterbrechen / nachfragen
Entschuldigung, dass ich Sie unterbreche.
Könnten Sie das bitte wiederholen?
Möchten Sie eine Nachricht hinterlassen?

sich bedanken und verabschieden
Vielen Dank für Ihre Hilfe. /
… für die Auskunft. / Auf Wiederhören.

1 Arbeitsorte und Berufe

a) Hören Sie die beiden Berichte. Notieren Sie, wo die Personen arbeiten.

36

Heike Liebig (29), Tierärztin

Hanna Weber (42), Landschaftsarchitektin

b) Finden Sie einen Beruf, der zum Arbeitsort passt.

1. ....: im Kindergarten in einer Gruppe mit Kindern

2. ....: auf dem Bau und im Büro

3. ....: in der Schule und dort in einem Büro

4. ....: in einem Krankenhaus

2 **Alles falsch! Lesen Sie noch einmal die Magazin-Beiträge auf Seite 86/87. Korrigieren Sie die Sätze.**

1. Cindy Gerlach arbeitet als Mechanikerin in Textiltechnik.
2. Cindy ist zurzeit arbeitslos.
3. Mehmet Güler repariert gerne elektrische Geräte.
4. Mehmets erster Arbeitsplatz war in einer Restaurantküche.
5. Heute hat er vier eigene Restaurants mit über 15 Angestellten.

Cindy Gerlach arbeitet als ...

3 Berufserfahrungen: Nico Schöbel erzählt

a) Hören Sie. Welche Aussagen sind richtig?
37 **Kreuzen Sie an und korrigieren Sie die falschen.**

1. ☐ Ich mag keine technischen Berufe.
2. ☐ In der Schule habe ich ein Praktikum im Krankenhaus in Münster gemacht.
3. ☐ Nach der Schule habe ich eine Ausbildung zum Kaufmann gemacht.
4. ☐ Die Ausbildung zum Kinderkrankenpfleger dauert vier Jahre.
5. ☐ Meine Ausbildung hat mir großen Spaß gemacht, aber die Arbeit ist nicht leicht.
6. ☐ Ich arbeite nicht so gern mit den Eltern. Die sind sehr anstrengend.
7. ☐ Vielleicht studiere ich Medizin.

Nico Schöbel (25),
Kinderkrankenpfleger

b) Markieren Sie in a) die Redemittel aus dem Redemittelkasten auf Seite 87.

4 Stellenanzeigen

a) Ordnen Sie die Berufe den Beschreibungen zu.

1. Kaufmann im Außenhandel – **2.** Kauffrau für Büromanagement – **3.** Altenpfleger – **4.** Maurer

---

BERUFENET | Berufsinformationen

☐ organisiert und bearbeitet Büroaufgaben. Außerdem hat man kaufmännische Tätigkeiten, so zum Beispiel in Marketing und Verwaltung. Man arbeitet in der Verwaltung von Unternehmen oder im öffentlichen Dienst.
Ausbildungszeit: 3 Jahre

☐ baut Mauern aus Steinen oder anderen Teilen (zum Beispiel im Hausbau). Man arbeitet auf Baustellen.
Ausbildungszeit: 3 Jahre in Industrie oder Handwerk.

☐ kauft Waren ein und verkauft sie weiter an Handel, Handwerk und Industrie.
Ausbildungszeit: 3 Jahre

☐ hilft älteren Menschen und pflegt sie. Man arbeitet oft in Altenheimen, hilft den alten Menschen im Alltag und versorgt sie bei Krankheiten.
Ausbildungszeit: 3 bis 5 Jahre

---

b) Nutzen Sie ein Wörterbuch und ergänzen Sie die männliche/weibliche Berufsbezeichnung.

5 Tipps zum Lebenslauf. Sehen Sie sich den Lebenslauf auf Seite 89 an und ergänzen Sie den Flyer.

Fremdsprachen – Schulen – Berufserfahrung – Passfoto – Bewerbung – Lebenslauf – Telefonnummer – Geburtsdatum – Adresse

---

Bewerben leicht gemacht!

Sie möchten sich bewerben?

Dann brauchen Sie einen ....[1].

Der Lebenslauf ist ein wichtiger Teil der

............................[2]. Zuerst

beginnt man mit den persönlichen Daten wie

Name, ...[3],

............................[4] und

Geburtsort. Auch die ....[5]

darf nicht fehlen, weil man Sie vielleicht

anrufen möchte. Rechts oben kommt das

............................[6] hin. Unter

„Schulausbildung" notiert man alle

............................[7], die man besucht

hat. Danach kommt der Punkt

„Berufsausbildung". Wer schon ....

............................[8] hat, muss schreiben,

wie lange er wo gearbeitet hat. Nennen Sie

auch die ....[9],

die Sie sprechen – für viele Jobs brauchen Sie

mindestens Englisch.

6 **Traumberufe. Erinnern Sie sich: Was wollten Sie als Kind werden?**

Ingenieur – Ärztin – Filmstar – Sängerin – Sportler – Bauer – …

Was wollten Sie als Kind werden?
Was wollten Sie mit 18 Jahren werden?

Als Kind wollte ich … werden.

7 **Gründe nennen mit *weil* und *denn*. Verbinden Sie die Sätze wie im Beispiel.**

1. Eva will den Arbeitsplatz wechseln. Ihr Chef ist anstrengend.
2. Thorsten schreibt schon die 50. Bewerbung. Es gibt wenige Stellen für Architekten.
3. Mareike arbeitet in Teilzeit. Ihre zwei Kinder sind noch sehr klein.
4. Siri geht jeden Tag zum Deutschkurs. Sie möchte den Deutschtest schaffen.
5. Matthias ist sehr zufrieden mit seinem Job. Er bekommt interessante Aufgaben.
6. Güler arbeitet auch abends und am Wochenende. Sie ist selbstständig.

> 1. Eva will den Arbeitsplatz wechseln, weil ihr Chef anstrengend ist.
> Eva will den Arbeitsplatz wechseln, denn ihr Chef ist anstrengend.

8 **Wortfeld Beruf. Machen Sie ein Wörternetz zum Thema Beruf.**

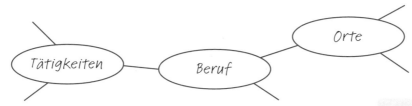

Tätigkeiten — Beruf — Orte

9 **Wörter und ihre Partner. Ergänzen Sie und kontrollieren Sie mit den Texten auf den Seiten 86 bis 90.
Notieren Sie dann die Wortverbindungen auf
einer Karteikarte mit einem Beispielsatz.**

ambulante Pflege

„Ambulante Pflege"
heißt Pflege zu Hause.
Meine Oma bekommt
ambulante Pflege.

flexible – persönliche – schreiben – ambulante – finden –
tabellarischer – gute – machen (3x) – sein (2x) – haben (2x)

1. eine Ausbildung …
2. eine Umschulung …
3. eine Bewerbung …
4. eine Stelle …
5. acht Angestellte …
6. Kenntnisse …
7. sein eigener Chef …
8. arbeitslos …
9. sich selbstständig …
10. … Arbeitszeiten
11. … Kenntnisse
12. … Pflege
13. … Lebenslauf
14. … Daten

10 **Nomen mit der Endung *-ung***

a) Markieren Sie in den Fragen das Nomen mit *-ung* und ergänzen Sie das Verb.

1. Hast du schon einmal eine Bewerbung geschrieben?   *bewerben* ....

2. Wie sind Ihre Leistungen in Deutsch? ....

3. Kennen Sie eine Person, die eine Umschulung macht? ....

4. Welche Ausbildung haben Ihre Eltern? ....

5. Können Sie das Ergebnis der Besprechung zusammenfassen? ....

b) Beantworten Sie die Fragen aus a).

11 **Aus Verben werden Nomen. Ergänzen Sie die Sätze.**

> organisieren – sprechen – lesen – arbeiten –
> schreiben (2x)

Früher hatte ich mit dem *Schreiben* ....[1] am
Computer Probleme. Jetzt schreibe ich mit zehn Fingern und
das ....[2] geht ganz schnell.
Das ....[3] von Projekten macht mir
großen Spaß und das ....[4] im Team
ist mir wichtig. Auch das ....[5] von
englischen und französischen E-Mails ist für mich kein
Problem, aber beim ....[6] bin ich nicht
perfekt. Ich mache deshalb einen Französischkurs.

12 **Flüssig sprechen. Hören Sie und sprechen Sie nach.**

38

1. zumachen? – das Fenster zumachen? – Könntest du bitte das Fenster zumachen?
2. ein Treffen? – Zeit für ein Treffen? – Hätten Sie Zeit für ein Treffen?
3. lauter sprechen? – bitte lauter sprechen? – Könnten Sie bitte lauter sprechen?

13 **Höflichkeit mit *könnte* und *hätte*. Ergänzen Sie die Tabelle.**

Grammatik		können	haben
höfliche Bitte	du	*Könntest du ....?*	....
	Sie	....	....

14 **Textkaraoke. Hören Sie und sprechen Sie die 👄-Rolle im Dialog.**

39

👂 …
👄 Guten Tag! Hier spricht Baumann von der Firma Krohn und Partner. Könnte ich bitte mit Herrn Keller sprechen?
👂 …
👄 Das hoffe ich. Wir haben mit der Gebäudetechnik im Haus Probleme.
👂 …
👄 Einige elektrische Geräte sind kaputt. Wir brauchen einen Elektriker.
👂 …
👄 Das stimmt. Ich bin aber nicht am Schreibtisch. Könnte mich Herr Keller bitte auf dem Handy anrufen? Das ist die 0151/18345563.
👂 …
👄 Danke schön und auf Wiederhören.

Hier lernen Sie

▶ über Feste und Bräuche sprechen
▶ über Geschenke sprechen
▶ Feste und Feiern vergleichen
▶ über Bedingungen und Folgen sprechen

1 der Valentinstag   2 der Karneval   3 Weihnachten

1 Feste feiern

1 Feste

a) Welche Feste auf den Fotos kennen Sie?

b) Ordnen Sie die Symbole in der Wort-Bild-Leiste den Festen zu.

> Die Brezel gehört zum Oktoberfest.

> Ich glaube, dass ... zu ... gehört.

2 Feste international

Ü1

a) Lesen Sie den Zeitschriftenartikel und markieren Sie Feste und Symbole aus 1.

WEIHNACHTEN – EIN EXPORTHIT

Feste wandern um den Globus. Einige kommen aus Deutschland. Und es gibt auch neue Feste.

Viele Feste sind heute international, man feiert sie auf der ganzen Welt. Viele Weihnachtsbräuche und -symbole kommen aus den deutschsprachi-
5 gen Ländern, z.B. der Weihnachtsbaum. Eine Chronik aus Bremen in Norddeutschland berichtet 1570 von einem kleinen Tannenbaum mit Äpfeln, Nüssen und Papierblumen. Zu Weihnach-
10 ten durften die Kinder die Leckereien aufessen. Weihnachtsbäume findet man heute überall in Europa, Amerika sogar in Süd-Ost-Asien. Mit dem Baum,

den Geschenken und Liedern ist Weih-
15 nachten heute ein internationales Fest. Zu Ostern verschenkt man in ganz Europa Ostereier. In den deutschsprachigen Ländern bringt sie der Osterhase, der auch in den USA und Austra-
20 lien populär ist. Deutschsprachige Auswanderer haben ihn mitgenommen. Es gibt aber auch Feste, die nach Europa zurückkommen, z.B. der Valentinstag und Halloween. Beide wander-
25 ten mit den Auswanderern in die USA. Seit einigen Jahren feiert man sie auch

wieder in Europa. Am Valentinstag machen sich Verliebte kleine Geschenke, z.B. Blumen, Karten oder
30 Schokolade. Und zu Halloween verkleiden sich die Kinder als Geister, gehen von Haus zu Haus und sammeln Süßigkeiten.
Das wichtigste Halloween-Symbol ist
35 der Kürbis. Wenn man Augen, Nase und Mund in einen Kürbis schneidet und eine Kerze hineinstellt, dann vertreibt das die bösen Geister.
Als Clown, Cowboy, Prinzessin oder

das Dirndl

der Adventskranz

die Ostereier

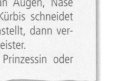

die Maske

4 | Halloween

5 | das Oktoberfest   6 | Ostern

40 nur mit einer Maske oder Mütze – sich verkleiden macht Spaß, vor allem zu Karneval (auch Fasching oder Fastnacht) im Februar oder März. Man feiert Karneval im ganzen deutsch-
45 sprachigen Raum. Berühmt sind aber auch der Karneval in Rio de Janeiro in Brasilien oder der Karneval in Venedig in Italien.
Das Oktoberfest ist wahrscheinlich der
50 zweitgrößte Exporthit unter den deutschen Festen. Das Münchner Oktober- fest gibt es seit 1810. Oktoberfeste feiert man aber heute in der ganzen Welt, von Amerika bis Japan, oft mit Bier,
55 Brezeln und Blasmusik – ganz wie in Bayern!

b) Welche Feste haben Tradition in Deutschland und Europa? Sammeln Sie.

c) Welche internationalen Feste feiert man in Ihrem Land (nicht)? Berichten Sie.

3 **Über Feste sprechen. Fragen und antworten Sie.**
Ü2

Redemittel	
über Feste sprechen	
Was sind für Sie wichtige Feste?	Ich feiere gern … / Bei uns feiert man … Für mich ist … das wichtigste Fest.
Wann/wie/wo/mit wem feiern Sie / feierst du …?	Wir feiern am Wochenende / am 3. Oktober / … / im Sommer/ Herbst/ … / Wir feiern mit … Wir essen. / Wir machen Musik und tanzen. Wir feiern zu Hause / bei Freunden / im Restaurant / im Hotel / in der Kneipe / draußen. / Wir mieten einen Raum. Wir feiern mit Freunden / mit Nachbarn / mit meiner Schwester / mit …

2 Ein Jahr – viele Feste

1 Feste und Bräuche in Deutschland

a) **Lesen Sie die Magazin-Beiträge. Notieren Sie für jedes Fest drei Wörter mit Artikel.**

> Ostern: der Frühling, die Kinder, die Schokolade

b) **Lesen Sie Ihre Wörter laut vor. Die anderen erraten das Fest.**

Der Karneval hat eine große Tradition

Am Rosenmontag im Februar verkleiden sich die Leute. Sie tragen bunte Kostüme und feiern auf der Straße. Zum Karneval in Köln gibt es Kamelle (Bonbons) und Bützchen (Küsschen). Am Bodensee feiert man die alemannische Fastnacht mit traditionellen Masken. Sie vertreiben den Winter.

a

Ostern ist im Frühling. Der Osterhase versteckt für die Kinder Ostereier aus Schokolade. Ein anderer Brauch ist das Eierklopfen oder das Eierwerfen.

b

Sommerfeste

feiert man überall unterschiedlich. Es gibt Stadt- oder Straßenfeste. Man isst Bratwurst oder Pommes und hört Musik. Am Rhein feiert man Weinfeste.

c

Im Herbst feiert man auf dem Land Erntefeste. Das sind Dorffeste mit Musik, Tanz und einem Umzug durch das Dorf. Man freut sich über die Ernte. In den Alpen feiert man den Almabtrieb, das heißt, die Kühe kommen von den Bergwiesen zurück in den Stall im Dorf.

d

Weihnachten

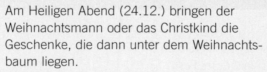

ist in Deutschland das wichtigste Familienfest im Jahr.
Am Heiligen Abend (24.12.) bringen der Weihnachtsmann oder das Christkind die Geschenke, die dann unter dem Weihnachtsbaum liegen.

e

Das Jahresende feiert man mit Silvesterpartys und einem großen Feuerwerk. Man stößt mit Sekt an und sagt: „Prosit Neujahr!" Die Leute wünschen sich ein „Frohes neues Jahr".

f

5

---

c) **Bilden Sie Gruppen. Jede Gruppe stellt ein Fest vor.**

2 **Alles gemerkt? Notieren Sie drei Fragen zu den Magazin-Beiträgen. Fragen und antworten Sie.**

3 Wortfeld Feste. **Ergänzen Sie das Wörternetz.**

* fest = sehr

sich verkleiden

das Karnevalskostüm

Feste feiern

der Karneval

das Sommerfest

die Grillparty

das Stadtfest

4 Ellas Geburtstagsparty

Ü3–4

a) **Was hat Ella zum Geburtstag bekommen? Ordnen Sie die Wörter zu.**

1. die Luftmatratze
2. die Uhr
3. das T-Shirt
4. die Tasse
5. die Jacke

39 b) **Hören Sie den Dialog. Welche Geschenke hat Ella vom wem bekommen?**

eine Uhr	**1**		
eine Tasse mit Blumen	**2**	**a**	von ihren Eltern
eine neongrüne Luftmatratze	**3**	**b**	von ihrer Tante Dörthe
eine hellblaue Jeans-Jacke	**4**	**c**	von ihrem Freund Adrian
ein gelbes Teddy-Shirt	**5**		

c) **Formulieren Sie wahre und falsche Aussagen zum Dialog. Die anderen korrigieren.**

	die neue Luftmatratze	ein Geschenk von Adrian ist.
	die neue Uhr	immer etwas Witziges dabei ist.
Ella sagt, dass	das gelbe Teddy-Shirt	gut zur Jeans-Jacke passt.
Frieda fragt, ob	die Tasse mit den Blumen	von ihren Eltern ist.
	Ellas alte Luftmatratze	zum Schlafen o.k. ist.
	bei den Geschenken von Dörthe	von ihrer Tante Dörthe ist.
		seit dem Sommer kaputt ist.
		aus einem weichen Stoff ist.

d) **Markieren Sie die Präpositionen in c). Ergänzen Sie den Merksatz.**

30 **Regel** Von a......., b........, mit.. nach v........, s........, z........ fährst immer mit dem Dativ du.

5 „Autogrammjagd". **Sammeln Sie Unterschriften.**

Haben Sie Ihrer Mutter schon einmal Parfüm geschenkt?	*Frieda*
Kann man einem Mann Parfüm schenken?	
Wünschen Sie sich zum Geburtstag Geschenke?	
Finden Sie, dass man ein Messer schenken kann?	
Kann man dem Partner / der Partnerin Kleidung schenken?	

3 Was soll ich ihm schenken?

1 Geschenke

a) Über welche Geschenke freuen Sie sich (nicht)?

Ich freue mich über Bücher.

Ich finde, ein Mülleimer ist kein Geschenk!

die Krawatte

der Bade-schaum

die Socken

das Geschirr

Gutschein

der Gutschein

der Schmuck

das Geld

das Tuch

der Mülleimer

b) Sammeln Sie weitere Geschenke, über die Sie sich freuen. Vergleichen Sie.

2 Typisch Mann – typisch Frau? Wer schenkt wem was? Sprechen Sie schnell.

Er schenkt **ihr** | ein teures Parfüm / einen Ring / Blumen / …
Sie schenkt **ihm** | ein Hemd / ein Taschenmesser / eine Krawatte / …

3 Ein kurzes Grammatikdrama

25

a) Lesen Sie die Geschichte. Wie geht sie weiter?

> Sie schreibt ihm eine SMS. Er ignoriert sie.
> Sie schenkt ihm ein Buch. Er liest es nicht.
> Sie gibt ihm ihre Telefonnummer. Er ruft sie nie an.
> Sie gewinnt im Lotto und zeigt ihm ihren Lottoschein. …

👍 **Lerntipp**
geben, schenken, zeigen, schreiben bringen, wünschen, leihen – immer mit Dativ und Akkusativ

b) Lesen Sie den Lerntipp. Markieren Sie die Verben in der Geschichte in a).

4 Sätze-Rallye

Ü5–6

a) Welche Gruppe kann in zwei Minuten die meisten Sätze schreiben?

Nominativ (Wer?)		**Dativ** (Wem?)	**Akkusativ** (Was?)
	gibt	seiner Frau	ein Buch.
Laura	schenkt	ihrem Kollegen	einen Schal.
Mein Bruder	zeigt	seinen Freunden	eine Einladung.
…	bringt	ihrer Nachbarin	die Stadt.
	leiht	seinem Chef	Geld.

Ich wünsche dir alles Gute!

b) Markieren Sie die Sätze wie im Beispiel.

            Dativ   Akkusativ

Ich   (bringe) | meiner Kollegin | | einen Kaffee |.

5 **Geschenke in Ihrem Land.** Was schenken Sie wem und wann? Was darf man in Ihrem Land nicht schenken?

4 Keine Katastrophen, bitte!

1 **Alle Jahre wieder**

a) Lesen Sie den Zeitungsartikel. Welche Tipps gibt die Feuerwehr? Kreuzen Sie an.

1. ☐ Der Baum darf nicht zu alt und trocken sein.
2. ☐ In der Nähe vom Weihnachtsbaum darf keine Gardine sein.
3. ☐ Niemand darf den Raum mit dem Weihnachtsbaum verlassen.
4. ☐ Die Tür muss immer frei sein.
5. ☐ Kinder dürfen nicht in den Raum mit dem Weihnachtsbaum.
6. ☐ Sicherheit ist wichtiger als Romantik.

Alle Jahre wieder ...

Heim & Sicher · 28

Echte Kerzen am Weihnachtsbaum sind viel romantischer als elektrische. Aber was passiert, wenn der Baum brennt? Wenn
5 eine Gardine in der Nähe hängt, dann geht alles ganz schnell: Zuerst brennt der Baum, dann brennt die Gardine und am Ende die ganze Wohnung. Ge-
10 fährlich sind alte und trockene Bäume. Was kann man dagegen tun? Die Feuerwehr sagt: Wenn man Kinder im Haus hat, dann soll man nur elektrische Kerzen
15 benutzen. In den USA sind echte Kerzen sogar verboten. Hier sind ein paar Tipps: Der Baum darf nicht vor einer Tür stehen, weil man sonst nicht aus
20 dem Raum kann. Wenn man echte Kerzen benutzt, stellt man einen Eimer Wasser neben den Baum. Dann kann man ein Feuer schnell löschen. Den
25 Baum nie allein lassen! Wenn man aus dem Zimmer geht, muss man die Kerzen löschen.

Echte Kerzen? Nie wieder!

b) Feiern Sie Weihnachten oder ein anderes Fest mit Kerzen? Sind die Kerzen echt? Warum (nicht)?

2 **Bedingungen und Folgen: wenn – dann. Lesen Sie das Beispiel. Beenden Sie die Sätze und markieren Sie wie im Beispiel.**

20 Ü7

<u>Wenn</u> man Kinder (hat) (dann) soll man elektrische Kerzen benutzen.

1. Wenn der Baum brennt, *dann* ....

2. Wenn man echte Kerzen benutzt, ...

3. Wenn man aus dem Zimmer geht, ...

3 **Was tun Sie, wenn ...? Ergänzen Sie.**

Wenn ich traurig bin, ...
Wenn ich einen Tag frei habe, ...
Wenn ich gute Laune habe, ...
Wenn ich müde bin, ...
Wenn ich krank bin, ...
Wenn ich im Deutschkurs bin, ...
Wenn ich ...

im Bett bleiben
Freunde treffen
ins Kino gehen
ein Buch lesen
ausschlafen
schön frühstücken
...

Wenn ich einen Tag frei habe, dann treffe ich Freunde.

Und was machst du, wenn ...?

1 Feste gehen um die Welt

a) Kreuzen Sie die richtigen Aussagen an und korrigieren Sie die falschen. Der Artikel auf Seite 96/97 hilft.

1. ☐ Die meisten Weihnachtsbräuche kommen aus den USA.
2. ☐ Der Osterhase wanderte mit den Auswanderern bis nach Australien und in die USA.
3. ☐ Halloween und Valentinstag feierte man zuerst in den USA.
4. ☐ Zum Valentinstag verkleiden sich die Kinder und sammeln Süßigkeiten.
5. ☐ Karneval feiert man in Deutschland nur in wenigen Städten, z.B. in Köln und Mainz.
6. ☐ Das Münchner Oktoberfest ist ein Exporthit. Sogar Japaner feiern das Fest.

b) Ergänzen Sie die Länder und Feste mit Hilfe des Artikels auf Seite 96/97.

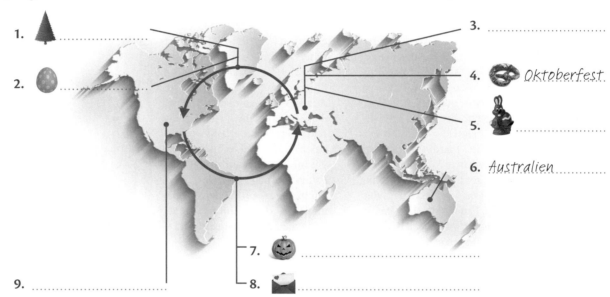

1. ....
2. ....
3. ....
4. *Oktoberfest*
5. ....
6. *Australien*
7. ....
8. ....
9. ....

c) Suchen Sie das fehlende Wort im Artikel auf Seite 96/97 und ergänzen Sie.

1. auf der *ganzen* .... Welt
2. ein .... Fest
3. in .... Europa
4. in den .... Ländern
5. seit .... Jahren
6. .... Geschenke machen
7. die .... Geister
8. der .... Exporthit

2 Was ist für Sie das wichtigste Fest?

40

a) Hören Sie die Antworten der Personen und notieren Sie das wichtigste Fest für die Person.

1 Juliane Weber (32) mit Lasse (4) und Lea (2)

2 Hagen Steinert (25) Nina Hövelbrinks (23)

3 Sigrid Heuer (58)

4 Sven Wagner (37) mit Fiona (6)

....

b) Wer sagt das? Ergänzen Sie die Foto-Nummer. Manchmal gibt es mehrere Personen.

1. ☐☐☐ Ich bin immer froh, wenn der Frühling kommt.
2. ☐☐☐ Es ist schön, wenn die ganze Familie zusammen ist.
3. ☐☐☐ Weihnachten ist mir sehr wichtig.
4. ☐☐☐ Ich mag keine Feste, weil es oft nur um Geschenke geht.
5. ☐☐☐ Karneval ist lustiger als Weihnachten.
6. ☐☐☐ Ich verkleide mich gern.

3 **Party-Gespräche**

a) Lesen Sie die Sprechblasen. Kreuzen Sie die richtigen Aussagen an und korrigieren Sie die falschen.

1. ☐ Jana findet Julian nicht hübsch.
2. ☐ Julian studiert seit dem Sommersemester.
3. ☐ Sara will mit Freunden zum See fahren.
4. ☐ Sara und Silva wollen mit dem Auto fahren.
5. ☐ Silva will nach dem Seminar losfahren.
6. ☐ Pieter wohnt noch bei seiner Tante.
7. ☐ Pieter hat es nicht weit bis zur Uni.

Das ist Julian. Er kommt aus der Schweiz und er studiert seit dem Wintersemester Medizin hier in Heidelberg.

Warum denn nicht? Es ist preiswerter und von unserem Haus ist es nicht weit bis zur Uni.

Wer ist denn der süße Typ dort?

Was? Du wohnst immer noch bei deinen Eltern?

Das ist super. Nach dem Seminar komme ich gern mit – so 16 Uhr?

Willst du mit mir und ein paar Freunden eine Fahrradtour machen? Am Freitag fahren wir zum Silbersee. Wir wollen baden und grillen.

| Sara | Silva | Jana | Astrid | Julian | Magnus | Pieter |

b) Markieren Sie in a) die Dativ-Präpositionen und Nomen im Dativ wie im Beispiel.

c) Markieren Sie das passende Pronomen und das Verb, das den Dativ braucht.

🗩 Gefallen dir die Blumen nicht?
🗩 Oh doch! Die gefallen **mich/mir** sehr gut.
🗩 Und helfen dir deine Schwestern bei der Party?
🗩 Nein, ich habe **ihnen/ihn** ja auch nicht geholfen. Das ist schon okay.
🗩 Hast du schon Sebastian zum Geburtstag gratuliert? Der hat doch auch heute …
🗩 Herrje, ich habe **ihn/ihm** noch nicht gratuliert. Gut, dass du es sagst!
🗩 Ich weiß, du hast gerade viel zu tun, aber kannst du mir bei einer Sache helfen?
🗩 Ja klar, ich helfe **dir/dich** gern. Was gibt es denn?

? **d) Hören Sie und kontrollieren Sie Ihre Lösungen aus c).**

41

4 Textkaraoke

a) Hören Sie und sprechen Sie die 👄-Rolle im Dialog.

42

👂 …

👄 Oh, dankeschön. Das ist nett, dass du anrufst.

👂 …

👄 Von meinem Vater habe ich neue Kopfhörer bekommen. Meine sind doch seit dem Urlaub kaputt.

👂 …

👄 Genau! Und mit meinem Bruder gehe ich zu einem Konzert.

👂 …

👄 Zu den Prinzen … Und von meiner Mutter gab es eine neue Jacke.

👂 …

👄 Rate mal, was ich von meinen Großeltern bekommen habe!

👂 …

👄 Die beiden bezahlen mir meine Party und du bist eingeladen.

👂 …

b) Markieren Sie in a) die Dativ-Präpositionen und Nomen im Dativ wie im Beispiel.

c) Wählen Sie eine Präposition aus und ergänzen Sie.

1. Die Freundin gratuliert .... Geburtstag. (zum/bei/nach)

2. Die neuen Kopfhörer sind .... einer deutschen Firma. (seit/von/zu)

3. Mit meinem Bruder fahre ich .... unserer Tante. (zu/nach/bei)

4. Die Jacke ist .... weichem Stoff. (zu/bei/aus)

5. Das ist ein Geschenk .... den Großeltern. (mit/von/seit)

5 Wer? Wem? Was? – Verben mit Dativ- und Akkusativergänzung

a) Schreiben Sie Sätze und verwenden Sie die Possessivartikel.

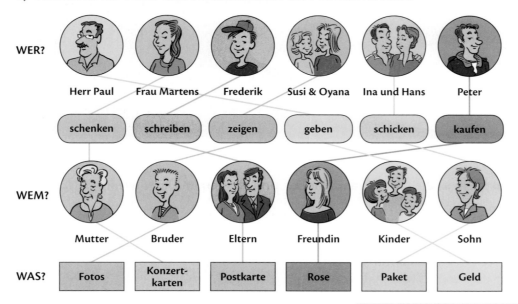

WER? Herr Paul   Frau Martens   Frederik   Susi & Oyana   Ina und Hans   Peter

schenken   schreiben   zeigen   geben   schicken   kaufen

WEM? Mutter   Bruder   Eltern   Freundin   Kinder   Sohn

WAS? Fotos | Konzert-karten | Postkarte | Rose | Paket | Geld

b) Variieren Sie neu. Schreiben Sie mindestens sechs Sätze.

> *Herr Paul schenkt seiner Freundin Konzertkarten.*

c) Ersetzen Sie die Dativ-Ergänzungen aus a) mit einem Pronomen.

> *Herr Paul gibt seinen Kindern Geld.*
> *→ Er gibt ihnen Geld.*

6 **Selbsttest: Dativ und/oder Akkusativ**

a) Kreuzen Sie an und unterstreichen Sie die Ergänzungen.

	DATIV	AKKUSATIV
1. Das Bild gefällt <u>meiner Freundin</u> nicht.	☒	☐
2. Familie Schröter schreibt den Freunden eine Karte.	☐	☐
3. Simon schenkt seiner Frau jeden Freitag Blumen.	☐	☐
4. Ich danke Ihnen sehr.	☐	☐
5. Frau Peterlein gibt ihren Kindern ein Stück Schokolade.	☐	☐
6. Hilfst du deiner Mutter beim Umzug?	☐	☐
7. Meine Mutter zeigt ihrer Freundin ein neues Kleid.	☐	☐
8. Ich schicke meiner Oma jedes Jahr eine Weihnachtskarte.	☐	☐

b) Ersetzen Sie die Dativ-Ergänzung, wenn möglich, mit einem Pronomen.

> *Das Bild gefällt <u>ihr</u> nicht.*

7 **Die Feuerwehr rät**

a) Lesen Sie die Broschüre. Sammeln Sie Informationen zu den folgenden Zahlen.

> 330 – 400 – 3 – 70 – 95

Hilfe, es brennt!
Ihre Feuerwehr informiert.

Zahlen und Fakten

- Jede 3. Minute – so oft brennt in Deutschland eine Wohnung oder ein Haus.
- Pro Monat haben **330** Menschen einen Unfall mit Feuer und verbrennen sich.
- **400** Personen sterben pro Jahr in Deutschland, wenn es brennt.
- **95 %** der Opfer sterben nicht durch das Feuer, aber durch die Luft.
- Wenn es brennt, liegen **70 %** der Opfer im Bett und merken es nicht.

Aber es muss nicht bei Ihnen brennen, wenn Sie vorsichtig sind!
Das können Sie tun:

- ✔ Elektrische Geräte immer ausschalten und nicht im Stand-by-Modus haben.
- ✔ Kaufen Sie elektrische Geräte, die eine gute Qualität haben.
- ✔ Kein Feuer in der Nähe von Kindern machen!
- ✔ Rauchen Sie nicht im Bett oder wenn Sie müde sind.
- ✔ Wenn Kerzen brennen, immer im Raum sein.
- ✔ Schalten Sie den Herd immer aus.
- ✔ Keine Zigaretten etc. in den Mülleimer werfen.

b) Beenden Sie die Sätze.

1. Wenn man elektrische Geräte kauft, müssen diese …
2. Wenn man Kinder hat, darf man kein …
3. Wenn man müde ist, dann darf man …
4. Wenn man eine Kerze anmacht, muss man …
5. Wenn man etwas gekocht hat, dann muss man …

> *1. Wenn man elektrische Geräte kauft, müssen diese eine gute Qualität haben.*

Hier lernen Sie

▸ Emotionen ausdrücken und darauf reagieren
▸ einen Film zusammenfassen
▸ über einen Film sprechen
▸ Personen vorstellen

Das Rätsel der Emotionen – wir wissen nur sehr wenig!

Was meinen wir, wenn wir von „Freude" sprechen? Warum weinen Menschen bei Musik? Können alle Menschen Ärger zeigen? Seit 2007 sucht das Berliner Forschungsprojekt „Languages of Emotion" (LoE) Antworten auf diese Fragen.

BERICHT VON EVELYN BURGEMEISTER

Menschen sprechen nicht nur mit Worten, sie sprechen auch mit ihrem Körper. Sie können so Sympathie oder Antipathie, Aggression oder Freundlichkeit ausdrücken. Besonders Gesichter zeigen,
5 wenn jemand nervös oder ruhig, ärgerlich oder entspannt ist. Die Sprache des Gesichts ist die Sprache der Emotionen. Freude, Trauer, Wut, Ekel, Angst – das kann man (normalerweise) mit dem Gesicht ausdrücken und oft besser als mit Worten.
10 Einige Menschen können Gesichter aber nicht so

1   2

1 Gesichter lesen – Emotionen erkennen

1 Das Rätsel der Emotionen

Ü1–3

> Zu Foto 4 passt „weinen".
> Die Frau ist traurig.

a) Welche Emotionen zeigt die Frau? Ordnen Sie ein passendes Emoticon aus der Wort-Bild-Leiste zu.

b) Lesen Sie die Aussagen. Welchen stimmen Sie (nicht) zu? Kreuzen Sie an.

	stimmt	stimmt nicht
1. Mit dem Körper „sprechen" (Körpersprache) ist sehr wichtig.	☐	☐
2. Besonders mit den Händen zeigt man Emotionen.	☐	☐
3. Manche Menschen haben keine Gefühle.	☐	☐
4. Die Kultur bestimmt, wie man Emotionen zeigt.	☐	☐

c) Lesen Sie den Artikel und vergleichen Sie mit Ihren Antworten aus b).

2 Emotionswörter. Sammeln Sie Wörter für Emotionen im Artikel.

positiv ☺	negativ ☹
Freude	

weinen

etwas eklig finden

sich freuen

wütend sein

3

4

5

Kleiner Test: Können Sie diese fünf Emotionen lesen und zeigen? Dann gehören Sie nicht zu den 10 % der „Gefühlsblinden" in Deutschland.

gut lesen. 10 % der Deutschen sind „gefühlsblind". Das heißt, dass sie ihre eigenen Gefühle oder die der anderen nicht so gut erkennen können. Aber haben diese Menschen wirklich keine Gefühle? LoE-Forscher untersuchten „Gefühlsblinde" und „Normale". Das Ergebnis: „Gefühlsblinde" reden weniger und sind schneller im Stress. Wenn sie Emotionen ausdrücken, machen sie weniger Gesten. Ihnen fehlen die Worte

für Gefühle. Aber: Sie haben Gefühle!

Die LoE-Forscher stellen sich eine zweite Frage: Welche Beziehung haben Emotionen und Kultur? Es gibt sieben Emotionen, die alle Menschen auf der Welt teilen: Freude, Wut, Ekel, Angst, Verachtung, Traurigkeit und Überraschung. Aber es gibt kulturelle Unterschiede. In manchen Kulturen zeigt man mehr Emotionen mit dem Gesicht und in anderen weniger, weil das Zeigen von Gefühlen dort unhöflich ist. Das wissen wir auch: Die Gesichtsausdrücke, die man aus der eigenen Kultur kennt, versteht man am besten. Für uns alle heißt Kommunikation auch mit dem Gesicht und dem Körper sprechen.

Sie haben eine Frage oder einen Kommentar?

Schreiben Sie an burgemeister@psycho-magazin.de

3 Emotionen ausdrücken und darauf reagieren

a) **Was passt zusammen? Ordnen Sie zu.**

Redemittel	
Emotionen ausdrücken	**auf Emotionen reagieren**
Das ist (echt) eine Überraschung! **1**	**a** Das ist ja super. / Ich freue mich für dich!
Igitt, ist das eklig! Iii! **2**	**b** Stimmt, das ist echt/wirklich eklig!
Ich bin stinksauer! So ein Mist! **3**	**c** Sei nicht traurig. / Das tut mir ehrlich leid.
Wahnsinn! Toll! Klasse! **4**	**d** Sei nicht sauer! / Warum bist du so wütend?
Ich bin so traurig. **5**	**e** Wow! Ja, finde ich auch. / Ja, stimmt.

b) **Hören Sie und kontrollieren Sie. Dann lesen Sie laut.**

c) **Ordnen Sie die Redemittel aus a) den Emoticons in der Bildleiste zu.**

4 Und Sie? **Wählen Sie eine Frage aus. Berichten Sie.**

Gibt es Musik, die Sie traurig/fröhlich/wütend macht?
Waren Sie schon einmal stinksauer?
Wann waren Sie das letzte Mal richtig überrascht? Warum?
Wovor hatten Sie als Kind Angst?

Immer wenn ich Musik von Adele höre, werde ich traurig.

einhundertsieben

sich wundern

sich erschrecken

verliebt sein

cool sein

2 Ein deutscher Liebesfilm

1 Erbsen auf halb 6

a) Sehen Sie sich die Fotos an. Was erwarten Sie von dem Film? Kreuzen Sie an.

☐ Action ☐ Krimi ☐ Liebe ☐ Dokumentation ☐ Drama ☐ Komödie ☐ Reise

b) Lesen Sie den Artikel. Wer? Was? Wo? Warum? Mit wem? Markieren Sie die Textstellen.

Movie

Erbsen auf halb 6

Eine Tragikomödie, die sich auf sympathische und humorvolle Weise dem Thema Blindheit widmet

Ein emotional mitreißender Film, nach dem Sie die Welt mit anderen Augen „sehen" werden!

Jakob (Hilmir Snær Gudnason) ist ein erfolgreicher Theaterregisseur. Am Anfang des Films hat er einen Autounfall, an dem er schuld ist. Er
5 wird blind. Jakob ist wütend und verzweifelt, weil er seinen Beruf als Regisseur an den Nagel hängen muss, und trennt sich von seiner Freundin. Er hat Angst vor der
10 Zukunft und will nicht mehr weiterleben. Aber er möchte noch seine todkranke Mutter, die in Russland lebt, besuchen. Dann lernt er Lilly (Fritzi Haberlandt) kennen. Lilly ist
15 von Geburt an blind. Sie findet sich in ihrer Welt gut zurecht. Gemein-

sam machen sie sich auf den langen Weg nach Osten. Die Reise ist Thema des Films, Ort der Handlung ist Ost-
20 europa. Die beiden Blinden kommen manchmal in gefährliche Situationen. Trotzdem gibt es auch viel Komik und Humor. Am Ende des Films sind beide verändert: Jakob
25 lernt, dass man sein Schicksal akzeptieren muss, und Lilly verliebt sich in ihn. Langsam finden die beiden Menschen zueinander.
Jakob erklärt Lilly, wie die Farbe
30 Gelb aussieht, nämlich wie die Farbe der Sonne auf einem warmen Stein. Lilly hilft Jakob bei der

Orientierung im Dunkeln. Beim Essen z. B. ist es wichtig zu wissen,
35 wo etwas auf dem Teller liegt. Lilly erklärt den Trick mit der Uhr. „Stellen Sie sich den Teller als Uhr vor", sagt die blinde Frau zur Kellnerin, „und dann sagen Sie mir, auf
40 welcher Zeit das Essen liegt."

Auf der Reise kommen sich Lilly und Jakob ganz langsam näher

2 Mit einer Textgrafik arbeiten
Ü4

a) Ergänzen Sie die Textgrafik ohne noch einmal zu lesen. Helfen Sie sich gegenseitig.

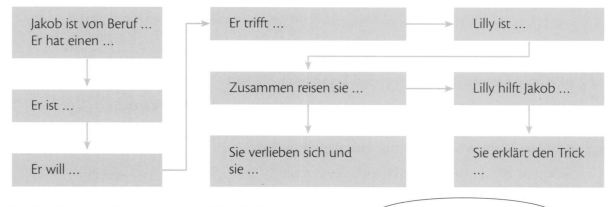

Jakob ist von Beruf … Er hat einen …	→	Er trifft …	→	Lilly ist …
Er ist …		Zusammen reisen sie …	→	Lilly hilft Jakob …
Er will …		Sie verlieben sich und sie …		Sie erklärt den Trick …

b) Vergleichen Sie Ihre Textgrafik mit dem Artikel.

Der Film handelt von Jakob.

c) Erzählen Sie den Inhalt des Films mit Hilfe der Textgrafik.

Er hat einen Unfall.

Q **3** Das Rätsel der Emotionen – Der Genitiv

27 Ü5

a) Ergänzen Sie mit Hilfe der Artikel auf Seite 106 – 108.

der Film: das Ende _des_.... Film_s_..

das Gesicht: die Sprache .... Gesicht....

die Sonne: die Farbe .... Sonne....

die Forscher: die Frage .... LoE-Forscher

> **Minimemo**
>
> unbestimmter Artikel
> das Ende eines Films
> die Sprache eines Gesichts
> die Farbe einer Blume
> Im Plural entfällt der unbe-
> stimmte Artikel (= Nullartikel)

b) Ergänzen Sie die Filmtitel. Lesen Sie dann laut und schnell.

Der Name .... Rose / Monty Pythons Ritter .... Kokosnuss	ist ein toller Film!
Indiana Jones – Jäger .... verlorenen Schatzes	habe ich schon (oft) gesehen.
Der Untergang .... Hauses Usher	kenne ich gar nicht.
Der Herr .... Ringe / Harry Potter – der Stein .... Weisen	möchte ich einmal sehen.

4 Der Trick mit der Uhr – Wortschatz lernen

?
41

a) Hören Sie die Filmszene. Zeichnen Sie auf dem Teller ein, wo die Kartoffeln und die Erbsen liegen.

b) Tragen Sie fünf weitere Lebensmittel ein. Berichten Sie dann Ihrer Partnerin / Ihrem Partner, was wo auf dem Teller liegt.

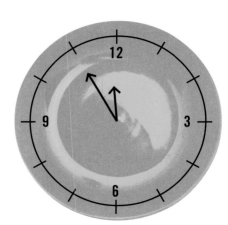

Der Käse liegt auf zwei Uhr, richtig?

Genau. Käse auf zwei Uhr. Super!

c) „Erbsen auf halb 6". Erklären Sie den Titel des Films.

5 Vor der Kamera

a) Lesen Sie die Schauspielerporträts und ergänzen Sie: Hilmir (H) oder Fritzi (F)?

1. ☐ wurde 1975 geboren.
2. ☐ spielte auch in Musicals mit.
3. ☐ bekam den deutschen Filmpreis.
4. ☐ ist in Island sehr bekannt.
5. ☐ hat auch im Fernsehfilm Erfolg.
6. ☐ bekam den Berlinale Preis „Shooting Star".

Hilmir Snær Gudnason, geb. 1969 in Reykjavik, ist einer der bekanntesten Film- und Theaterschauspieler Islands. 2010 und 2014 bekam er
5 den Grima Award, mit dem Island jedes Jahr die besten Theater-Schauspieler auszeichnet. Die Karriere des sympathischen Schau-

spielers war steil. Auf dem Film-
10 festival „Berlinale" bekam er 2000 den Preis als „Shooting Star". Im Jahr 2003 spielte er neben Franka Potente in der deutschen Verfilmung des Romans „Blueprint", ein
15 Film, mit dem er international Erfolg hatte. Gudnason ist wirklich sehr vielseitig: Er hatte auch Rollen in Musicals und synchronisierte Figuren in Filmen wie Cinderella
20 oder Pocahontas, in denen man ihn nur hören, aber nicht sehen kann.

Hilmir Snær Gudnason

Fritzi Haberlandt, geb. 1975 in Ostberlin, ist eine sehr erfolgreiche deutsche Schauspielerin. Sie be-
25 suchte die Ernst-Busch Schauspielschule, an der sie 1999 ihre Ausbildung abschloss. Nach Engagements an Theatern in Hannover, Hamburg, Berlin, New York und

Fritzi Haberlandt

30 Wien spielte sie 2017 auch bei den Salzburger Festspielen. Fritzi Haberland hatte Rollen in vielen Kinofilmen und spielte auch in einigen Krimis, mit denen sie im Fern- 35 sehen sehr erfolgreich war. 2000 bekam sie den Bayerischen und 2004 den Deutschen Filmpreis für die beste Nebenrolle. Sie liest auch Hörbücher wie z.B. Anne Franks 40 „Tagebuch". Zusammen mit dem Regisseur Hendrik Handloegten, mit dem sie auch einige Filme drehte, lebt sie seit einigen Jahren in einem Dorf in Brandenburg. *Movie*

b) Machen Sie Notizen und berichten Sie über die Schauspieler (Filme, Projekte, Erfolge, …).

c) Haben Sie eine/n Lieblingsschauspielerin/Lieblingsschauspieler? Beschreiben Sie sie/ihn. Die anderen raten.

> *Mein Schauspieler sieht super aus. Er ist jetzt 64 Jahre alt. Er hat dunkle Haare.*

> *Robert de Niro?*

> *Nein, nein. Er ist auch Sänger und …*

6 **Alle lieben Filme? – Indefinita. Vergleichen Sie und schreiben Sie Sätze mit den Vorgaben. Verwenden Sie die Indefinita.**

28

alle   viele   wenige   einige/manche

> können schauspielern – lieben Filme – stehen gern vor der Kamera – sind zwölf Mal im Jahr im Theater – wollen Schauspieler werden – führen Regie – müssen Texte lernen – …

7 **Der Regisseur, mit dem …**

24, 29   Ü6

a) Markieren Sie den Relativsatz wie im Beispiel.

1. Der Film „Erbsen auf halb 6" machte Hilmir Snaer Gudnason in Deutschland bekannt. Er spielte in dem Film die männliche Hauptrolle.
Der Film „Erbsen auf halb 6", in **dem** er die männliche Hauptrolle spielte, machte Hilmir Snaer Gudnason in Deutschland bekannt.

2. Fritzi Haberlandt mag das Dorf in Brandenburg sehr gern. Sie lebt schon seit einigen Jahren in dem Dorf.
Fritzi Haberlandt mag das Dorf in Brandenburg, in dem sie seit einigen Jahren lebt, sehr gern.

3. 1994 hat Hilmir Snaer Gudnason die Schauspielschule erfolgreich abgeschlossen. Er hat vier Jahre an der Schauspielschule studiert.
1994 hat Hilmir Snaer Gudnason die Schauspielschule, an der er vier Jahre studiert hat, erfolgreich abgeschlossen.

4. Fritzi Haberlandt findet die Krimis immer spannend „bis zur letzten Minute". Sie spielt in den Krimis eine Nebenrolle.
Fritzi Habenlandt findet die Krimis, in denen sie eine Nebenrolle spielt, immer spannend „bis zur letzten Minute".

b) Markieren Sie die Relativsätze (in, mit, an + Dativ) in den Schauspielerporträts.

c) Und Sie? Welche(n) Film(e), Krimi(s), Serie(n) mögen Sie (nicht)? Welche schalten Sie im Fernsehen (nicht) ab? Berichten Sie.

Redemittel

… und … sind Filme, an denen ich (kein) Interesse habe, weil …
Ein Krimi, in dem es viele/keine Leichen gibt, …
Eine Serie, in der Tiere mitspielen, …

8 **Hilmir steht gern vor der Kamera**

a) Präpositionen: Markieren Sie und ordnen Sie zu.

	Wohin?	Wo?	Akkusativ	Dativ
1. Lilly und Jakob machen sich auf den Weg nach Osteuropa.	☒	☐	☒	☐
2. Sie sind auf dem Weg nach Russland.	☐	☐	☐	☐
3. Fritzi steht seit 1998 auf der Bühne.	☐	☐	☐	☐
4. Nur einige Leute gehen auf die Schauspielschule.	☐	☐	☐	☐
5. Fritzi hat eine Ausbildung an der Schauspielschule gemacht.	☐	☐	☐	☐
6. Mein Name steht in der Liste.	☐	☐	☐	☐
7. Der Film war 2003 in den deutschen Kinos.	☐	☐	☐	☐
8. Gehst du gern ins Kino?	☐	☐	☐	☐
9. Viele waren gestern im Theater.	☐	☐	☐	☐
10. Hilmir stellt sich gern vor die Kamera.	☐	☐	☐	☐
11. Der Regisseur steht lieber hinter der Kamera.	☐	☐	☐	☐

b) Präpositionen mit Akkusativ oder Dativ? Ergänzen Sie die Regel.

31

Ich lege die DVD auf den Tisch.

Die DVD liegt auf dem Tisch.

Ich stelle die DVD in das Regal.

Die DVD steht im Regal.

> 👍 **Lerntipp**
> Auf die Verben achten:
> stellen, legen,
> setzen + Akkusativ
> stehen, liegen, sitzen,
> sein + Dativ

Regel Richtung/Bewegung: .... Ort: ....

9 **Wer macht was? Wo ist was?**

Ü7

a) Beschreiben Sie die Filmszene wie im Beispiel. Vergleichen Sie.

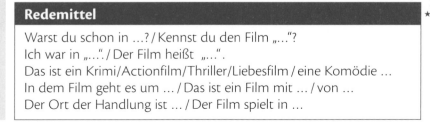

Hilmir sitzt auf dem Stuhl.

Der Kameramann steht hinter ...

Der Hund ...

b) Der Bühnenbildner hat viel zu tun. Hören Sie und notieren Sie. Berichten Sie dann.

42

10 Über einen Film sprechen. **Berichten Sie über Ihren letzten Kinobesuch.**

Redemittel
Warst du schon in ...? / Kennst du den Film „..."?
Ich war in „...". / Der Film heißt „...".
Das ist ein Krimi/Actionfilm/Thriller/Liebesfilm / eine Komödie ...
In dem Film geht es um ... / Das ist ein Film mit ... / von ...
Der Ort der Handlung ist ... / Der Film spielt in ...

> 👍 **Internettipp**
> www.kino.de

Ich war in dem neuen Film mit Ryan Gosling.

1 Emotionen

a) Sammeln Sie Wörter zu jedem Foto. Der Artikel auf Seite 106/107 hilft.

a

b

c

d

e

> Foto a:
> die Frau – zu Hause –
> Zeitung lesen –
> sich erschrecken –
> die Überraschung –
> einen Schreck bekommen –
> allein sein –
> die Nachricht – ...

b) Beschreiben Sie die Fotos.

> Foto a zeigt eine Frau. Sie liest Zeitung. Sie erschreckt sich.
> Vielleicht hat sie ...

2 Das Rätsel der Emotionen

a) Beantworten Sie die Fragen mit Hilfe des Artikels auf Seite 106/107.

1. Was ist das LoE-Projekt und seit wann gibt es das Projekt?
2. Welche Fragen wollen die Emotionsforscher und -forscherinnen beantworten?
3. Warum sprechen Menschen nicht nur mit dem Mund?
4. Wie viel Prozent der Deutschen sind nicht „gefühlsblind"?
5. Was ist der Unterschied zwischen „gefühlsblinden" und anderen Menschen?
6. Gibt es Emotionen, die jeder Mensch kennt und ausdrücken kann?
7. Welche Unterschiede gibt es beim Zeigen von Emotionen in den Kulturen?

b) Suchen Sie das Wort im Artikel. Markieren Sie es und notieren Sie die Zeile.

1. Menschen, die ihre Gefühle nicht gut ausdrücken können, nennt man *gefühlsblind* ...... *Zeile 11*

2. Bewegungen mit den Händen beim Sprechen sind ....

3. Eine wissenschaftliche Studie – oft mit vielen Forschern – ist ein ....

4. Wenn man sehr wütend ist, dann zeigt man ....

5. Man kann Gesichter lesen – besonders gut die .... in der eigenen Kultur. ....

6. Wenn man herzliche Gefühle für eine Person hat, spricht man von ....

3 Das Rätsel der Emotionen: Wörter und Ausdrücke

a) **Kombinieren und notieren Sie. Manchmal gibt es mehrere Möglichkeiten. Vergleichen Sie mit dem Artikel auf Seite 106/107.**

Emotionen	**1**		**a**	ausdrücken
Antworten auf Fragen	**2**		**b**	sprechen
mit dem Körper	**3**		**c**	machen
Ärger	**4**		**d**	zeigen
Antipathie/Sympathie/Aggression/...	**5**		**e**	suchen
Gefühle	**6**		**f**	erkennen
im Stress	**7**		**g**	sein
(viele/weniger/mehr) Gesten	**8**		**h**	haben

b) Markieren Sie die Wortverbindungen in den Fragen.

1. Sind Sie ein Mensch, der beim Sprechen viele Gesten macht?
2. Wenn Sie richtig im Stress sind, was machen Sie dann?
3. Zeigen Sie Emotionen bei fremden Menschen, zum Beispiel Wut oder Ärger?
4. Drücken Sie bei einer Person, die Sie nicht mögen, Ihre Antipathie aus? Wenn ja, wie?
5. Kann man Gefühle ohne Worte ausdrücken?
6. Auf welche Fragen suchen die Emotionsforscher Antworten?
7. Wie nennt man Menschen, die weniger Emotionen haben oder zeigen?

c) Beantworten Sie mindestens zwei Fragen in b).

4 Über einen Film berichten

a) Lesen Sie die Filmrezension. Sammeln Sie Informationen zu den folgenden Punkten.

> Titel – Hauptrolle – Drehbuch – aus dem Jahr – Regie und Kamera

www.tittelmeier.de

tittelmeier.de

Kritik: Kino, Fernsehfilme, Serien

Links ▼ Programm ▼ Exklusiv ▼

„Margarete Steiff", Deutschland 2006

✶ ✶ ✶ ✶ ✶ ✳

ein Drama nach dem Drehbuch von Susanne Beck und Thomas Eifler
Regie und Kamera: Xaver Schwarzenberger

Inhalt: Margarete Steiff (Annika Luksch als 10-Jährige; Heike Makatsch als Erwachsene) kann wegen einer Kinderkrankheit nicht mehr gehen. Die Eltern haben Angst. Wie soll sie später allein leben? Aber Margarete hat einen Plan. Mit der Hilfe des Bruders (Fritz) geht sie zur Schule. Das Geld des Dorfes macht sogar eine Operation in Wien
5 möglich. Aber ohne Erfolg – Margarete sitzt weiter im Rollstuhl. Sie kommt zurück nach Giengen, aber im Zug lernt sie Julius Tichy aus Salzburg kennen. Er hilft ihr und so eröffnet sie bald im Haus der Eltern ein Geschäft. Dort macht sie Kleider für Damen und später auch kleine Elefanten aus Stoff. Die Kinder lieben die Tiere der mutigen Frau. Als Julius Margaretes Freundin heiratet, ist Margarete sehr wütend und streitet sich auch
10 mit ihrem Bruder Fritz. Sie haben viele Jahre keinen Kontakt. Margarete gründet die Firma „Steiff" und produziert Teddybären. Sie arbeitet von früh bis nachts, weil sie so einsam und wütend ist. Der Teddybär ist für sie und ihren Bruder ein Symbol der Freundschaft. Und Fritz meldet sich schließlich bei ihr ...

Heike Makatsch
als Margarete Steiff

b) Möchten Sie den Film sehen? Begründen Sie.

c) Lesen Sie die Filmrezension noch einmal. Ergänzen Sie die Textgrafik mit Stichpunkten.

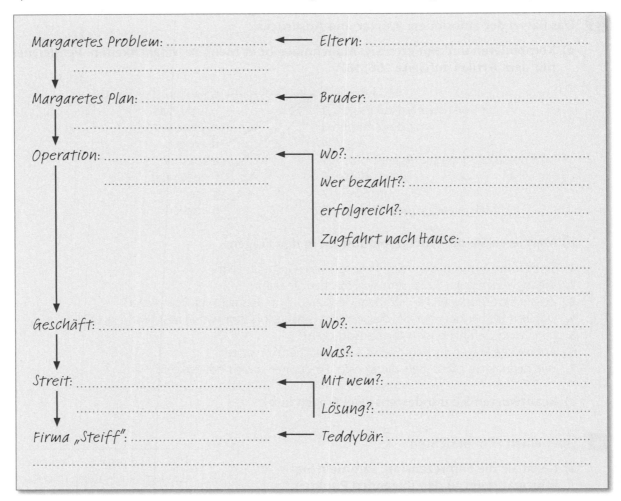

Margaretes Problem: .... ← Eltern: ....

↓

....

Margaretes Plan: .... ← Bruder: ....

↓

....

Operation: .... ← Wo?: ....

.... Wer bezahlt?: ....

erfolgreich?: ....

Zugfahrt nach Hause: ....

....

↓

Geschäft: .... ← Wo?: ....

Was?: ....

↓

Streit: .... ← Mit wem?: ....

.... Lösung?: ....

↓

Firma „Steiff": .... ← Teddybär: ....

....

5 **Das Gefühl der Freude**

a) Markieren Sie in der Filmrezension aus 4 a) alle Genitivformen.

Inhalt: Margarete Steiff (Annika Luksch als 10-Jährige; Heike Makatsch als Erwachsene) kann wegen einer Kinderkrankheit nicht mehr gehen. Die Eltern haben Angst. Wie
soll sie später allein leben? Aber Margarete hat einen Plan. Mit der Hilfe des Bruders
(Fritz) geht sie zur Schule. Das Geld des Dorfes macht sogar eine Operation in Wien

b) Bestimmen Sie: _maskulin_ (m), _feminin_ (f), _neutrum_ (n), _Plural_ (Pl.) der Genitivformen.

1. ☑f☑ das Gefühl der Freude
2. ☐ das Leben der Anderen
3. ☐ die Hilfe des Bruders
4. ☐ die Probleme der Erwachsenen
5. ☐ das Geld des Dorfes

6. ☐ ein Symbol der Freundschaft
7. ☐ im Haus der Eltern
8. ☐ die Teddybären der Firma Steiff
9. ☐ der Stoff des Kleides
10. ☐ der Streit der Geschwister

c) Markieren Sie die Genitivform.

1. Was ist für Sie das größte Problem der heutigen Zeit?
2. Glück ist keine Frage des Geldes.
3. Was war das Thema des letzten Kinofilms, den Sie gesehen haben?
4. Ist Gelb wirklich die Farbe der Sonne?
5. Können Sie die Gesichtsausdrücke der anderen Menschen gut lesen?
6. Kinder, Haushalt, Job – alles eine Frage der Organisation.

6 **Das Dunkel-Restaurant. Verbinden Sie und schreiben Sie Sätze.**
Markieren Sie das Relativpronomen.

In Berlin gibt es jetzt **1**
das erste Dunkel-Restaurant
Deutschlands,

Im Restaurant lernt man die **2**
Probleme kennen,

Im Restaurant arbeitet **3**
Sabrina Henning,

Es gibt nur sehr **4**
wenige Gäste,

Viele Gäste haben Probleme **5**
mit Messer und Gabel,

Herr Bräutigam ist ein **6**
begeisterter Gast,

a der die Arbeit großen
Spaß macht.

b mit denen sie im Dunkeln
nach dem Essen suchen.

c mit denen Blinde jeden
Tag leben müssen.

d in dem nur blinde
Kellnerinnen und
Kellner arbeiten.

e dem diese Erfahrung
sehr wichtig ist.

f denen das Restaurant
nicht gefällt.

unsicht-Bar®
Deutschlands erstes Dunkel-Restaurant
schmecken! riechen! fühlen! hören!

7 **Eine Bühnenbildnerin bei der Arbeit**

a) Schreiben Sie Sätze wie im Beispiel.

stellen/stehen

Beispiel

die Assistentin
die Vase
der Boden

die Vase
der Boden

Die Assistentin stellt die Vase auf den Boden. Die Vase steht auf dem Boden.

legen/liegen

1

die Assistentin
die Bücher
das Regal

die Bücher
das Regal

setzen/sitzen

2

die Assistentin
der Hund
das Sofa

der Hund
das Sofa

hängen/hängen

3

die Assistentin
das Bild
die Wand

das Bild
die Wand

b) Und Sie? Beantworten Sie die Fragen zu Ihrem Zimmer.

1. Was steht neben der Tür?
2. Was haben Sie auf das Fensterbrett gestellt?
3. Was liegt in Ihrem Regal?
4. Was legen Sie oft auf Ihren Schreibtisch?

5. Was hängt an Ihrer Wand?
6. Was möchten Sie gern an die Wand hängen?
7. Haben Sie ein Haustier? Wo sitzt es oft?
8. Was steht auf dem Boden?

Hier lernen Sie

▶ über Erfindungen und Produkte sprechen
▶ sagen, welche Dinge man oft braucht und wozu
▶ mit einer Textgrafik arbeiten
▶ Vorgänge beschreiben, ein Rezept erklären

IN DEUTSCHLAND, ÖSTERREICH UND IN DER SCHWEIZ GAB ES VOR ALLEM IM 19. JAHRHUNDERT UND IN DER ERSTEN HÄLFTE DES 20. JAHRHUNDERTS BESONDERS VIELE ERFINDUNGEN UND TECHNISCHE INNOVATIONEN.

DAS ASPIRIN 1897
ERFINDER **FELIX HOFFMANN**

DER DIESELMOTOR 1890
ERFINDER **RUDOLF DIESEL**

DIE STRASSENBAHN 1881
ERFINDER **WERNER VON SIEMENS**

DER KAFFEEFILTER 1908
ERFINDERIN **MELITTA BENTZ**

DER BUCHDRUCK 1440
ERFINDER **JOHANNES GUTENBERG**

DAS JENAER GLAS 1887
ERFINDER **OTTO SCHOTT**

DER TEEBEUTEL 1929
ERFINDER **ADOLF RAMBOLD**

DIE ZAHNPASTA 1907
ERFINDER **O.H. VON MAYENBURG**

DAS FERNSEHEN 1930
ERFINDER **MANFRED VON ARDENNE**

DAS MP3-FORMAT 1987
ERFINDER **FRAUNHOFER-INSTITUT**

DER KLETTVERSCHLUSS 1949
ERFINDER **GEORGE DE MESTRAL**

DIE SCHIFFSSCHRAUBE
ERFINDER **JOSEF RESSEL**

1 Ideen aus D-A-CH

1 Über Erfindungen sprechen

Ü1

a) **Welche Erfindungen, welche Erfinderinnen und Erfinder kennen Sie?**

b) **Welche Erfindungen benutzen Sie jeden Tag?**

> *Ich trinke jeden Tag Kaffee. Der Kaffeefilter war wichtig.*

c) **Seit wann gibt es die Erfindungen in der Wort-Bild-Leiste?**
Vergleichen Sie im Kurs. Recherchieren Sie und ergänzen Sie die Jahreszahlen.

der Reißverschluss _1914

die Nähmaschine _48

die Fernbedienung _55

der Staubsauger _01

DAS QUIZ DER ERFINDUNGEN:

JAHRESZAHL

1. Diese Erfindung braucht man in der Industrie und im Haushalt. Sie ist transparent und „feuerfest", große Hitze ist für sie kein Problem. Die Erfindung wird heute in Zwiesel (Bayern) produziert.

2. Diese deutsche Erfindung benutzen viele. Sie wird seit dem 19. Jahrhundert in der ganzen Welt produziert und hilft gegen Kopfschmerzen, aber auch bei Herzproblemen.

3. Diese Erfindung war eine Revolution. Sie machte die Produktion von Texten billiger und schneller. Immer mehr Menschen konnten Bücher haben und lesen. Eine berühmte Bibel trägt den Namen des Erfinders aus Mainz.

4. Ein Schweizer hat ihn erfunden. Die Natur war Vorbild für seine Erfindung. Besonders praktisch ist er an Sportschuhen. Für Kinder ideal: Man muss keine Schuhe mehr binden.

5. Diese Erfindung wird zuerst in Amerika von vielen Menschen genutzt. Ein Physiker hat sie aber 30 Jahre vorher in Berlin gemacht. Die Erfindung hat Filme in die Wohnzimmer gebracht und den Alltag verändert. Heute sind die Geräte flach und digital.

6. Diese Technologie aus einem deutschen Forschungslabor ist besonders attraktiv für Musikfans, weil man mit ihr viele Lieder auf einem kleinen Chip speichern kann. Mit ihr kann man auch unterwegs Musik hören, zum Beispiel vom Handy.

7. Dass diese Erfindung aus Österreich kommt, ist eine echte Überraschung, denn das Land liegt nicht am Meer. Für die Seefahrt war diese Erfindung wichtig, um schneller fahren zu können.

12 917

---

2 Erfindungen

a) **Lesen Sie das Quiz, notieren Sie die Jahreszahlen und addieren Sie sie. Kontrollieren Sie das Ergebnis.**

b) **Lesen Sie noch einmal und notieren Sie Informationen zu den Erfindungen, Erfinder, Land und Jahreszahl.**

3 Kennen Sie Erfindungen aus Ihrem Land? **Recherchieren und berichten Sie.**

Redemittel
über Erfindungen sprechen
… hat … erfunden. / … gibt es seit … / … wurde im Jahre … erfunden.   … wurde in … erfunden. / … ist eine Erfindung aus … / … kommt aus …

das Streichholz _28

der Toaster _30

die Glühbirne _54

die Mikrowelle _46

2 Erfindungen – wozu?

1 **Erfindungen – eine lange Tradition**
Ü2

a) **Welche Aussagen sind falsch? Lesen Sie den Magazin-Artikel, kreuzen Sie an und korrigieren Sie.**

1. ☐ Lindes Erfindung macht die Kühlung von Bier möglich.
2. ☐ Carl Benz entwickelte das Fließband.
3. ☐ Die MP3-Technik wurde nicht in Japan erfunden, aber dort zuerst produziert.
4. ☐ 2016 kommen mehr Erfindungen aus Japan als aus Deutschland.

b) **Lesen Sie noch einmal und machen Sie eine Tabelle zu den Informationen aus dem Artikel: Erfindungen, Erfinder, Land und Jahreszahl.**

WISSEN   – 36 –

Das Erfinden hat eine lange Tradition in den deutschsprachigen Ländern

In Deutschland gab es Ende des 19. Jahrhunderts besonders viele Patente*. Erfindungen sind nötig, damit man Probleme lösen kann. Für die Münchner Brauereien war z.B. das Kühlen des Biers ein Pro-
5 blem. Nur kühles Bier war lange haltbar und der Transport möglich. Carl von Linde war Professor an der Technischen Hochschule in München. Mit der Erfindung der Kühlmaschine konnte er 1876 dieses Problem lösen. Die Serienproduktion der Kühl-
10 schränke für die privaten Haushalte startete aber erst 1913 in den USA.

*Ein Patent schützt eine Erfindung und den Erfinder. Er darf dann die Nutzung erlauben oder verbieten.

Gottlieb Daimler entwickelte 1885 das erste Motorrad und zusammen mit Carl Benz und Wilhelm Maybach zwei Jahre später das erste Automobil.
15 30 Jahre später baute Henry Ford in den USA das erste Fließband, um billige Autos für mehr Menschen zu produzieren.

Oft werden Erfindungen aus den deutschsprachigen Ländern zuerst in anderen Ländern bekannt und in
20 Serie produziert. Der „Flüssigkeitskristallbildschirm" (liquid cristal display: LCD) für Computer und Smartphones ist z.B. eine Erfindung aus der Schweiz, um technische Geräte flacher zu machen. Das Speichern und das Veröffentlichen von Musik sind heute mit
25 der MP3-Technik möglich. Diese Technik ist eine Entwicklung aus Erlangen, wurde aber zuerst in Japan produziert.

Noch heute ist Deutschland das Land mit den meisten Erfindungen in Europa. 2016 waren es mehr als
30 15.000 Erfindungen. International liegt das Land auf Platz zwei hinter den USA und vor Japan. Pro Kopf ist die Schweiz die größte Erfindernation: 2016 meldete die Schweiz pro eine Million Einwohner 585 Patente an. Das ist Weltspitze. Die Gründe: Top-
35 Universitäten und internationale Firmen sind innovativ und kreativ.

🔍 **2** **Aus Verben Nomen machen. Sammeln Sie Beispiele aus den Texten auf Seite 117/118.**
26 Ü3

1. erfinden   → *der Erfinder*...............   4. produzieren → die ....
2. kühlen   → das ....   5. speichern   → das ....
3. transportieren   → der ....   6. entwickeln   → die ....

3 Wozu ...? Fragen und antworten Sie im Kurs.
Ü4

Wozu	brauchen Menschen einen Kühlschrank?	Um Lebensmittel zu kühlen.
	braucht man einen MP3-Player?	Um Musik zu hören.
	braucht man ein Patentamt?	Um Patente anzumelden.
	braucht man ein LCD-Display?	Um Geräte flacher zu machen.

 4 Zwei Dinge, die ich brauche – zwei Dinge, die ich nicht brauche. **Schreiben Sie Sätze.**
36, 37

| Ich brauche (k)ein/e/en | Zeitung/Bücher, Smartphone, Geld/Kreditkarte, Auto/Fahrrad, Internet/Computer, ... | um mich zu informieren. um Freunde zu treffen. um glücklich zu sein. um mobil zu sein. um Musik zu hören. ... |

5 Einen Zweck ausdrücken
19

a) **Markieren Sie im Magazin-Artikel in 1 Nebensätze mit *um ... zu* + Infinitiv.**

> *Ich brauche kein Auto, um mobil zu sein.*

b) **Analysieren Sie die Sätze in 4 und beantworten Sie die Fragen.**

1. Wo steht *um*?   **2.** Wo steht *zu*?   **3.** Wo steht das *Verb im Infinitiv*?

c) **Wozu braucht man ...? Erklären Sie in einem Satz.**

1. Zahnpasta   **2.** Autos
3. Fernsehen   **4.** Filtertüten
5. Klettverschlüsse   **6.** Teebeutel

> *Man braucht Zahnpasta, um sich die Zähne zu putzen.*

6 Wozu? *um ... zu / damit*
19   Ü5

a) **Vergleichen Sie die beiden Sätze.**

Erfindungen sind nötig, um Probleme zu lösen.
Erfindungen sind nötig, damit <u>die Menschen</u> Probleme lösen können.

b) **Ergänzen Sie die Regel.**

Regel   *Damit*-Sätze und *um ... zu*-Sätze haben die gleiche Bedeutung.

Der Unterschied ist: *Damit*-Sätze haben .... Nominativergänzung.

Um ... zu-Sätze haben .... Nominativergänzung.

7 Gründe im Alltag. **Einen Zweck ausdrücken mit *damit*. Fragen und antworten Sie.**

1. einen zweiten Job suchen → meine Wohnung bezahlen können
2. Deutsch lernen → in Deutschland arbeiten können
3. eine Ausbildung machen → einen guten Job finden können
4. einen Tanzkurs machen → interessante Menschen treffen können
5. einen Reisepass brauchen → ins Ausland reisen können

> *Wozu suchst du einen zweiten Job?*

> *Ich suche einen Job, damit ich meine Wohnung bezahlen kann.*

3 Eine süße Erfindung

1 Süßes aus Dresden. **Lesen sie den Text aus dem Reiseführer. Kreuzen sie an: Welche drei Informationen stimmen?**

1. ☐ Das Rezept ist einfach: Dresdner Stollen besteht nur aus Mehl, Hefe und Wasser.
2. ☐ Der erste Stollen wurde vor über 500 Jahren gebacken.
3. ☐ Man backt den Stollen jedes Jahr in der Zeit vor Weihnachten.
4. ☐ August der Starke hat den größten Stollen in der Geschichte Dresdens backen lassen.
5. ☐ Man kann den Stollen ein Jahr lang aufheben.

Essen & Trinken

Der Dresdner Christstollen

Viele Städte, Länder und Regionen sind bekannt für ihre süßen Spezialitäten – man kennt die Schwarzwälder Kirschtorte oder die Salzburger Nockerln, die Nürnberger Lebkuchen oder die
5 Schweizer Rüblitorte. Aus Dresden stammt der Christstollen. Er ist süß, saftig und weltberühmt. Sein Rezept ist kein streng gehütetes Geheimnis, wie bei anderen Spezialitäten. Das Rezept kann man im Internet finden. In Dresden wird er heute
10 in über 130 Bäckereien in Handarbeit produziert. Der erste Dresdner Christstollen wurde schon 1474 gebacken. Er wurde nur aus Mehl, Hefe und Wasser hergestellt und nur zur christlichen Fastenzeit gegessen. Milch und Butter waren da verboten.
15 Heute wird auch Milch, Vanillezucker und richtig viel Butter verwendet. Mandeln, Rosinen und kandierte Orangen sind hinzugekommen. Und man genießt ihn zur Weihnachtszeit. Man kann ihn sogar einige Wochen aufheben. Nach vier Wochen
20 schmeckt er sogar besser als ganz frisch. Der Dresdner Christstollen wird heute in die ganze Welt exportiert. Dafür wird er in Alufolie verpackt und kann im Internet bestellt werden. 2012 wurde die Marke „Dresdner Christstollen" auch offiziell
20 geschützt. Nur das Original darf „Dresdner Christstollen" genannt werden. Es gibt aber weltweit viele Variationen des Produktes: mit Marzipan, mit Bittermandeln und auch ohne Butter. Das ist vielleicht gesünder, schmeckt aber ganz anders.

25 Die Geschichte des Stollens ist eng mit der Geschichte des Dresdner Weihnachtsmarktes verbunden, dem sogenannten „Striezelmarkt", der auch eine lange Tradition hat. Seine Geschichte begann 1434 – rund 250 Jahre nach der Grün-
30 dung von Dresden. Der größte Stollen in der Geschichte Dresdens wurde übrigens im Jahre 1730 von August dem Starken in Auftrag gegeben, der damals Sachsen regierte. Der Stollen war 7 Meter lang, 3 Meter breit
35 und 1,8 Tonnen schwer. Typisch August! Guten Appetit und frohe Weihnachten!

2 Sprache im Beruf. **Finden Sie die passenden Verben im Reiseführer-Text in 1.**

Nomen	Verben
1. der Export	....
2. die Herstellung	....
3. die Produktion	....
4. die Bestellung	....
5. die Verpackung	....

> **Lerntipp**
> -ion und -ung:
> Artikel: die

3 Produkte beschreiben. **Welche Adjektive passen zu diesen Erklärungen? Ergänzen Sie. Der Reiseführer-Text in 1 hilft.**

Lerntipp
Adjektive in Gegensatzpaaren Lernen

1. das Gegenteil von „sauer:" .... **4.** das Gegenteil von „trocken": ....

2. das Gegenteil von „kurz": .... **5.** das Gegenteil von „leicht": ....

3. das Gegenteil von „ungesund" .... **6.** das Gegenteil von „unbekannt" ....

4 Wie wird das gemacht?

36, 37 Ü6–8

a) Vergleichen Sie die Sätze und ergänzen Sie die Regel.

Aktiv
Die Mitarbeiter verpacken den Stollen.
Der Bäcker produziert den Stollen in Handarbeit.

Nominativ   Akkusativ

Passiv
Der Stollen wird **verpackt**.
Der Stollen wird in Handarbeit **produziert**.

Nominativ

Regel Das Passiv wird mit dem Verb .... und dem Partizip II gebildet.

**b) Das Partizip II wiederholen.
Sammeln Sie die Verben im Reiseführer-Text in 1 und machen Sie eine Liste.**

Infinitiv   Partizip II
exportieren   exportiert
essen

c) Markieren Sie die Präteritum-Formen im Reiseführer-Text auf Seite 120 und ergänzen Sie den Satz.

36, 38

Präsens Passiv: Der Dresdner Christstollen wird aus Mehl, Hefe, Wasser, Milch, Vanillezucker und richtig viel Butter gebacken.

Präteritum Passiv: Der erste Dresdner Christstollen .... schon 1474 gebacken.

5 Ein Rezept erklären – Lieblingsrezepte aus D-A-CH und aus Ihrem Land

Ü9

a) Arbeiten Sie in Gruppen. Wählen Sie ein Rezept und recherchieren Sie die Zutaten.

b) Gestalten Sie eine Rezept-Collage und präsentieren Sie sie im Kurs.

Pflaumen-Crumble
Ursprung: USA
Zutaten:
750 g Pflaumen
120 g Mehl
…

Spaghetti Bolognese
Ursprung: Italien
Zutaten:
500g Hackfleisch
1 Zwiebel
…

Tzatziki
Ursprung: Griechenland
Zutaten:
300 g Joghurt
1 Salatgurke
…

Schwarzwälder Kirschtorte
Ursprung: Deutschland
Zutaten:
350 g Sauerkirschen
15 g Kakao
…

Quiche Lorraine
Ursprung: Frankreich

Pierogi
Ursprung: Polen

SAMOSA
Ursprung: Indien

Nasi Goreng
Ursprung: Indonesien

1 **Was sind die zwei wichtigsten Erfindungen?**

a) Hören Sie die Interviews und notieren Sie.

43

Name	Erfindung	Warum?
Renata Kleinert, 62	1. Waschmaschine 2.	– viel mehr (Frei-)Zeit, weniger Haushalt
Jürgen Rosenthal, 53	1. 2.	
Leni Raue, 16	1. 2.	

b) Was sind für Sie die zwei wichtigsten Erfindungen? Begründen Sie.

2 **Das Europäische Patentamt**

a) Lesen Sie die Internetseite und ergänzen Sie die Grafik.

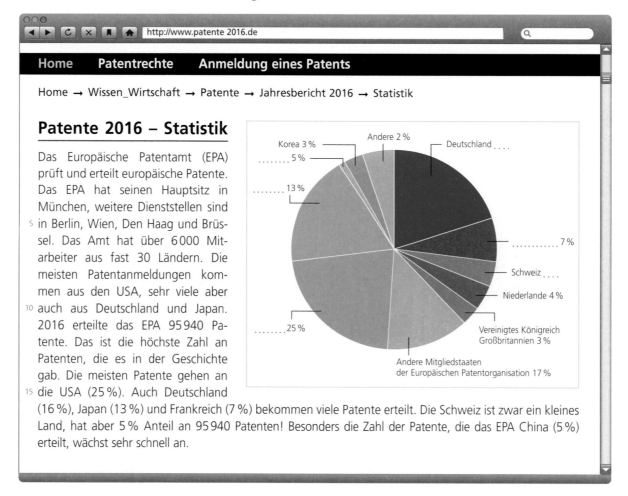

http://www.patente 2016.de

Home   Patentrechte   Anmeldung eines Patents

Home → Wissen_Wirtschaft → Patente → Jahresbericht 2016 → Statistik

Patente 2016 – Statistik

Das Europäische Patentamt (EPA) prüft und erteilt europäische Patente. Das EPA hat seinen Hauptsitz in München, weitere Dienststellen sind
5 in Berlin, Wien, Den Haag und Brüssel. Das Amt hat über 6000 Mitarbeiter aus fast 30 Ländern. Die meisten Patentanmeldungen kommen aus den USA, sehr viele aber
10 auch aus Deutschland und Japan. 2016 erteilte das EPA 95940 Patente. Das ist die höchste Zahl an Patenten, die es in der Geschichte gab. Die meisten Patente gehen an
15 die USA (25%). Auch Deutschland (16%), Japan (13%) und Frankreich (7%) bekommen viele Patente erteilt. Die Schweiz ist zwar ein kleines Land, hat aber 5% Anteil an 95940 Patenten! Besonders die Zahl der Patente, die das EPA China (5%) erteilt, wächst sehr schnell an.

Korea 3%
Andere 2%
Deutschland ....
...... 5%
...... 13%
...... 7%
Schweiz ....
Niederlande 4%
...... 25%
Vereinigtes Königreich Großbritannien 3%
Andere Mitgliedstaaten der Europäischen Patentorganisation 17%

b) Richtig oder falsch? Kreuzen Sie an und vergleichen Sie mit der Internetseite.

	richtig	falsch
1. Wer ein europäisches Patent anmelden möchte, muss zum EPA.	☐	☐
2. Das Europäische Patentamt hat seinen Hauptsitz in Wien.	☐	☐
3. Andere Dienststellen gibt es in München, Berlin und Paris.	☐	☐
4. Die Mitarbeiter des Patentamts kommen aus verschiedenen Ländern.	☐	☐
5. Aus Deutschland kommen die meisten Patentanmeldungen.	☐	☐
6. Auf Platz 3 der erteilten Patente liegt Frankreich mit 7 %.	☐	☐
7. Die Schweiz hat genauso viele Prozente wie die Niederlande.	☐	☐
8. Japan hat prozentual weniger Patente als Deutschland.	☐	☐

3 Nominalisierung der Verben. Welches Verb steckt im markierten Nomen? Notieren Sie wie im Beispiel.

1. Die Prüfung von einem Patent findet im Europäischen Patentamt statt.
2. Der Umzug der Firma kostet sehr viel Zeit und Geld.
3. Die Suche nach einem guten Namen für das neue Produkt war schwierig.
4. Der Transport von Lebensmitteln muss sauber und sicher sein.
5. Man wird nicht einfach Erfinder, man muss eine sehr gute Idee haben.
6. Der Fernseher wurde schon Anfang des 20. Jahrhunderts erfunden.

die Prüfung – prüfen – Ich prüfe das Ergebnis.

4 Wozu braucht man ...?

a) Schreiben Sie Fragen zu den Antworten.

Fahrplan – Kalender – Geld – Brille – CD

1. *Wozu brauchst du eine CD?* — Um mich zu entspannen.
2. .... — Um die Zeitung lesen zu können.
3. .... — Um meine Termine zu planen.
4. .... — Um die Rechnung zu bezahlen.
5. .... — Um die Bahn nicht zu verpassen.

b) Schreiben Sie Sätze wie im Beispiel.

Ich brauche eine Zahnbürste, um Zähne zu putzen.

5 Rosalinde Meyer hat etwas erfunden. **Formulieren Sie Sätze mit** *damit.*

1. Frau Meyer ruft im Patentamt an.
   sie – schnell – einen Termin – bekommen
2. Frau Meyer bringt die Erfindung persönlich zum Patentamt.
   sie – nicht – auf dem Weg – kaputt gehen
3. Der Sohn von Frau Meyer fährt das Auto.
   seine Mutter – auf das Paket – aufpassen können
4. Das Patentamt nimmt sich viel Zeit für die Prüfung der Anmeldung.
   es – keine Fehler – machen
5. Frau Meyer macht Urlaub.
   sie – vom Stress – sich erholen können

> *Frau Meyer ruft im Patentamt an, damit Sie schnell einen Termin bekommt.*

6 Gummibärchen

a) **Lesen Sie den Magazin-Artikel. Formulieren Sie W-Fragen (Wer? Was? Wo? Wie?)
und beantworten Sie sie.**

Wissen 03/17

Ein Bärchen geht um die Welt

Gummibärchen werden von allen Kindern und vielen Erwachsenen geliebt. Was nur wenige wissen – 1922 wurde das erste Gummibärchen „geboren". Es wurde damals von Hans Riegel aus Bonn (Haribo) erfunden. Heute ist Haribo ein großer Konzern mit Sitz im Bonner Stadtteil Kessenich. Täglich werden 80 Millionen Gummibärchen produziert. In den fünf Betrieben in Deutschland und 13 weiteren in Europa arbeiten 6000 Mitarbeiter.

Haribo-Produkte werden in mehr als 100 Ländern transportiert und verkauft.

Viele Deutsche kennen das Werbemotto der Firma. Seit 1935 wird das „Lied" HARIBO macht Kinder froh gesungen. 1962 wurde das Motto ergänzt mit: und Erwachsene ebenso. Eine Studie von Kabel1 sagt, dass es der bekannteste Werbespruch in Deutschland ist. Lied und Motto wurden in etliche Sprachen übersetzt.

Hier einige Beispiele:
- Haribo, c'est beau la vie –
  pour les grands et les petits
- Kids and grown-ups love it so –
  the happy world of Haribo

b) **Zeichnen Sie die Textgrafik in Ihr Heft und ergänzen Sie sie.**

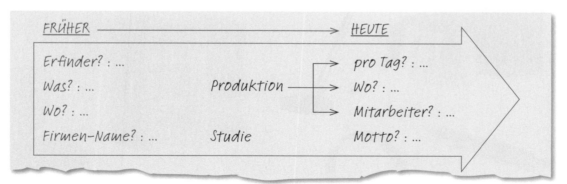

c) **Markieren Sie im Magazin-Artikel alle Partizip II-Formen und ergänzen Sie Ihre Liste
von Seite 121.**

7 Passiv: Präsens und Präteritum

a) **Markieren Sie im Haribo-Artikel alle Passiv-Formen im** Präsens **und** Präteritum.

b) **Ergänzen Sie die Tabelle.**

	Präsens	Präteritum
ich	werde	
du	wirst	wurdest
er/es/sie		
wir		
ihr	werdet	wurdet
sie/Sie		

+

gefragt
angerufen
informiert
gehört
produziert
verpackt
...

c) **Schreiben Sie Wortgruppen wie im Beispiel. Lesen Sie diese dann laut und schnell.**

ich wurde gefragt; sie werden produziert und verpackt

8 Passivformen im Text: Präsens oder Präteritum. **Ergänzen Sie die Verben. Kontrollieren Sie dann mit dem Reiseführer-Text auf Seite 120.**

1. Der erste Stollen .... 1474 ....

2. Für den Export .... der Stollen in Alufolie ....

3. Der größte Stollen .... von August dem Starken in Auftrag ....

4. Der Stollen .... heute weltweit ....

5. Früher .... der Stollen nur zur Fastenzeit ....

6. Heute .... der Stollen zur Weihnachtszeit ....

7. Der Dresdner Christstollen kann auch im Internet ....

9 Eine süße Spezialität aus der Schweiz: die Rüblitorte

?
44

a) **Hören Sie und ordnen Sie die Arbeitsschritte.**

☐ Zum Schluss wird die fertige Rüblitorte über Nacht in den Kühlschrank gestellt.
☐ Die Masse wird in einer Tortenform gebacken.
☐ Dann wird die Ei-Zucker-Masse mit Mehl und Backpulver gemischt.
☐ Nach den Möhren und Mandeln wird der Eischnee untergehoben.
1 Zuerst werden das Eigelb, der Zucker und weitere Zutaten gemischt.
☐ Nach dem Backen wird alles mit Marmelade und Puderzucker überzogen.
☐ Im dritten Schritt werden geriebene Möhren und Mandeln hinzugegeben.

b) **Markieren Sie in a) die Passiv-Formen.**

c) **Ein Rezept erklären. Verwenden Sie die Sätze aus a).**

Mischen Sie zuerst das Eigelb, den Zucker und weitere Zutaten. Dann ...

Partnerseite

Einheit 19, Aufgabe 3.3

Partnerspiel: Nach einer Wohnung fragen. Sie sind Spielerin/Spieler 2. Ihre Partnerin / Ihr Partner arbeitet mit der Seite 70. Fragen Sie nach Wohnung b) und benutzen Sie die Redemittel. Beantworten Sie dann die Fragen von Spielerin/Spieler 1 zu Wohnung a).

Ruhige, sonnige Whg.
im Zentrum Stuttgarts
zu vermieten. 3 ZKB, 79 m²,
Balkon, Keller und Stellplatz.
790 € und 150 € NK.
Tel.: 73 55 91
Besichtigung:
Di. oder Do. ab 18 Uhr   **a**

2 ZKB, ab 01.05. frei
Tel.: 0711-1719248   **b**

Guten Tag. Ich habe Ihre Anzeige gelesen. Ist die Wohnung noch frei?

Einheit 20, Aufgabe 3.2

Partnerspiel: früher und heute. Stellen Sie Fragen und ergänzen Sie die Antworten von Spielerin/Spieler 1. Die Tabelle für Spielerin/Spieler 1 ist auf Seite 80.

in der Bebelstraße	**in der Müllerstraße**	**in der Bahnhofsstraße**
früher: *ein Sportplatz*	früher:	früher:
heute:	heute: *ein Supermarkt*	heute: *ein Ärztehaus*
in der Kastanienallee	**in der Goethestraße**	**auf dem Domplatz**
früher: *die Post*	früher:	früher: *ein Hotel*
heute:	heute: *das Bürgerbüro*	heute:

Spieler 1

Heute ist in der Bebelstraße ...

Was │ war / gab es │ hier früher?

Spieler 2

Früher war hier ein Sportplatz.
Heute gibt es in der Müllerstraße ...
Was ...

Grammatik auf einen Blick

Sätze

1 Gründe nennen: Nebensätze mit *weil*

E13, 21

Hauptsatz	Hauptsatz
Ich habe Deutsch gelernt.	Es (war) ein Schulfach.

Hauptsatz	Nebensatz
Ich habe Deutsch gelernt,	weil es ein Schulfach (war).

Regel Im Nebensatz steht das Verb am Ende. Der Nebensatz beginnt mit weil.

2 Seine Meinung ausdrücken: Nebensätze mit *dass*

E14

Ich finde,   dass das Auto zu teuer (ist).

Meinst du nicht auch,   dass das Auto zu teuer (ist)?

Ich habe gesagt,   dass ich das Auto zu teuer (finde).

3 Indirekte Fragen

E17

1 Ja/Nein-Fragen: *ob*

🗨 (Kommst) du am Wochenende?

👂 Entschuldigung, was hast du gesagt?

🗨 Ich habe gefragt,   ob du am Wochenende (kommst)?

2 Fragen mit Fragewort: *wann, wo, ...*

Hauptsatz	Nebensatz
Kannst du mir sagen,	wann du (kommst)?
Ich möchte wissen,	was Sie gesagt (haben).
Können Sie mir sagen,	wo ich das Haus Nr. 23 (finde)?

Wann kommst du?

Regel Der Nebensatz beginnt mit ob oder einem Fragewort und das Verb steht am Satzende.

4 Personen oder Sachen genauer beschreiben: Relativsätze im Nominativ und Akkusativ

E18

Marillenknödel: Das sind Knödel, die man mit Marillen (Aprikosen) macht.

Christstollen: Das ist ein Kuchen, den man zu Weihnachten backt.

Hauptsatz 1	Hauptsatz 2
Das sind Knödel.	Man macht sie mit Aprikosen.
Das ist ein Kuchen.	Man backt ihn zu Weihnachten.

	Nominativ	Akkusativ
Singular	der das	den das
Plural	die die	die die

Hauptsatz	Relativsatz
Das sind <u>Knödel</u>,	<u>die</u> man mit Aprikosen (macht).
Das ist <u>ein Kuchen</u>,	<u>den</u> man zu Weihnachten (backt).

Regel Der Relativsatz erklärt ein Nomen im Hauptsatz.

Nominativ **Der** Mann,   backt gern Kuchen.
                         └─ der in der Wohnung neben uns wohnt, ─┘

Akkusativ **Der** Kaffee,   ist kalt.
                         └─ den der Kellner eben gebracht hat, ─┘

Nominativ **Das** Rezept,   suche ich jetzt.
                         └─das von meiner Oma ist, ─┘

Akkusativ **Das** Steak,   war zäh.
                         └─ das ich letzte Woche hier gegessen habe, ─┘

Nominativ **Die** Frau,   wartet schon eine Stunde auf das Essen.
                         └─ die dort am Tisch sitzt, ─┘

Akkusativ **Die** Suppe,   war salzig.
                         └─ die ich bestellt habe, ─┘

Regel **Plural** im Nominativ und Akkusativ immer **die**: die Männer/Kinder/Frauen, die …

5 Gegensätze ausdrücken: Hauptsätze und Informationen mit *aber* verbinden

E15

Hauptsatz	Hauptsatz
Eine Reise mit dem Zug dauert länger als mit dem Flugzeug.	Sie ist bequemer.
Eine Reise mit dem Zug dauert länger als mit dem Flugzeug,	aber sie ist bequemer.

6 Alternativen ausdrücken: *oder*

E15

Gehen wir zu dir oder zu mir?
Magst du Tee oder Kaffee?
Mit Milch oder mit Zucker?

Wörter

7 **Nomen verbinden mit Genitiv-s:** *Jaquelines Großvater*

E14

Das ist der Großvater von Jacqueline. / das Auto von Günther. / die Frau von Jan.
Das ist Jacquelines Großvater. / Günthers Auto. / Jans Frau.

8 **Possessivartikel im Dativ**

E14

Das bin ich mit meiner neuen Kamera!

		der Computer das Radio	die Kamera
Singular	ich	meinem	meiner
	du	deinem	deiner
	er/es	seinem	seiner
	sie	ihrem	ihrer
Plural	wir	unserem	unserer
	ihr	eurem	eurer
	sie/Sie	ihrem/Ihrem	ihrer/Ihrer
Plural (Nomen)		meinen/unseren Computern, Radios, Kameras	

9 **Übersicht Possessivartikel: Nominativ, Akkusativ, Dativ**

E14

		der	*das*	*die*
Singular	Nominativ	mein Hund	mein Auto	meine Firma
	Akkusativ	meinen Hund	mein Auto	meine Firma
	Dativ	meinem Hund	meinem Auto	meiner Firma
Plural	Nominativ	meine Hunde/Autos/Firmen		
	Akkusativ	meine Hunde/Autos/Firmen		
	Dativ	meinen Hunden/Autos/Firmen		

Regel Alle Possessivartikel (*dein, sein, unser ...*) und auch *(k)ein* haben
die gleichen Endungen wie *mein*.

10 **Übersicht Personalpronomen: Nominativ, Akkusativ, Dativ**

E16, 18

Du fährst in die Stadt?
Kannst du mich mitnehmen?

	Nominativ	Akkusativ	Dativ
Singular	ich	mich	mir
	du	dich	dir
	er	ihn	ihm
	es	es	ihm
	sie	sie	ihr
Plural	wir	uns	uns
	ihr	euch	euch
	sie/Sie	sie/Sie	ihnen/Ihnen

Ja, du kannst mit mir bis zum Viktoria-Luise-Platz fahren.

11 Reflexivpronomen im Akkusativ: *sich interessieren für*

E16

🗣 Interessierst du dich für Politik?   🗣 Ja, aber ich ärgere mich über die Politiker.
Simone freut sich auf das Wochenende mit Peter. Sie hat sich über sein Geschenk gefreut. Sie treffen sich am Wochenende mit Freunden.
Meine Kollegin fühlt sich heute nicht gut. Sie regt sich über unseren Chef auf.
Jetzt entspannt sie sich mit Yoga.

	Personal- pronomen im Akkusativ	Akkusativ- Reflexiv- pronomen
Singular	mich	mich
	dich	dich
	ihn	sich
	es	sich
	sie	sich
Plural	uns	uns
	euch	euch
	sie/Sie	sich

👍 **Lerntipp**
Lernen Sie die Verben mit Präpositionen:
sich ärgern über
sich interessieren für
sich entspannen mit
sich aufregen über

Sie schminkt sich.   Er rasiert sich.

Regel Reflexivpronomen im Akkusativ = Personalpronomen im Akkusativ, außer in der 3. Person (er, es, sie, sie/Sie)

12 Komparation – Vergleiche mit *als* und Superlativ: *am liebsten*

E13

Der Mont Blanc (4807 m) ist höher als das Matterhorn (4478 m).

Das Matterhorn ist der schönste Berg Europas, aber nicht der höchste.

Der Mont Blanc ist am höchsten.

1	schwer	schwerer	am schwersten	der/das/die schwerste
	schön	schöner	am schönsten	der/das/die schönste
	leicht	leichter	am leichtesten	der/das/die leichteste
	weit	weiter	am weitesten	der/das/die weiteste
2	lang	länger	am längsten	der/das/die längste
	jung	jünger	am jüngsten	der/das/die jüngste
	groß	größer	am größten	der/das/die größte
	hoch	höher!	am höchsten	der/das/die höchste
3	viel	mehr	am meisten	der/das/die meiste
	gut	besser	am besten	der/das/die beste
	gern	lieber	am liebsten	der/das/die liebste

Regel Komparativ: Adjektiv + Endung *-er* + *als*

13 Adjektive im Dativ mit Artikel

E14

> *Die Frau mit der hellblauen Bluse und der weißen Jeans heißt Mari.*

> *Der Junge mit den blonden Haaren und einem weißen Pullover heißt Jonas.*

Regel Adjektive im Dativ mit Artikel: Die Endung ist immer -en.

14 Adjektive ohne Artikel: Nominativ und Akkusativ

E17

> Alter Fernseher gesucht!
> ☎ 030 / 29 77 30 34

> Altes Auto, 1972, VW-Käfer, fährt noch! Nur 100,– €,
> 📞 089-34 26 77

> Verkaufe alte Kamera, suche neuen Heimtrainer.
> Tel.: 0171 / 33 67 87 99

Singular	(der)	(das)	(die)
Nominativ	alter Fernseher	altes Handy	alte Uhr
Akkusativ	alten Fernseher	altes Handy	alte Uhr

Plural	(die)
Nominativ/Akkusativ	alte Fernseher/Handys/Uhren

👍 **Lerntipp**
Adjektive ohne Artikel:
Den Artikel erkennt man an der Endung.

Regel Adjektive ohne Artikel haben die gleiche Endung wie Adjektive mit unbestimmtem Artikel (im Nominativ und Akkusativ).

> Suche rotes Kleid.

> *Ich habe ein rotes Kleid gekauft.*

15 Zeitadverbien *zuerst, dann, danach*

E16

zuerst ⟶ dann ⟶ danach

> *Zuerst stehe ich auf, dann gehe ich joggen, danach dusche ich mich.*

16 Indefinita – unbestimmte Menge (Personen): *niemand, wenige, viele, alle*

E16

Alle aus meiner Familie machen Sport.
Viele sind im Fußballverein.
Wenige machen Musik.
Niemand spielt Gitarre.

17 Modalverb *sollen*

E15

	sollen
ich	soll
du	sollst
er/es/sie	soll
wir	sollen
ihr	sollt
sie/Sie	sollen

> *Karl hat gerade angerufen. Du sollst ihn vom Bahnhof abholen.*

Sätze

18 Nebensätze mit *als*

E20

Position 2

Goethe	war	erst 16 Jahre alt, <u>als</u> er Jura in Leipzig (studierte).
<u>Als</u> er Jura in Leipzig (studierte),	war	Goethe erst 16 Jahre alt.
Alexandr	hat	auch gearbeitet, <u>als</u> er in Weimar (war).
<u>Als</u> er in Weimar (war),	hat	Alexandr auch gearbeitet.

19 Einen Zweck ausdrücken

E24

1 *um ... zu*

Hauptsatz	Nebensatz
Ich nehme ein Taxi,	<u>um</u> schnell nach Hause zu (kommen).
Ich brauche kein teures Handy,	<u>um</u> Freunde anzurufen.
Ich muss mich beeilen,	<u>um</u> den Bus nicht zu verpassen.

> **Regel** Der Nebensatz beginnt mit *um*. *Zu* steht vor dem Verb im Infinitiv.
> Bei trennbaren Verben steht *zu* zwischen Vorsilbe und Verb.
> *Um ... zu*-Sätze haben keine Nominativergänzung, sie beziehen sich auf die
> Nominativergänzung im Hauptsatz.

2 *damit*

Hauptsatz	Nebensatz
Ich nehme ein Taxi,	**damit** <u>ich</u> schneller nach Hause komme.
Ich nehme ein Taxi,	**damit** <u>meine Frau</u> das Auto nehmen kann.
Ich lerne Deutsch,	**damit** <u>ich</u> in Österreich arbeiten kann.
Ich brauche einen Reisepass,	**damit** <u>ich</u> ins Ausland reisen kann.

> **Regel** *Damit*-Sätze und *Um ... zu*-Sätze haben die gleiche Bedeutung.
> Der Unterschied ist: *Damit*-Sätze haben eine Nominativergänzung.

20 Bedingungen und Folgen: Nebensätze mit *wenn*

E22

Nebensatz (Bedingung)	Hauptsatz (Folge)
<u>Wenn</u> ich schlechte Laune (habe),	(dann) kaufe ich mir ein Geschenk.
Wenn es regnet,	(dann) muss ich einen Regenschirm mitnehmen.
Wenn der Weihnachtsbaum brennt,	(dann) kommt die Feuerwehr.

21 Gründe nennen: *denn*

E21

Hauptsatz	Hauptsatz (Grund)
Ich wollte Lehrerin werden,	**denn** mein Vater war auch Lehrer.
Akim macht ein Praktikum bei VW,	**denn** er interessiert sich für Autos.
Wir können heute nicht Fußball spielen,	**denn** das Wetter ist schlecht.

Regel *Denn* verbindet zwei Hauptsätze.

22 Übersicht: Verben im Satz

1 Hauptsätze

	Position 1	Position 2		
	Ich	fahre	jetzt nach Hause.	
Modalverb	Ich	muss	jetzt nach Hause	fahren.
Perfekt	Ich	bin	gestern zu spät nach Hause	gefahren.
Zeitangabe am Anfang	Gestern	bin	ich zu spät nach Hause	gefahren.
Imperativ	Fahren	Sie	nach Hause!	
Frage	Wann	fahren	Sie nach Hause?	
	Fahren	Sie	nach Hause?	
	Sind	Sie	gestern mit dem Auto nach Hause	gefahren?

2 Hauptsätze und Nebensätze

	Hauptsatz			Nebensatz	
dass	Ich	habe	gehört,	**dass** du gestern zu spät	gekommen bist.
weil	Ich	war	zu spät,	**weil** ich den Bus	verpasst habe.
wenn	Ich	höre	gern Musik,	**wenn** ich gute Laune	habe.
damit	Ich	nehme	das Auto,	**damit** ich schneller	bin.
um ... zu	Ich	fahre	nach Tübingen,	**um** meine Mutter	zu besuchen.
Relativsatz	Das	ist	die Frau,	**die** ich in der Stadt	gesehen habe.
als	Sie	hat	mich angerufen,	**als** ich nicht zu Hause	war.

3 Hauptsätze und Hauptsätze

Meine Freundin fährt in den Urlaub,	**aber** ich habe leider keine Zeit.
Ich habe mir ein neues Fahrrad gekauft,	**denn** mein altes Rad war kaputt.
Ich habe die Kinokarten gekauft,	**und** ich habe Friedrich abgeholt.
Wollen wir schwimmen gehen,	**oder** bleibst du lieber zu Hause?

23 Übersicht: Satzverbindungen

Nach diesen Wörtern verändert sich die Wortstellung nicht:	Nach diesen Wörtern verändert sich die Wortstellung:
aber, denn, und, oder	*als, damit, dass, weil, um ... zu, wenn ... dann, ob*

24 Personen/Sachen genauer beschreiben: Relativsätze mit Präpositionen: *in, mit* + Dativ

E23

Singular

Hauptsatz 1

Der Film „Erbsen auf halb 6" machte Hilmir Snaer Gudnason in Deutschland bekannt.

Hauptsatz 2

Er spielte in dem Film die männliche Hauptrolle.

Relativatz

<u>Der Film</u> „Erbsen auf halb 6", <u>in dem</u> er die männliche Hauptrolle spielte, machte Hilmir Snaer Gudnason in Deutschland bekannt.

Fritzi Haberlandt mag <u>das Dorf in Brandenburg</u>, <u>in dem</u> sie seit einigen Jahren lebt, sehr gern.

1994 hat Hilmir Snaer Gudnason <u>die Schauspielschule</u>, <u>an der</u> er vier Jahre studiert hat, erfolgreich abgeschlossen.

Plural

<u>Die Krimis</u>, <u>in denen</u> Fritzi Haberlandt spielt, sind sehr spannend.

Fritzi Haberlandt findet <u>die Krimis</u>, <u>in denen</u> sie eine Nebenrolle spielt, immer spannend „bis zur letzten Minute".

25 Dativ- und Akkusativergänzungen im Satz

E22

Nominativ (wer?)		Dativ (wem?)	Akkusativ (was?)
Er	schickt	seiner Freundin	einen Blumenstrauß.
Sie	schreibt	ihm	eine SMS.
Katrin	schenkt	ihrer Freundin	ein neues Buch.
Max	zeigt	seinem Freund	ein Foto.
Bringst	du	mir	ein Brot mit?
Zeigst	du	mir	dein neues Handy?

 Lerntipp
geben, schenken, zeigen, bringen: immer mit Dativ und Akkusativ

Regel Zuerst die Dativergänzung, dann die Akkusativergänzung

Wörter

26 Wortbildung
E21, 24
1 Nomen mit *-ung*

die Rechnung   – rechnen
die Bestellung   – bestellen
die Prüfung   – prüfen
die Entscheidung   – entscheiden
die Ausbildung   – ausbilden

Lerntipp
In Wörtern mit *-ung* findet man meistens ein Verb.

Regel Nomen mit *-ung*: Artikel *die*

2 Aus Verben Nomen machen

rauchen – Das Rauchen ist hier verboten!
nachsprechen – Das Nachsprechen von Dialogen trainiert die Aussprache.
lernen – Das Lernen mit den Videos macht mir Spaß.

27 Genitivartikel: *des, der*

E23

Singular	*der* Film:	das Ende	des Films
	das Gesicht:	die Sprache	des Gesichts
	die Sonne	die Farbe	der Sonne
(Plural)	*die* Deutschen:	die Liste	der wichtigsten Deutschen

28 Indefinita

E23, 28

Viele Deutsche sind in einem Verein. **Manche** Menschen sind in vier Vereinen. **Einige** Hobbys sind nicht teuer. **Viele** Hobbys kosten nichts. **Andere** Hobbys sind sehr teuer. **Man** braucht viel Zeit für ein Hobby. **Jemand** hat uns gestern von seinem Hobby erzählt. **Niemand** hat es verstanden.

> **Regel** Personen und Sachen: *wenige, manche, andere, einige, viele*
> Personen: *jemand, niemand, man*

29 Übersicht Relativpronomen

E23

Singular		Nominativ	Akkusativ	Dativ
	der	der	den	dem
	das	das	das	dem
	die	die	die	der
Plural	*die*	die	die	denen

30 Präpositionen mit Dativ: *aus, bei, nach, von, seit, zu, mit*

E22

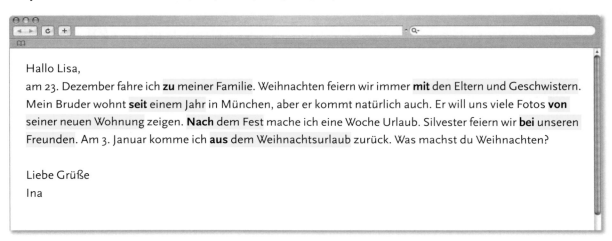

Hallo Lisa,

am 23. Dezember fahre ich **zu** meiner Familie. Weihnachten feiern wir immer **mit** den Eltern und Geschwistern. Mein Bruder wohnt **seit** einem Jahr in München, aber er kommt natürlich auch. Er will uns viele Fotos **von** seiner neuen Wohnung zeigen. **Nach** dem Fest mache ich eine Woche Urlaub. Silvester feiern wir **bei** unseren Freunden. Am 3. Januar komme ich **aus** dem Weihnachtsurlaub zurück. Was machst du Weihnachten?

Liebe Grüße
Ina

31 Präpositionen mit Akkusativ oder Dativ
E23

Lerntipp
Auf die Verben achten:

stellen, legen,
setzen + Akkusativ

stehen, liegen, sitzen,
sein + Dativ

Die Assistentin stellt die Pflanze auf den Boden. Die Pflanze steht auf dem Boden.
Die Assistentin legt die Bücher in das Regal. Die Bücher liegen im Regal.
Die Assistentin hängt das Bild an die Wand. Das Bild hängt an der Wand.

Wohin? – Richtung/Bewegung:
mit Akkusativ

Wo? – Ort:
mit Dativ

⚠ Zu: immer mit Dativ   *Wir gehen zu einem Freund.*

32 Vergleiche mit *so/ebenso/genauso … wie* und *als*
E19

Uns gefällt es in der Stadt **genauso** gut **wie** auf dem Land.
Das Kulturangebot ist in der Stadt **besser als** auf dem Land.

Regel *so/ebenso/genauso …* + Adjektiv (Grundform) + *wie*
Adjektiv (Komparativ) + *als*

33 Modalverben: Präsens und Präteritum
E19

	müssen		dürfen		können	
	Präsens	Präteritum	Präsens	Präteritum	Präsens	Präteritum
ich	muss	musste	darf	durfte	kann	konnte
du	musst	musstest	darfst	durftest	kannst	konntest
er/es/sie	muss	musste	darf	durfte	kann	konnte
wir	müssen	mussten	dürfen	durften	können	konnten
ihr	müsst	musstet	dürft	durftet	könnt	konntet
sie/Sie	müssen	mussten	dürfen	durften	können	konnten

	sollen		wollen	
	Präsens	Präteritum	Präsens	Präteritum
ich	soll	sollte	will	wollte
du	sollst	solltest	willst	wolltest
er/es/sie	soll	sollte	will	wollte
wir	sollen	sollten	wollen	wollten
ihr	sollt	solltet	wollt	wolltet
sie/Sie	sollen	sollten	wollen	wollten

Lerntipp
Die **Modalverben im**
Präteritum haben keinen
Umlaut – aber immer ein *t*:
wir konnten / ihr musstet /
sie durften

34 Perfekt und Präteritum

E20

Damals *hat* Goethe hier *gewohnt.*

Im Reiseführer steht:
Goethe wohnte hier.

Regel Das Perfekt kann man in der gesprochenen Sprache fast immer benutzen.
Bei den Modalverben und bei *haben, sein* und *werden* benutzt man auch in der gesprochenen
Sprache meistens das Präteritum.

35 Regelmäßige Verben im Präteritum

E20

Singular	ich	leb-	-te
	er	studier-	-te
	sie	wohn-	-te
Plural	sie/Sie	besuch-	-ten
	wir	arbeit-e-	-ten

 Lerntipp
arbeiten: Infinitivstamm auf *-t* will
immer noch ein *-e.*

 Lerntipp
Das Präteritum in der 2. Person (du/ihr)
verwendet man fast nur bei Modalverben und *haben* und *sein.*

Minimemo
Lernen Sie extra:
Früher war/waren/gab es …
Heute ist/sind/gibt es …

36 *werden*: Präsens und Präteritum

E21, 24

Ich werde bald 30. Ich werde alt. Mit 23 wurde ich Vater.
Als Kind wollte sie Fotografin werden. Sie wurde aber Architektin.
Als ich 27 Jahre alt war, wurde ich zum ersten Mal Mutter. Mein Sohn möchte Arzt werden.

	Präsens	Präteritum
ich	werde	wurde
du	wirst	(wurdest)
er/es/sie	wird	wurde
wir	werden	wurden
ihr	werdet	(wurdet)
sie	werden	wurden

37 Passiv
E24

Aktiv
Die Mitarbeiter verpacken **den Stollen**.

Passiv
Der Stollen wird verpackt.

Akkusativ   Nominativ

Regel Das Passiv wird mit dem Verb *werden* und dem Partizip II gebildet.

38 Präteritum Passiv
E24

Präsens Passiv: Der Dresdner Christstollen **wird** aus Mehl, Hefe, Wasser, Milch, Vanillezucker und richtig viel Butter **gebacken**.
Präteritum Passiv: Der erste Dresdner Christstollen **wurde** schon 1474 **gebacken**.

Regel Das Präteritum Passiv wird mit dem Verb *werden* im Präteritum und dem Partizip II gebildet.

39 Höfliche Bitten mit *hätte, könnte*
E21

○ Könnte ich bitte Frau Schneider sprechen?
○ Tut mir leid, Frau Schneider hat heute Urlaub.
○ Könnte ich eine Nachricht für Frau Schneider hinterlassen?
○ Aber natürlich.

Könnten Sie mir sagen, wie spät es ist?
Hätten Sie ein Taschentuch für mich?
Hättest du heute Lust auf Kino?
Ich hätte gern zwei Kilo Tomaten.

	haben		können	
	Präsens	Konjunktiv	Präsens	Konjunktiv
ich	habe	hätte	kann	könnte
du	hast	hättest	kannst	könntest
er/es/sie	hat	hätte	kann	könnte
wir	haben	hätten	können	könnten
ihr	habt	hättet	könnt	könntet
sie/Sie	haben	hätten	können	könnten

Lerntipp
Die Höflichkeitsform von *haben* und *können* wird wie das Präteritum gebildet, aber mit Umlaut: du hast – du hattest – Hättest du ...?

Liste der unregelmäßigen Verben

abfahren	er fährt ab	er ist abgefahren
abnehmen	*er nimmt ab*	*er hat abgenommen*
abschließen	*er schließt ab*	*er hat abgeschlossen*
anbraten	*er brät an*	*er hat angebraten*
anfangen	er fängt an	er hat angefangen
ankommen	er kommt an	er ist angekommen
anrufen	er ruft an	er hat angerufen
anschreiben	er schreibt an	er hat angeschrieben
ansehen	er sieht an	er hat angesehen
anstoßen	*sie stoßen an*	*sie haben angestoßen*
anziehen (sich)	er zieht sich an	er hat sich angezogen
aufessen	*er isst auf*	*er hat aufgegessen*
auffallen	er fällt auf	er ist aufgefallen
aufgeben	er gibt auf	er hat aufgegeben
aufstehen	er steht auf	er ist aufgestanden
auftreten	er tritt auf	er ist aufgetreten
ausgehen	er geht aus	er ist ausgegangen
ausschlafen	*er schläft aus*	*er hat ausgeschlafen*
aussehen	er sieht aus	er hat ausgesehen
aussteigen	er steigt aus	er ist ausgestiegen
ausziehen (etw.)	er zieht etw. aus	er hat etw. ausgezogen
backen	er backt/bäckt	er hat gebacken
beginnen	er beginnt	er hat begonnen
bekommen	er bekommt	er hat bekommen
benutzen	er benutzt	er hat benutzt
beraten	er berät	er hat beraten
beschließen	*er beschließt*	*er hat beschlossen*
beschreiben	*er beschreibt*	*er hat beschrieben*
besprechen	*er bespricht*	*er hat besprochen*
betreten	*er betritt*	*er hat betreten*
bleiben	er bleibt	er ist geblieben
betragen	etw. beträgt	etw. hat betragen
betreiben	*er betreibt*	*er hat betrieben*
bewerben (sich)	er bewirbt sich	er hat sich beworben
bieten	er bietet	er hat geboten
binden	*er bindet*	*er hat gebunden*
bitten	er bittet	er hat gebeten
brechen	er bricht	er hat gebrochen
brennen	er brennt	er hat gebrannt
bringen	er bringt	er hat gebracht
denken	er denkt	er hat gedacht
dürfen	er darf	er durfte (Präteritum)
einladen	er lädt ein	er hat eingeladen
einreiben	*er reibt ein*	*er hat eingerieben*
entfallen	*es entfällt*	*es ist entfallen*
entscheiden (sich)	er entscheidet sich	er hat sich entschieden
erfinden	er erfindet	er hat erfunden
erschrecken (sich)	er erschreckt sich	er hat sich erschrocken
essen	er isst	er hat gegessen
fahren	er fährt	er ist gefahren
fallen	er fällt	er ist gefallen
fernsehen	er sieht fern	er hat ferngesehen
feststehen	es steht fest	es hat festgestanden

finden	er findet	er hat gefunden
fliegen	er fliegt	er ist geflogen
geben	er gibt	er hat gegeben
gefallen	es gefällt	es hat gefallen
gehen	er geht	er ist gegangen
gelten	es gilt	es hat gegolten
genießen	er genießt	er hat genossen
gewinnen	*er gewinnt*	*er hat gewonnen*
haben	er hat	er hatte (Präteritum)
halten	er hält	er hat gehalten
hängen	es hängt	es hat gehangen
heben	er hebt	er hat gehoben
heißen	er heißt	er hat geheißen
helfen	er hilft	er hat geholfen
herunterladen	*er lädt herunter*	*er hat heruntergeladen*
hinfliegen	er fliegt hin	er ist hingeflogen
hinterlassen	er hinterlässt	er hat hinterlassen
kaputtgehen	es geht kaputt	es ist kaputtgegangen
kennen	er kennt	er hat gekannt
klingen	es klingt	es hat geklungen
kommen	er kommt	er ist gekommen
können	er kann	er konnte (Präteritum)
lassen	er lässt	er hat gelassen
laufen	er läuft	er ist gelaufen
leidtun	es tut leid	es hat leidgetan
lesen	er liest	er hat gelesen
liegen	es liegt	es hat gelegen
mitbringen	er bringt mit	er hat mitgebracht
mitkommen	er kommt mit	er ist mitgekommen
mitnehmen	er nimmt mit	er hat mitgenommen
mögen	er mag	er mochte (Präteritum)
müssen	er muss	er musste (Präteritum)
nehmen	er nimmt	er hat genommen
nennen	er nennt	er hat genannt
raten	er rät	er hat geraten
rufen	er ruft	er hat gerufen
schlafen	er schläft	er hat geschlafen
schließen	er schließt	er hat geschlossen
schneiden	er schneidet	er hat geschnitten
schreiben	er schreibt	er hat geschrieben
schwimmen	er schwimmt	er ist geschwommen
sehen	er sieht	er hat gesehen
sein	er ist	er war (Präteritum)
singen	er singt	er hat gesungen
sitzen	er sitzt	er hat gesessen
Ski fahren	er fährt Ski	er ist Ski gefahren
spazieren gehen	er geht spazieren	er ist spazieren gegangen
sprechen	er spricht	er hat gesprochen
stattfinden	*es findet statt*	*es hat stattgefunden*
stehen	er steht	er hat gestanden
steigen	*er steigt*	*er ist gestiegen*
sterben	*er stirbt*	*er ist gestorben*
stoßen	er stößt	er hat gestoßen
teilnehmen	er nimmt teil	er hat teilgenommen
tragen	er trägt	er hat getragen

treffen	er trifft	er hat getroffen
trinken	er trinkt	er hat getrunken
tun	er tut	er hat getan
überfliegen	er überfliegt	er hat überflogen
übernehmen	er übernimmt	er hat übernommen
übertragen	*er überträgt*	*er hat übertragen*
umsteigen	er steigt um	er ist umgestiegen
umziehen	er zieht um	er ist umgezogen
unterbrechen	er unterbricht	er hat unterbrochen
unterhalten (sich)	er unterhält sich	er hat sich unterhalten
unternehmen	er unternimmt	er hat unternommen
verbieten	er verbietet	er hat verboten
verbinden	er verbindet	er hat verbunden
verbrennen	er verbrennt	er ist verbrannt
verbringen	er verbringt	er hat verbracht
vergehen	er vergeht	er ist vergangen
vergessen	er vergisst	er hat vergessen
vergleichen	er vergleicht	er hat verglichen
verlassen	er verlässt	er hat verlassen
verlieren	er verliert	er hat verloren
verschreiben	*er verschreibt*	*er hat verschrieben*
verstehen	er versteht	er hat verstanden
vertreiben	*er vertreibt*	*er hat vertrieben*
vorbeifahren	*er fährt vorbei*	*er ist vorbeigefahren*
vorbeilaufen	*er läuft vorbei*	*er ist vorbeigelaufen*
vorlesen	er liest vor	er hat vorgelesen
wachsen	er wächst	er ist gewachsen
waschen	er wäscht	er hat gewaschen
weitergehen	*es geht weiter*	*es ist weitergegangen*
wehtun	es tut weh	es hat wehgetan
wissen	er weiß	er hat gewusst
wollen	er will	er wollte (Präteritum)
ziehen	er zieht	er ist gezogen
zunehmen	*es nimmt zu*	*es hat zugenommen*
zurechtfinden (sich)	er findet sich zurecht	er hat sich zurechtgefunden
zurückbekommen (etw.)	er bekommt etw. zurück	er hat etw. zurückbekommen
zurückdenken	er denkt zurück	er hat zurückgedacht
zurückgehen	er geht zurück	er ist zurückgegangen
zurückkommen	er kommt zurück	er ist zurückgekommen
zurücknehmen (etw.)	er nimmt etw. zurück	er hat etw. zurückgenommen
zurückrufen	er ruft zurück	er hat zurückgerufen

Liste der Verben mit Präpositionen

Diese Verben werden meistens mit Präpositionen verwendet. Lernen Sie die Präpositionen mit den Verben.

Akkusativ

achten	auf	Achten Sie auf die Verben.
ankommen	auf	Es kommt darauf an, was du möchtest.
anmelden (sich)	für	Er meldet sich für den Kurs an.
antworten	auf	Die Kursleiterin antwortet auf die Frage.
ärgern (sich)	über	Der Opa ärgert sich über seinen Enkel.
aufregen (sich)	über	Das Mädchen regt sich über ihren Bruder auf.
berichten	über	Mein Onkel berichtet über seinen Urlaub.
bewerben (sich)	um	Frau Kalbach bewirbt sich um die Stelle.
bitten	um	Sie bittet ihn um Hilfe.
bloggen	über	Ich habe über meine Reise gebloggt.
denken	an	Ich denke oft an dich.
entschuldigen (sich)	für	Nora entschuldigt sich für ihren Fehler.
erinnern (sich)	an	Er erinnert sich gern an sein Studium in Spanien.
freuen (sich)	auf	Wir freuen uns auf das Wochenende.
freuen (sich)	über	Er hat sich sehr über die Geschenke gefreut.
gehen	um	Es geht in dem Artikel um moderne Medien.
haften	für	Eltern haften für ihre Kinder.
hoffen	auf	Wir hoffen auf gutes Wetter am Wochenende.
informieren (sich)	über	Ich informiere mich über den Preis im Internet.
interessieren (sich)	für	Meine Oma interessiert sich nicht für Fußball.
kümmern (sich)	um	Meine Schwester kümmert sich allein um ihre Kinder.
reagieren	auf	Wie hat er auf deine Frage reagiert?
sprechen	über	Heute sprechen wir über unsere Hobbys.
verlieben (sich)	in	Ich habe mich in dich verliebt.
verzichten	auf	Ich verzichte auf Schokolade. Ich bin so dick.
warten	auf	Immer muss ich auf meine Freundin warten!
wundern (sich)	über	Sie wundert sich über die Rechnung.

Dativ

beschäftigen (sich)	mit	Das Au-pair beschäftigt sich viel mit den Kindern.
besprechen	mit	Die Lehrer besprechen etwas mit den Eltern.
chatten	mit	Ich chatte oft mit meiner Freundin in England.
einladen	zu	Ich bin zu einer Hochzeit eingeladen.
fragen	nach	Die Frau hat mich nach meiner Telefonnummer gefragt.
handeln	von	Die Geschichte handelt von einem Hund.
klingen	nach	Dieses Lied klingt immer nach Sommer.
passen	zu	Das Kleid passt nicht zu dir!
skypen	mit	Willst du heute Abend mit mir skypen?
teilnehmen	an	Ich nehme an einem Sprachkurs teil.
treffen (sich)	mit	Am Wochenende treffe ich mich immer mit Freunden.
verabreden (sich)	mit	Ich habe mich mit meiner Schwester verabredet.
verloben (sich)	mit	Heute hat sich Jens mit seiner Freundin verlobt.
verstehen (sich)	mit	Mit meinem Bruder verstehe ich mich am besten.
vorbeifahren	an	Du musst an dem großen Haus vorbeifahren.
vorbeilaufen	an	Jeden Tag laufe ich an dem Briefkasten vorbei.
ziehen	zu	Im Sommer ziehe ich zu meinem Mann nach Schweden.

Phonetik auf einen Blick

Akzent

1 Wortakzent in internationalen Wörtern

das 'Radio – die 'Kamera – die Ka'ssette – die Ziga'rette – intelli'gent – die Universi'tät – traditio'nell – die Poli'tik – interes'sant

2 Aussprache

Zuerst die Kochschokolade schmelzen lassen. Danach den Zucker und das Eigelb zugeben. Dann den Teig bei 180 Grad eine Stunde backen. Zum Schluss die Torte mit Kuvertüre überziehen.

Konsonanten

1 Lippenlaute [b], [v], [m]

Bitte ein Weißbrot mit Marmelade. Nein, lieber eine Bratwurst mit Brötchen. Dazu einen Weißwein. Ich meine: ein Weißbier. Oder doch lieber Mineralwasser?

2 s-Laute [z], [s] und [ts]

Susi, sag' mal: „Saure Soße".
Esel essen Nesseln nicht, Nesseln essen Esel nicht.
Am zehnten Zehnten zehn Uhr zehn zogen zehn zahme Ziegen zehn Zentner Zucker zum Zoo.

3 Aussprache h

Das h am Silbenanfang spricht man:
das Haus – hören – das Handy – der Hund – abholen – das Hotel – die Hand – halten

Das h nach langem Vokal spricht man nicht:
gehen – wohnen – die Ruhe – ohne – die Apotheke – fahren

4 Aussprache und Schreibung sch-Laut [ʃ]

[ʃ] kann man schreiben: „sch" wie in *die Schule, waschen, der Tisch*
                          „s(t)" wie in *der Stuhl, verstehen*
                          „s(p)" wie in *das Spiel, das Gespräch*
sch-Laut [ʃ] neben ch-Laut [ç] und s-Laut [s]

Deine Schlüsseltasche liegt auf dem Küchentisch. Kommst du mit ins Stadion? Ich möchte eine Flasche Wasser. Herr Rasche ist Chemiker. Ich wünsche dir einen fröhlichen Schulstart.

5 Konsonantenhäufungen: Zungenbrecher

Der Cottbuser Postkutscher putzt den Cottbuser Postkutschkasten.
Der Potsdamer Postkutscher putzt den Potsdamer Postkutschkasten.

Fischers Fritze fischt frische Fische – frische Fische fischt Fischers Fritze.

Klaus Knopf liebt Knödel, Klöße, Klöpse.
Knödel, Klöße, Klöpse liebt Klaus Knopf.

6 Präzise Konsonanten: „scharf flüstern"

Montag Dienstag Mittwoch Donnerstag Freitag Samstag Sonntag
Januar Februar März April Mai Juni Juli August September Oktober November Dezember

Vokale

1 Aussprache von -er als [ɐ]

die Mutter – der Vater – die Schwester – der Bruder – die Tochter

2 Aussprache und Schreibung der „Zwielaute"

[ai̯] kann man schreiben:	„ei" wie in *ein, der Wein, die Bäckerei*
	„ai" wie in *der Mai*
	„ey" wie in *Herr Meyer (nur in Namen)*
	„ay" wie in *Bayern (nur in Namen)*
[au̯] kann man schreiben:	„au" wie in *aus, das Haus, genau*
[ɔy̯] kann man schreiben:	„eu" wie in *euch, heute, neu*
	„äu" wie in *äußern, träumen*
	„oi" wie in *Toi, toi, toi!*

Mit neun hatte ich noch Träume. Ich wollte Schauspielerin werden. Doch dann habe ich eine Ausbildung zur Bankkauffrau gemacht. Heute arbeite ich für eine bayrische Firma im Ausland: Seit Mai bin ich im Team der Firma Meyer in Hanoi.

Aussprache emotional markieren

Aua, ich habe mich geschnitten!

Mist, jetzt ist die Vase kaputt!

Juhu, wir haben im Lotto gewonnen!

Iii, in meinem Bett ist eine Spinne!

Oh, was ist denn das?

Hörtexte

Hier finden Sie alle Hörtexte, die nicht oder nicht komplett in den Einheiten und Übungen abgedruckt sind.

13 Leben und lernen in Europa

1 1

c) *Interview Isabella*

+ Hallo, kannst du dich kurz vorstellen, bitte?
– Hallo, ich heiße Isabella Ranieli und ich komme aus Italien.
+ Und woher genau?
– Ich bin in Neapel geboren, aber ich habe auch in Rom und in Urbino gewohnt, wo ich studiert habe.
+ Was hast du denn studiert?
– Jura.
+ Und warum lernst du Deutsch?
– Ich lerne Deutsch, weil mein Freund Deutscher ist. Ich habe ihn in Frankreich kennengelernt, als ich ein Austauschprogramm gemacht habe.
+ Mhm, seit wann und wo lernst du Deutsch?
– Ich lerne Deutsch seit zwei Jahren, und ich habe am Anfang einen Kurs in Urbino besucht an der Universität, und dann habe ich in Hamburg zwei Intensivkurse gemacht am Goethe-Institut.
+ Mhm. Was findest du schön an der deutschen Sprache?
– Die Sprache hat mir immer gefallen und ich finde sie fantasiereich, und Deutschlernen ist für mich eine Herausforderung.
+ Was ist für dich schwer an Deutsch?
– Deutsch ist eine schwere Sprache, aber man hat auch Erfolg und das ist ein herrliches Gefühl.
+ Was gefällt dir an Deutschland?
– Mir gefällt die moralische Offenheit und, dass die Leute direkt sind.
+ Vermisst du etwas hier?
– Ja, ich vermisse die Sonne und die Spontaneität der Leute.

2 1

a) Ich heiße Marina Rajkova und ich komme aus Bulgarien. Ich habe im Gymnasium Deutsch gelernt. In der Klasse acht hatten wir alle Fächer in der Fremdsprache Deutsch. Das hat Spaß gemacht und ich habe in dem Jahr sehr viel und intensiv gelernt. Aber ich habe wenig Kontakt zu Deutschen. Mein Ziel? Für eine deutsche Firma in Sofia arbeiten.

Hallo, ich bin Glauco Vaz Feijó aus Brasilien. Ich habe im Goethe-Institut Deutsch gelernt. Am schwersten war am Anfang die Aussprache. Deutsch klingt so hart. Aber der Unterricht hat Spaß gemacht. Seit zwei Jahren arbeite ich bei VW in Sao Paulo. Deutsch ist vielleicht ein Plus für die Karriere. Im November mache ich den B1-Test.

Mein Name ist Vangelis Koukidis. Ich komme aus Griechenland. Ich habe in Athen studiert und in einem Sprachinstitut Deutsch gelernt. Mit zwölf Jahren habe ich angefangen. Später habe ich ein Praktikum in einem Literatur-Verlag in Berlin gemacht. Ich mag die deutsche Literatur und die Autoren Heinrich Böll und Günther Grass ganz besonders.

3 2

b) das ‚Radio – die ‚Kamera – die Ka‘ssette – die Ziga‘rette – intelli‘gent – die Universi‘tät – traditio‘nell – die Poli‘tik – interes‘sant

Ü 1

c) 1. Ein Examen testet das Wissen, z. B. am Ende vom Studium oder von der Ausbildung.
2. Das ERASMUS-Programm ist ein Programm für Studenten. Sie können für ein oder zwei Semester im Ausland studieren und bekommen von der EU etwas Geld.
3. In Deutschland ist das Marketing-Studium sehr beliebt, viele Studenten interessieren sich für dieses Studium.
4. Viele Studenten machen in ihrem Studium ein Auslandssemester. Sie leben und studieren dann in einem anderen Land und lernen Sprachen.

Ü 2

+ Hallo Jannis, kannst du dich kurz vorstellen?
– Ja, hallo, ich heiße Jannis Topalidis und ich komme aus Griechenland. Ich bin in Athen geboren und habe dort auch studiert.
+ Und wo arbeitest du jetzt?
– Jetzt bin ich Arzt und arbeite in einem Krankenhaus in Dortmund.
+ Ach, in Dortmund. Und seit wann lebst und arbeitest du dort?
– Ich bin vor einem Jahr nach Dortmund gezogen. Ich war im Studium auch ein paar Monate in Deutschland. Ich war ERASMUS-Student in Köln.
+ Seit wann lernst du jetzt Deutsch?
– Ich lerne seit fünf Jahren Deutsch, in Athen habe ich an der Universität einen Deutschkurs besucht. Dann habe ich in Dortmund an einer Sprachenschule einen Intensivkurs gemacht.
+ Und was findest du an der deutschen Sprache gut?
– Mhh, die Grammatik gefällt mir gut. Ja, ich mag die deutsche Grammatik.
+ Und was ist schwer für dich?
– Es gibt sehr viele Wörter im Deutschen, das ist schwer.
+ Das stimmt. Danke für das Interview, Jannis.

Ü 7

b) 1. Ich höre Musik mit dem Radio oder mit dem Computer.
2. Ich studiere an der Universität Bonn Wirtschaft und Politik. In zwei Monaten gehe ich für ein Auslands-semester nach Seoul. Ich mache einen Intensivkurs Koreanisch.
3. Fremdsprachen lerne ich an der Volkshochschule. Ich lerne aber auch gern zu Hause mit dem E-Book.

14 Familiengeschichten

1 **2**

a) Also, hier auf dem Foto, das ist die ganze Familie, das war letztes Jahr im August. Mein Vater hatte seinen 60. Geburtstag. Das war in Potsdam bei meinen Eltern in ihrem schönen Garten. Alle waren da, nur mein Ex-Mann nicht. Ich bin geschieden und alleinerziehend. Mein Sohn Lukas und ich leben in Berlin. Mit meinen Schwestern und mit meinem Bruder verstehe ich mich aber sehr gut. Wir freuen uns auf jedes Familienfest.
Ich sitze hier mit meinem Sohn in der Mitte hinter meinem Schwager Marko und seinem Hund Rudi. Mein Vater Günther steht oben rechts. Daneben, das ist meine Mutter, Marianne Saalfeld. Ihr Geburtsjahr ist 1959. Sie ist sechs Jahre jünger als mein Vater. Meine Eltern sind sehr stolz auf ihre drei Enkelkinder und freuen sich immer über Besuch. Und die Enkel sind gerne bei Opa und Oma. Mein Bruder Matthias steht hinten in der Mitte neben meiner Mutter. Er lebt in München. Sein Hobby sind alte Autos. Er kauft und repariert Oldtimer. Links dahinter stehen meine Schwester Karina und ihr Mann Jan Kowalski. Karina ist zwei Jahre jünger als ich. Jan kommt aus Polen und arbeitet in Halle bei einer kleinen Softwarefirma. Die beiden wohnen in Leipzig. Unten rechts, das ist meine Schwester Tonia mit ihrer Tochter. Lisa ist 2008 geboren.

b) Ja, und das Foto ist ziemlich alt. Es zeigt meine Urgroß-eltern Ludwig und Sofia mit meiner Großmutter Elisabeth und meiner Großtante Anni in der Mitte. Das war in den 1930er Jahren. Mein Urgroßvater war Bauer. Heute heißt das Landwirt. Auf dem anderen Foto, das ist mein Onkel Hubert. Er hat eine Zuckertüte. Man bekommt sie am ersten Schultag. Das ist eine alte Tradition. In der Tüte sind viele Süßigkeiten.

3 **6**

Freiburg – das vermisste Au-Pair-Mädchen Mari M. ist wieder aufgetaucht. Sie hat sich gestern bei der Polizei in Offenburg gemeldet. Die junge Frau hat den Bericht in der Freiburger Zeitung gelesen und war schockiert. Sie hat erzählt, dass sie krank war und in Offenburg eine Woche lang bei einer Freundin aus Georgien gewohnt hat. Sie hat gesagt, dass sie sich entschuldigt. Sie freut sich auf die Rückkehr zu ihrer Gastfamilie.

Ü **2**

+ Guten Morgen!
− Guten Morgen.
+ Also, ich stelle euch jetzt meine Familie vor. Wie ihr wisst, ist mein Name Yasmina Haddad und das ist meine Familie. Meine Familie ist nicht so groß. Ich habe einen Bruder, er heißt Jascha. Jascha ist zwei Jahre jünger als ich und studiert Jura in Frankfurt. Er ist noch nicht verheiratet und lebt nicht mehr bei unseren Eltern. Unsere Mutter heißt Sabine, sie ist 54 Jahre alt und von Beruf Biologin. Mein Vater heißt Omid, er ist drei Jahre älter als meine Mutter. Er kommt aus dem Iran, lebt aber schon seit 32 Jahren in Deutschland. Mein Vater arbeitet als Architekt. Meine Eltern sind seit 27 Jahren verheiratet, sie leben in Darmstadt. Meine Mutter hat zwei Geschwister. Ich habe also eine Tante und einen Onkel. Meine Tante heißt Astrid und mein Onkel heißt Wolfgang, ich verstehe mich mit ihnen sehr gut. Und das sind meine Großeltern, Helga und Alfred. Sie leben auch in Frankfurt. Mein Großvater ist 87 Jahre alt, meine Großmutter ist fünf Jahre jünger. Ja, habt ihr noch Fragen? Ja, bitte …

Ü **9**

Interview 1
+ Christine, du bist 35 Jahre alt und lebst allein.
− Ja, ich habe mich vor zwei Jahren von meinem Freund getrennt und bin aus unserer Wohnung ausgezogen. Eine Freundin wollte, dass ich mit ihr zusammenziehe, aber ich will lieber alleine wohnen. Im Moment genieße ich meine Freiheit.
+ Bist du manchmal einsam?
− Nein! Single sein heißt ja nicht, dass ich einsam bin. Ich habe viele Freunde und unternehme viel mit ihnen. Nur die Sonntage … da haben viele keine Zeit, weil sie mit ihren Partnern zusammmen sein wollen. Das ist manchmal etwas schwierig.

Interview 2
+ Andy und Rafael, ihr seid ein Paar und wohnt seit etwa einem Jahr zusammen in einer Wohnung. Warum seid ihr zusammengezogen?
− Wir wollten uns einfach öfter sehen. Vorher haben wir uns immer gegenseitig besucht. Das war aber nicht so praktisch.
+ Als Männerpaar, habt ihr da Probleme mit den Nachbarn?
• Die meisten wissen nicht, dass wir ein Paar sind. Warum auch?
− Ja, die meisten Nachbarn denken, dass wir in einer Wohngemeinschaft zusammenleben, weil das billiger ist.
• Für unsere Eltern war es am Anfang ein Schock. Aber jetzt finden sie es ganz normal.

Interview 3
+ Karin und Uwe, ihr habt spät geheiratet.
− Ja, wir kennen uns schon seit der Schule. Dann haben wir erst mal lange studiert.
• Wir wollten noch nicht so früh Kinder haben. Nach dem Studium haben wir beide gearbeitet und viele Reisen gemacht. Mit 38 hat Karin unsere Tochter bekommen. Dann haben wir geheiratet. Unsere Tochter kommt nach den Sommerferien aufs Gymnasium.
+ Arbeitet ihr beide?
− Ja. Nach der Geburt bin ich die ersten beiden Jahre zu Hause geblieben. Dann haben wir einen Kindergarten für Lucie gefunden und ich habe wieder angefangen zu arbeiten.

Ü **12**

a) + Kerstin Hilpert.
− Guten Tag, hier ist Herr Winter von der Zeitung „Neue Presse Hannover".
+ Hallo, Herr Winter!
− Sie hatten bei uns in der Zeitung eine Anzeige aufgegeben, dass Sie Ihre Katze Luci vermisst haben. Ich habe gehört, dass Ihre Katze jetzt wieder da ist. Könnte ich einen Artikel über Ihre Katze und Ihre Familie schreiben?
+ Ähm, einen Zeitungsartikel?
− Ja, genau. Über Ihre Katze Luci!
+ Ja, äh …, ok. Was wollen Sie denn wissen?
− Wie lange war Luci weg? Und seit wann ist sie wieder da?
+ Wir haben Luci zwei Wochen vermisst und sind sehr glücklich, dass sie wieder zu Hause ist. Vor zwei Tagen

haben wir einen Anruf von einer älteren Dame bekommen. Luci war eine Woche bei ihr. Seit zwei Tagen ist sie wieder zu Hause.

– Und, geht es Luci gut?

+ Ja, vorgestern waren wir mit ihr beim Arzt und sie ist ganz gesund. Gestern war sie aber sehr müde und hat viel geschlafen. Heute ist sie zum Glück wieder ganz normal. Sie …

15 Unterwegs

1 3

a) – Morgen Felix! Na, bist du wieder hier? Wie war der Urlaub?

+ Leider zu kurz, wie immer. Aber Berlin hat mir sehr gut gefallen.

– Ich habe gehört, dass du mit deiner Freundin da warst?

+ Ja, stimmt, Samirah und ich waren zusammen in Berlin.

– Und, wie ist Berlin so? Was habt ihr gemacht?

+ Zuerst habe ich eine Stadtbesichtigung mit der Linie 100 gemacht. Dann war ich in der Nationalgalerie und auf dem Fernsehturm am Alexanderplatz – das war toll. Aber leider war ich allein dort. Meine Freundin war ja beruflich in Berlin.

– Ach ja? Was hat sie denn dort gemacht?

+ Sie war auf der conhIT, das ist eine große Messe zum Thema IT im Gesundheitswesen.

– Das ist ja interessant! Was macht denn Samirah beruflich?

+ Sie arbeitet in einem großen Krankenhaus in der Verwaltung.

2 1

b) + Guten Tag. Ich hätte gern zwei Fahrkarten von Berlin Hauptbahnhof nach Amsterdam.

– Hin und zurück?

+ Ja. Hin am 23. August, ab 6.30 Uhr und zurück am 25. August, so gegen 13 Uhr.

– Haben Sie eine BahnCard?

+ Ja, BahnCard 25, 2. Klasse, hier, bitte.

– Zahlen Sie bar oder mit Kreditkarte?

+ Mit Kreditkarte.

– So, einen Moment – das ist Ihre Verbindung. Sie fahren um 6.49 Uhr ab Berlin Hauptbahnhof. In Hannover müssen Sie umsteigen, aber Sie haben zwölf Minuten Zeit. Der Zug fährt um 8.40 Uhr in Hannover ab und ist um 12.59 Uhr planmäßig in Amsterdam.

+ Ja, das ist gut. Und die Rückfahrt?

– Die Rückfahrt geht auch über Hannover. Abfahrt in Amsterdam ist um 13.01 Uhr. Ankunft in Hannover dann um 17.18 Uhr. Sie haben 13 Minuten Umsteigezeit. Der Zug nach Berlin fährt um 17.31 Uhr und kommt um 19.07 Uhr in Berlin an. Soll ich Sitzplätze reservieren?

+ Nein danke. Was kosten denn die Fahrkarten?

– 184,80 Euro pro Person. Soll ich die Verbindung ausdrucken?

+ Ja, bitte.

– Hier, bitte schön und gute Reise.

+ Vielen Dank. Auf Wiedersehen.

2 2

a) + Reisebüro Weller. Mein Name ist Katharina Straube. Was kann ich für Sie tun?

– Hallo, hier ist Jan Burmeister. Ich brauche zwei Flugtickets für den 03. Mai mittags von Frankfurt am Main nach Amsterdam. Und am 05. Mai abends zurück – geht das?

+ Moment, bitte … Ja, das geht. Abflug am 03. Mai um 11.45 Uhr ab Frankfurt am Main, dann sind Sie um 12.55 Uhr in Amsterdam. Der Rückflug ist am 05. Mai um 18.50 Uhr ab Amsterdam mit Ankunft in Frankfurt am Main um 20.00 Uhr.

– Was kosten die Tickets?

+ 129,18 € pro Person, also 258,36 Euro zusammen. Soll ich den Flug buchen?

– Ja, bitte.

+ Auf welchen Namen denn?

– Anna und Jan Burmeister. Moment, ich buchstabiere: B U R M E I S T E R

Ü 4

b) + Hallo, Nils, hier ist Mama. Wann kommst du denn am Mittwoch in Münster an?

– Hi, Mama! Ich komme am Mittwoch mit dem ICE. Der Zug fährt um 15:44 Uhr in Bonn ab und kommt dann um 17:56 in Münster an.

+ Fährst du direkt nach Münster oder steigst du in Köln um?

– Nein, ich fahre durch und muss nicht umsteigen. Ich habe auch einen großen Koffer.

+ Kein Problem. Wir holen dich mit dem Auto vom Bahnhof ab.

Ü 5

+ Guten Tag.

– Guten Tag. Ich hätte gern eine Fahrkarte von Dresden nach Prag.

+ Hin und zurück?

– Nein, eine einfache Fahrt, bitte. Ich fahre am 15.11. nach Prag.

+ Um wieviel Uhr möchten Sie fahren?

– So früh wie möglich. Geht es so gegen 7 Uhr ab Dresden?

+ Moment, ja, die früheste Verbindung geht ab Dresden um 8.08 Uhr morgens. Sie sind dann um 10.29 Uhr in Prag. Passt Ihnen das?

– Ja, das ist in Ordnung, dann bin ich um 10.29 Uhr in Prag, das ist gut. Wie teuer ist die Fahrkarte?

+ Haben Sie eine BahnCard?

– Nein.

+ Das sind dann 34,60 Euro. Soll ich die Verbindung buchen?

– Ja, bitte. Und ich hätte gern eine Sitzplatzreservierung.

+ Ja, gern. Das macht dann 38,60 Euro. Zahlen Sie bar oder mit Kreditkarte? Und möchten Sie …

Ü 6

+ Guten Tag!

– Guten Tag, wann fährt der nächste Zug nach Hamburg-Altona ab?

+ Einen Moment bitte, der nächste Zug fährt um 14.19 Uhr, das ist in einer Stunde.

– Und wann komme ich in Hamburg-Altona an?

+ Die Ankunft in Hamburg-Altona ist um 20.41 Uhr.

– Gut, von welchem Gleis fährt der Zug ab?

+ Der Zug fährt von Gleis 3. Das ist der ICE 72 bis Hamburg-Altona.

– Vielen Dank.

Ü 10

b) + Tobi, habt ihr schon euren Sommerurlaub geplant?
  – Puh, schwieriges Thema, Lea.
  + Warum? Bekommt Steffi wieder keinen Urlaub im Sommer?
  – Nein, nein, wir haben beide im August zwei Wochen frei. Aber wir können uns dieses Jahr nicht entscheiden. Wir wollten vielleicht in die Türkei fahren.
  + Das ist doch super! Wo ist das Problem?
  – Ja, es ist super und es gibt auch tolle Angebote: Tolle Hotels direkt am Strand mit super Essen. Aber das ist dann wieder ein typischer Hotelurlaub.
  + Aber das ist doch in Ordnung. Ihr macht doch gerne Hotelurlaub, oder nicht?
  – Ja, klar, wir machen gern Hotel- und Strandurlaub, aber das haben wir schon so oft gemacht, eigentlich immer. Ich denke, eine Rundreise ist viel interessanter.
  + Das kann ich gut verstehen, ich finde Strandurlaub auch ein bisschen langweilig. Fahrt doch nach Istanbul und von dort macht ihr eine Rundreise durch die Türkei.
  – Ja, das ist eine super Idee! Dann machen wir eine Rundreise und sind auch ein paar Tage am Strand. Danke Lea, ich ruf gleich Steffi an.

16 Freizeit und Hobbys

1 2

b) + Ulf, du läufst Marathon. Wie viele Kilometer sind das?
  – Das sind genau 42,195 Kilometer.
  + Boah, das ist aber viel! Wie oft trainierst du in der Woche?
  – In der Vorbereitungszeit so zwischen drei bis vier Mal pro Woche.
  + Und wie viele Kilometer läufst du dann?
  – Im Schnitt zwischen 70 und 80 Kilometer pro Woche.
  + Wow, das ist viel! Was war denn deine beste Zeit beim Marathon?
  – Das war letztes Jahr beim Berlin-Marathon: drei Stunden und 31 Minuten.
  + Und was war dein schönster Marathon?
  – Das war der New-York-City-Marathon 2004.

  + Jens, in deiner Freizeit gehst du gerne Zumba tanzen. Du siehst eigentlich gar nicht so aus – Was gefällt dir an Zumba?
  – Zumba ist eine Mischung aus Salsa und Aerobic. Die Musik ist super, meistens Latino-Rhythmen und man macht Zumba in der Gruppe. Man merkt gar nicht, dass man Sport macht. Jede Stunde ist wie eine Party und man kann auch noch abnehmen oder sich fit halten.
  + Und wie oft in der Woche trainierst du?
  – Zweimal, am Donnerstagabend und am Samstagmittag.
  + Aha, und wo kann man Zumba lernen?
  – Ich gehe in einen Kurs im Fitness-Studio.

  + Ping, dein Hobby ist Wandern. Das ist nicht gerade typisch für eine Chinesin, oder?
  – Nein, ich habe dieses Hobby erst in Deutschland entdeckt.
  + Aber ist Wandern nicht ziemlich langweilig?
  – Nein, gar nicht. Ich bin gerne in der Natur, in den Bergen. Ich kann mich entspannen und viele neue Sachen entdecken. Ich bin ja nicht so schnell unterwegs wie mit dem Auto oder der Bahn.

  + Wann gehst du wandern?
  – Meistens am Wochenende, in der Woche muss ich zur Uni oder mich auf die Seminare vorbereiten.
  + Gehst du allein?
  – Nein, mit Freunden, das ist immer lustig.
  + Wie oft geht ihr wandern?
  – Ein- oder zweimal im Monat. Wir wandern dann so drei bis vier Stunden, das sind oft 15 oder 20 Kilometer!

2 6

1. + Was machst du so in deiner Freizeit?
  – Sport, aber nicht aktiv. Am liebsten sehe ich mir Fußballspiele im Fernsehen an. Und du?
  + Ach nee, nur Fernsehen ist mir zu langweilig. Ich treffe mich lieber mit Freunden in der Sporthalle. Wir spielen Basketball, manchmal auch Volleyball.

2. + Hast du ein Hobby?
  – Ja, Ballett. Ich mag Bewegung und klassische Musik und gehe zweimal in der Woche zum Ballett-Training. Und du?
  + Ein Mann mag Ballett, super! Ich interessiere mich mehr für Tiere, vor allem für Pferde. Ich freue mich schon auf meine nächste Reitstunde am Dienstag.

4 3

b) 1. Aua, ich habe mich geschnitten!
  2. Iii, in meinem Bett ist eine Spinne!
  3. Mist, jetzt ist die Vase kaputt!
  4. Oh, was ist das denn?
  5. Juhu, wir haben im Lotto gewonnen!

Ü 4

a) + Hi Jovan, willkommen bei Campus Radio Augsburg.
  – Hallo!
  + Heute ist unser Thema: Freizeitaktivitäten. Was sind deine Hobbys?
  – Die Musik! Ich liebe Musik, ich spiele in einer Band und höre auch sehr gerne Musik.
  + Was machst du für Musik?
  – Ich spiele Gitarre in einer Band.
  + Super, und tanzt du auch gern?
  – Nein, ich tanze nicht gern. Ich kann auch nicht gut tanzen.
  + O. k., und was ist mit Sport? Machst du auch Sport?
  – Ja, ich spiele gerne Handball. Ich treffe mich oft am Samstag mit Freunden, dann spielen wir zusammen. Manchmal gehe ich auch laufen, aber das finde ich ziemlich langweilig.
  + Was machst du noch in deiner Freizeit? Spielst du z. B. auch Computer?
  – Nein, Computer spiele ich nie, aber ich lese gern und viel. Am liebsten lese ich Zeitschriften, natürlich über Musik.
  + Danke, Jovan, für das Interview. Wir fragen jetzt noch mehr Studenten …

Ü 5

b) + Was machst du gern in deiner Freizeit?
  + Ich spiele gern Computer.
  – Und was findest du langweilig?
  + Ich finde Gartenarbeit langweilig.
  – Und was machst du am liebsten?
  + Am liebsten treffe ich mich mit Freunden.

Ü 6

b) Sabrina und Markus haben sich mit Freunden zum Essen verabredet. Sie freut sich auf den Abend, aber Markus hat keine Lust.

+ Markus, bist du schon fertig?
– Ich muss mich noch rasieren und ich will mich noch umziehen.
+ Mach bitte schnell, ich möchte nicht schon wieder zu spät kommen. Du weißt doch, Anne ärgert sich immer so schnell.
– Jaaa. Warum treffen wir uns so oft mit Anne und Jörg?
+ Nie interessierst du dich für meine Freunde! Du willst dich lieber mit deinen Freunden treffen, stimmt's?
– Nein, ich mag deine Freunde. Ich unterhalte mich nur besser mit meinen Freunden.
+ Ja, ich weiß. Aber komm jetzt!

Ü 10

+ Hi Mark, wie geht's dir? Was machst du denn da?
– Hi Leyla, mir geht's gut. Ich suche einen Verein in Köln. Ich möchte wieder Sport machen und neue Leute kennenlernen.
+ Ja, das ist eine gute Idee. Möchtest du wieder Basketball spielen?
+ Ja, ich möchte schon, ich kann aber nicht. Meine Schulter ist doch kaputt. Es gibt einen super Verein – die Rheinstars Köln, aber Basketball kann ich leider nicht mehr spielen.
+ Ach ja, stimmt. Was ist das denn?
– Die Volkstanzfreunde Köln e. V.!
+ Ein Volkstanzverein? Mark, das ist doch eine super Idee, oder?
– Hey, ich bin doch nicht mein Vater! Nein, ich will nicht tanzen.
+ Bei Köln muss ich immer an Karneval denken. Es gibt viele Kölner Karnevalsvereine.
– Ja, stimmt. Aber ich will nicht Karneval feiern. Das gefällt mir nicht. Ich möchte Sport machen, wie z. B. Schwimmen oder Reiten.
+ Schwimmen finde ich langweilig, aber Reiten ist super. Geh doch in einen Reitverein!
– Reiten! Reiten ist eine gute Idee, ich bin als Kind auch oft geritten. Meinst du, ich finde hier einen guten Reitverein?
+ Klar! Schauen wir mal, mmhh, ja hier, der Reitverein Porz e. V., der sieht gut aus, oder?

Ü 13

b) 1. Mhhmm, ich weiß nicht, was ich machen soll!
2. Was? Du kommst morgen nicht zu meinem Marathon?
3. Morgen spielen wir Fußball! Morgen spielen wir Fußball!
4. Mein Fußballverein hat schon wieder verloren.

Ü 14

b) 1. Aua, das tut weh!
2. Juhuu, endlich Ferien!
3. Iiii, eine Spinne!
4. Mist, mein Handy ist aus!
5. Oh, was für schöne Blumen.

17 Medien im Alltag

Ü 1

+ Liebe Hörerinnen und Hörer, ich begrüße Sie bei der Umfrage der Woche. Heute geht es um das Thema Medien. Wir haben einen ersten Anrufer. Hallo, mit wem spreche ich?
– Guten Tag, ich heiße Helge Probst und komme aus Frankfurt.
+ Guten Tag, Herr Probst! Welche Medien nutzen Sie denn im Alltag?
– Ich lese zum Beispiel jeden Tag Zeitung. Und nach dem Mittagessen hören meine Frau und ich auch gern Radio, das machen wir mehrmals pro Woche. Ich schaue aber zum Beispiel selten Fernsehen, die meisten Sendungen gefallen mir nicht. Und seit einem Jahr habe ich auch ein Handy, das war ein Geschenk meiner Kinder: Ja, und ich finde, dass es sehr praktisch ist.
+ Vielen Dank, Herr Probst, und wer ist der Anrufer Nummer zwei?
• Hi, ich bin Aaron und ich bin ein großer Musikfan, ich höre ständig Musik. Meinen MP3-Player habe ich eigentlich immer dabei. Zu Hause höre ich aber Musik mit meiner Stereoanlage. Und manchmal höre ich Schallplatten, aber dafür brauche ich Zeit und Ruhe und das ist selten. Außerdem arbeite ich auch viel mit meinem Notebook.
+ Danke, Aaron, ich wünsche dir noch einen schönen Tag! Mit wem spreche ich jetzt?
° Hallo, ich heiße Samir und ich benutze Medien fast immer. Was ich immer bei mir habe, ist mein Smartphone, das ist ja heute normal. Und ich sehe gern fern, fast jeden Tag. Aber ich benutze nicht nur neue Medien. Ich lese zum Beispiel auch viele Bücher und häufig die Zeitung. Nur Radio höre ich fast nie. Aber ich finde, …

Ü 10

+ Guten Tag. Was kann ich für Sie tun?
– Guten Tag. Ich habe zum Geburtstag zweimal diesen MP3-Player bekommen. Einen möchte ich bitte umtauschen.
+ Haben Sie den Kassenzettel?
– Naja, es war ja ein Geschenk. Aber meine Tante hat den MP3-Player hier bei Ihnen gekauft.
+ Es tut mir leid, ich brauche den Kassenzettel. Ohne Kassenzettel kann ich den MP3-Player leider nicht umtauschen. Aber fragen Sie doch Ihre Tante. Sie hat den Kassenzettel bestimmt noch zu Hause.
– Ja, ich rufe sie an. Und bekomme ich dann das Geld zurück?
+ Ja, natürlich bekommen Sie dann das Geld zurück.
– Danke.
+ Auf Wiedersehen.

Ü 11

– Guten Tag. Was kann ich für Sie tun?
+ Guten Tag. Ich habe letzte Woche bei Ihnen ein Notebook gekauft. Das möchte ich reklamieren. Es geht nicht mehr.
– Haben Sie es schon einmal neu gestartet?
+ Ja, das habe ich schon gemacht, aber es funktioniert nicht. Der Monitor bleibt schwarz.
– Tja, da müssen wir uns das Notebook genau ansehen und es reparieren.

+ Auf dem Kassenzettel steht, dass ich sechs Monate Garantie habe.
– Das stimmt. Sie müssen die Reparatur natürlich nicht bezahlen.
+ Wie lange dauert das denn?
– Das kann ich Ihnen leider nicht sagen. Wir müssen uns das Notebook erst ansehen. Aber wir reparieren es so schnell wie möglich.
+ Gut, dann bringe ich Ihnen morgen das Notebook. Auf Wiedersehen.
– Auf Wiedersehen.

18 Ausgehen, Leute treffen

2 2
b) + Guten Tag, was darf es sein, bitte?
– Bringen Sie uns bitte die Speisekarte.
+ Gerne, darf es schon was zu trinken sein?
– Ja, einen Apfelsaft und ein alkoholfreies Bier, bitte.
+ Kommt sofort.
– Hab ich einen Hunger!
* Und ich erst! Was nimmst du?
– Steak. Das Rumpsteak mit Grilltomate. Und eine Gulaschsuppe. Und du?
* Ich weiß noch nicht. Hmm, vielleicht das Wiener Schnitzel mit Pommes und Salat.
– Und noch ein Dessert? Vanilleeis mit heißen Kirschen, oder?
* Nein, das ist zu süß. Ich möchte lieber den Apfelstrudel.
– Ich nehme das Vanilleeis mit heißen Kirschen. Herr Ober, bitte …

2 5
c) + Dario, du hast gerade deine Ausbildung zum Fachmann für Systemgastronomie beendet. Wo hast du die Ausbildung gemacht?
– Bei einer Restaurant-Kette, die man überall auf der Welt findet. Viele Restaurantketten bieten Ausbildungsplätze an.
+ Was musstest du in der Ausbildung tun?
– Kochen, aber ich hab auch viel im Service gearbeitet, also Gäste beraten und bedient, Produkte bestellt, die Produktqualität kontrolliert und an der Kasse gearbeitet. Ich war auch im Büro. Da habe ich dann das Marketing kennengelernt, bei einer Produktpräsentation geholfen und Abläufe organisiert.
+ Wie lange ist so eine Ausbildung?
– Drei Jahre und es hat alles super viel Spaß gemacht, weil man jeden Tag etwas anderes tun muss. Planung und Organisation sind genau mein Ding, das macht mir Spaß, und auf die Organisation eines Restaurants möchte ich mich spezialisieren.

4 1
b) + Anneliese, wie hast du deinen Mann kennengelernt?
– Ich habe Werner 1968 kennengelernt. Eine Freundin hat mich zur Silvesterparty im Ballhaus mitgenommen. Ich habe mich mit ihm sofort gut verstanden. Er war so sympathisch … und ich habe mit ihm die ganze Nacht getanzt – eigentlich war es Liebe auf den ersten Blick!
+ Und wie ging es dann weiter?
– Wir haben uns dann gleich für das nächste Wochenende verabredet. Wir waren in der Stadt und haben die neueste Beatles-Platte gekauft. Werner war wie ich Beatles-Fan, wir haben alle Platten gesammelt. Mit ihm konnte ich stundenlang Musik hören.
+ Und wann habt ihr geheiratet?
– 1970. Unsere Freunde haben uns Karten für ein Beatles-Konzert geschenkt. Das war damals etwas ganz Tolles! Danach hatten wir aber nicht mehr viel Zeit für Konzerte, weil wir drei Kinder hatten. Die haben uns aber auch viel Freude gemacht! Mit ihnen und den sieben Enkeln haben wir unseren 40. Hochzeitstag in unserem Ferienhaus in Italien gefeiert.

Ü 1
+ Wie viel Zeit haben wir noch bis das Seminar beginnt?
– Ähm, eine halbe Stunde. Wir können noch einen Kaffee trinken.
+ Super! Wir müssen auch noch den Freitagabend planen.
– Ja, ich habe Lust mit euch zu kochen. Wir könnten uns bei mir treffen mit Hanna und Paul. Was meinst du?
+ Ja, das hört sich gut an. Kochen finde ich super! Ich frage auch noch Marek, o. k.?
– Ja, natürlich. Ich hätte Lust danach noch eine DVD zu gucken!
+ Ach, nee, ich würde lieber in eine Kneipe oder in einen Club gehen. Es ist doch Freitagabend!
– Ich habe aber keine Lust, in einen Club zu gehen, ich muss am Samstag früh aufstehen.
+ Dann kochen wir erst bei dir und gehen dann noch in die Kneipe „Ritter".
– Ja, das hört sich super an. Ich mag die Kneipe. Und im „Ritter" kann man doch auch Billard spielen, oder?
+ Ja, dann spielen wir Billard und hören Live-Musik. Ich hole uns mal einen Kaffee, was willst du …

Ü 3
• Habt ihr schon gewählt?
+ Ja, ich hätte gern den kleinen Salatteller. Ist der Salat mit Käse?
– Nein, aber wenn du möchtest, bringe ich den Salat mit Käse.
+ Ja, gern! Dann nehme ich den Salat mit Käse und dann hätte ich gern die Fisch-Pfanne. Aber könnte ich bitte Kartoffeln statt Bratkartoffel haben?
• Ja, natürlich, das ist kein Problem. Und was kann ich dir bringen?
– Ich nehme den Gemüseauflauf. Und vorher hätte ich bitte noch eine Suppe. Ist die Frühlingssuppe mit Fleisch?
• Ja, die Frühlingssuppe ist mit Fleisch, aber die Tomatensuppe ist vegetarisch.
– Dann nehme ich bitte die Tomatensuppe.
• Was möchtet ihr trinken?
– Wir hätten gern eine große Flasche Mineralwasser.
• Ich hätte gern noch eine Coca-Cola, oder nein, lieber ein Bier.
– Ja, gern. Eine Flasche Mineralwasser und ein Bier!

Ü 5
+ Was kann ich Ihnen zu Essen bringen?
– Ich hätte gern einen gemischten Salat mit Putenbruststreifen.
+ Gern. Ist das alles?
– Noch ein Toast mit Tomate, bitte.
+ Was möchten Sie trinken?
– Ich nehme einen Kaffee.

19 Vom Land in die Stadt

2 **1**

+ Frank und Jessica, ihr seid vor zwei Monaten vom Land in die Stadt gezogen. Wie geht's euch so in Stuttgart?

– Total gut! In Stuttgart ist immer etwas los, auch abends und am Wochenende. Es gibt viele kulturelle Veranstaltungen, Theater, Kino, Festivals. Letzte Woche wollten wir ins Kino gehen und konnten uns kaum für eines entscheiden, weil das Angebot so groß war.

* Ja, und wenn wir abends unterwegs sind, brauchen wir oft kein Auto mehr. Wir fahren S- oder U-Bahn, das Netz ist gut, spätestens alle 10 Minuten kommt eine Bahn.

– Auf dem Land war das schon schwieriger, da konnte man ohne Auto gar nichts machen. Ich bin z. B. zur Arbeit nach Stuttgart gefahren und stand fast jeden Tag im Stau. Das nervt und kostet viel Geld, weil das Benzin dauernd teurer wird. Leider gab es keine andere Möglichkeit, weil die Busverbindungen so schlecht waren.

* Stimmt, jetzt können wir das Auto eigentlich verkaufen.

– Darüber müssen wir nochmal reden, Schatz! Nein, im Ernst: wir sparen schon Geld und Zeit.

* Naja, so viel auch wieder nicht, weil in Stuttgart die Miete für unsere Wohnung viel höher ist. Und die Wohnungssuche war ein echtes Problem. Jetzt wohnen wir in einem Mietshaus. Unsere Nachbarn ziehen ein und aus, die kennen wir gar nicht. Das ist nicht so persönlich wie auf dem Land.

– Och, das find ich nicht so schlimm.

* Und die Hausordnung sagt: Zwischen eins und drei ist Mittagsruhe. Also keine Musik, kein Lärm. Auf dem Land durften wir Musik machen, wann und so laut wir wollten.

+ Das heißt, ihr vermisst das Landleben?

– Nö, ich nicht.

* Ich schon – ein bisschen. Zum Beispiel einen großen Garten zum Grillen, das war auf dem Land doch ganz schön, oder?

2 **2**

a) 1. S̲tadt. – in einer S̲tadt. – Sie wohnt lieber in einer S̲tadt.
2. Mens̲ch. – ein Stadtmens̲ch. – Sie ist nämlich ein Stadtmens̲ch.
3. s̲chon – s̲chon lange weg – er wollte s̲chon lange weg aus der S̲tadt: zu volle S̲traßen!
4. Zu viele Mens̲chen, zu volle S̲traßen und zu s̲chlechte Luft.
5. selbsts̲tändig – arbeitet selbsts̲tändig. – Er arbeitet jetzt selbsts̲tändig.
6. S̲telle – eine S̲telle – Er hat eine S̲telle gefunden.

b) + Griaß Godd.
– Wo bisch du gwää?
+ I bi zum Bäcker ganga Brezad kaufn. Er hod aber keene ket.
– Hosch Hunger, willsch n Ebbfl? Oder gange mr nunder in die Stadt und ässeh was?
+ Ha jo, ganga mr.

3 **2**

+ Dewald-Immobilien, guten Tag. Sie sprechen mit Frau Klaiber. Was kann ich für Sie tun?

– Guten Tag, Frau Klaiber. Mein Name ist Thomas Pierolt. Ich habe die Anzeige in der Stuttgarter Zeitung gelesen und interessiere mich für die Wohnung. Wie groß ist denn die Wohnung?

+ Das war die Zweizimmerwohnung, oder?

– Ja, genau, die Zweizimmerwohnung im Erdgeschoss.

+ Also, zwei Zimmer, Küche, Bad und Sonnenterrasse – 65,5 Quadratmeter insgesamt.

– Aha, und liegt die Wohnung zentral?

+ Ja, schon, man braucht zu Fuß circa 10 oder 15 Minuten zum Hauptbahnhof und in die City.

– Ist es eine Altbauwohnung?

+ Nein, kein Altbau.

– Hat die Wohnung auch einen Keller oder gibt es einen Fahrradraum?

+ Ein kleiner Kellerraum ist dabei, da können Sie Ihre Fahrräder abstellen.

– Oh, das ist gut. Wie hoch sind denn die Nebenkosten?

+ Äh, 235 Euro – inklusive Heizung und Warmwasser.

– Aha. Also, für mich klingt das alles sehr interessant. Und … äh, sind Haustiere erlaubt? Wir haben da nämlich eine Katze …

+ Eine Katze ist sicher kein Problem.

– Oh, prima. Wann können wir uns denn die Wohnung ansehen? Ich kann diese Woche immer nach 16:00 Uhr.

+ Da kann ich Ihnen den Donnerstag anbieten. Donnerstag um 16:30 Uhr. Treffen wir uns direkt an der Wohnung?

– Ja, gerne. Wie ist denn die genaue Adresse?

+ Hegelstraße 47, bitte klingeln Sie bei Brossmann.

– Ok, vielen Dank, Frau Klaiber – bis Donnerstag!

+ Bis Donnerstag, Herr Pierolt – auf Wiederhören!

4 **1**

a) – Dagmar, es wird ernst. In einer Woche ziehen wir um!

+ Ja, aber wir haben auch schon viel gemacht. Komm, wir gehen mal schnell die Checkliste für den Umzug durch! Den LKW haben wir gemietet – da ist alles klar, oder?

– Ja, und die Parkplätze vor dem neuen Haus und hier habe ich reserviert. Aber, was fast noch wichtiger ist, hast du schon den Babysitter angerufen?

+ Nein, das muss ich noch machen. Aber Ella, Ben, Felix und Dominik habe ich angerufen. Sie helfen uns beim Umzug. Haben wir eigentlich genug Umzugskartons?

– Nein, die muss ich noch im Baumarkt kaufen. Das mache ich heute Nachmittag.

+ Prima, ich habe nämlich schon viele Sachen sortiert. Kleidung, Schuhe, Bücher und so weiter. Einiges können wir aber auch wegwerfen.

– Gut, das müssen wir dann nicht verpacken. Für die Babysachen brauchen wir ein paar Extrakartons …

+ … die habe ich schon gepackt. Kein Problem. Also ich finde, wir haben schon ziemlich viel gemacht …

4 **2**

c) * Mensch Dagmar, das ist ja ein Riesenpflaster! Was hast du gemacht? Ist das beim Umzug passiert?

+ Ach, das sieht schlimmer aus als es ist …

– Ha, das sagst du jetzt! Ich habe gerade Bücher eingeräumt …

+ Ja, und ich wollte nur unser Geschirr auspacken. Leider war ein Teller kaputt. Ich habe nicht aufgepasst und da habe ich mich geschnitten.

– Es hat ziemlich stark geblutet. Ich musste die Wunde reinigen.

* Na Dagmar, ein Glück, dass Jens dabei war, oder?

+ Klar doch, Sybille! Das war richtig gut.

– … und noch besser – wir hatten sogar Pflaster und Salbe in der Hausapotheke!

+ Alles also nur halb so schlimm …

Ü 1

+ Sie wissen aber, dass diese Stelle nicht in Hamburg ist?
– Ja, natürlich. Es geht um Ihre Abteilung in Hohenlockstedt. Der Ort ist 70 Kilometer von Hamburg entfernt, richtig?
+ Das stimmt. Wollen Sie mit dem Auto fahren? Wir stellen Ihnen dann natürlich gern einen Firmenwagen zur Verfügung.
– Ich möchte von Hamburg aufs Land ziehen. Mein Frau und ich wollten schon immer gern im Grünen wohnen. Mehr Ruhe, ein größeres Haus, einen Garten haben …
+ Nicht jeder möchte aus der Großstadt weg. Sie überraschen mich.
– Ja, vielleicht liegt das an meiner Kindheit. Ich war in den Ferien viel bei den Großeltern auf dem Land. Das war immer sehr schön. Und ich arbeite gern im Garten. Jetzt habe ich nur einen kleinen Balkon, keinen Garten. Außerdem wollte ich, dass meine Kinder draußen spielen können und die Natur erleben. In Hamburg ist das schwierig.
+ Sie haben aber einen Führerschein, richtig?
– Ja, natürlich. Und ich fahre auch sehr gern Auto. 70 Kilometer sind o.k.
+ Dann kommen wir doch jetzt zu den Einzelheiten …

Ü 9

a) + Immobilien Mainmetropole, was kann ich für Sie tun?
– Guten Tag, hier Weinert. Sie haben eine Anzeige für ein 1-Zimmer-Apartment in der Frankfurter Allgemeinen Zeitung. Ich interessiere mich für die Wohnung.
+ Sie meinen das Apartment in Uniklinik-Nähe?
– Genau. Wo liegt denn die Wohnung?
+ In der Gartenstraße, also direkt neben der Klinik, keine zwei Minuten zu Fuß.
– Das ist natürlich super praktisch. Ich habe ab Mai eine Stelle an der Klinik.
+ Ja, herzlichen Glückwunsch! Möchten Sie sich die Wohnung ansehen?
– Gerne. Ich habe nur noch ein paar Fragen. Muss man eine Kaution zahlen?
+ Ja, die Kaution beträgt zwei Monatsmieten. Oh, entschuldigen Sie, kann ich Sie in zwei Minuten zurückrufen?
– Kein Problem, bis gleich.

20 Kultur erleben

1 1

b) Ich liebe Kultur und ich reise sehr gern. Besonders gern besuche ich Kulturhauptstädte. Warum? Weil es dort viele Veranstaltungen und Projekte gibt! Ich war schon 1985 in Athen dabei und auch 1986 in Florenz. Da war ich 15 bzw. 16 Jahre alt. Besonders spannend waren auch Berlin 1989 – so kurz vor dem Fall der Mauer – und Dublin 1991. Als ich im Jahr 2000 in Krakau war, habe ich mich sofort in die Stadt verliebt! Ja, wo war ich noch? Das sind so viele Städte. Ich bin ein großer Portugal-Fan! Dort habe ich alle Kulturhauptstädte besucht. Und ich erinnere mich noch gut an Istanbul, Tallinn und Maribor. Das waren meine letzten Reisen. Europa ist schon sehr spannend.

2 2

b) Ich war heute mit Adia in Weimar unterwegs. Sie hat mir die Stadt gezeigt und wir hatten sehr viel Spaß. Nach dem Frühstück im Hotel Elephant sind wir gestartet. Wir waren nicht am Cranachhaus. Wir hatten ja nur wenig Zeit. Wir sind also gleich zur Anna Amalia Bibliothek spaziert, vorbei an der Hochschule für Musik FRANZ LISZT. Heute hatten wir aber frei, wir sind also nicht in die Hochschule gegangen. Wir sind im Park bis zum Shakespeare-Denkmal spaziert. Aber dann hat es geregnet und wir sind schnell zum Beethovenplatz bis zum Goethehaus gegangen. Da waren wir zwei Stunden. Die Bauhaus-Universität und das Liszthaus haben wir nicht besucht. Schade! Aber es war ja schon 14 Uhr und wir wollten noch ins Schillerhaus gehen. Danach haben wir noch einen Kaffee getrunken und ich bin zurück ins Hotel gegangen. Das Nationaltheater haben wir auch nicht gesehen, aber wir haben ja Karten für heute Abend. Da läuft Faust …

d) Die Anna Amalia Bibliothek ist fantastisch. Das Haus gibt es seit 1691, also über 300 Jahre. Dort waren bis zum Umzug in ein neues Haus circa eine Million Bücher, zum Beispiel Werke von Goethe, Shakespeare und sogar eine Luther-Bibel aus dem Jahr 1534!
Auch das Goethehaus ist sehr interessant. Das Haus gibt es seit 1707. Goethe hat dort 50 Jahre lang bis zu seinem Tod 1832 gelebt. Natürlich hat er auch viel in diesem Haus gearbeitet. Und er hatte oft interessanten Besuch, zum Beispiel Friedrich Schiller. Heute kann man 18 Räume mit originalen Möbeln besuchen und auch Goethes Sammlung ansehen. Natürlich möchten viele Besucher das Arbeitszimmer sehen.
Das Wohnhaus von Schiller war auch sehr interessant. Im März 1802 hat Schiller das Haus gekauft und Ende April 1802 ist er mit seiner Familie eingezogen. Im Haus kann man sich über Schillers Leben und Arbeit informieren. Ich war in seinem Arbeitszimmer und habe nur gedacht: „Hier hat er Wilhelm Tell geschrieben!" Fantastisch!

3 1

a) + Entschuldigen Sie, wo ist denn der Bäcker?
* Ja, früher gab es hier einen Bäcker. Jetzt ist hier ein Obstladen. Der Bäcker hat zu.

+ Sagen Sie, ich wollte einkaufen. Wo ist denn der Supermarkt?
* Früher war hier der Supermarkt, ja. Heute ist hier eine Bank. Sie müssen jetzt geradeaus weitergehen …

+ Sagen Sie, ich wollte Blumen kaufen. Wo ist denn der alte Blumenladen?
* Früher gab es hier einen Blumenladen. Das ist richtig. Heute ist hier aber ein Kiosk. Sie gehen am besten immer …

+ Entschuldigen Sie, war das nicht einmal ein Wohnhaus hier in der Marienstraße 15?
* Das stimmt. Früher gab es hier ein Wohnhaus. Jetzt ist hier ein neues Hotel.

+ Entschuldigung, können Sie mir helfen? Hier war doch immer eine Kneipe?
* Sie meinen den Irish Pub. Jaja. Damals gab es den hier. Aber jetzt ist das ein Café.
+ Hm, danke.

Ü 7

+ Hallo, Oma Traudel.
– Hallo Christina!
+ Wie geht's dir, Oma? Und was hast du denn da für ein Buch?
– Ach, mir geht's gut, danke. Und das Buch musst du dir ansehen.
+ Mensch, das ist doch die Mühlengasse, und hier ist die Wiesenstraße.
– Ja, es geht um Hannover – früher und heute.
+ Zeig nochmal! Oh – schau mal hier, früher gab es in der Wiesenstraße ein Hotel.
– Genau, und jetzt ist dort nur noch ein Wohnhaus. Zu wenig Touristen …
+ Hm. Und ist da auch unsere Straße im Buch?
– Meinst du die Goethestraße oder meine?
+ Erst einmal die Goethestraße.
– Ja, die ist hier. Schau mal, da ist jetzt euer Bäcker.
+ Das gibt es doch nicht! Früher war hier ein Theater. Das wusste ich gar nicht.
– Und kennst du die Schlossgasse?
+ Na klar, die ist bei meiner alten Schule.
– Früher gab es dort eine Kneipe.
+ Und heute ist da ein Kiosk. Du, das Buch muss ich mir mal leihen. Das ist ja toll.

21 Arbeitswelten

3 1

+ Wir haben vier Leute gefragt: Was sind Sie heute von Beruf? Was wollten Sie früher werden? Daniel, wie ist das bei dir?
– Ich wollte eigentlich Biologe werden, weil mich Biologie interessiert hat. Dann habe ich aber studiert und bin Lehrer geworden. Das wollte ich früher nie, weil meine Eltern Lehrer waren.
+ Und du, Maria?
* Ich wollte eigentlich Tierärztin werden. So wie meine Mutter. Dann habe ich aber Germanistik studiert und jetzt arbeite ich als Redakteurin bei einer Zeitung.
+ Hermann, wie war das bei dir?
° Ich wollte als Kind Pfarrer werden, weil ich dachte, da muss man nur am Sonntag arbeiten. Dann habe ich aber Geschichte studiert und bin Lehrer geworden.
+ Und du Christina?
^ Ich wollte als Kind immer Lehrerin werden. Jetzt habe ich einen eigenen Buchladen. Ich bin gerne selbstständig, weil ich nicht gerne für andere arbeite.

4 3

+ Tag, Stadtwerke Bochum GmbH. Sie sprechen mit Frau Nolte. Was kann ich für Sie tun?
– Guten Tag, hier ist Kalbach, könnte ich bitte mit Herrn Bach sprechen?
+ Tut mir leid. Herr Bach ist in einer Besprechung. Kann ich Ihnen helfen?
– Ich wollte wissen, ob meine Bewerbung schon angekommen ist.
+ Oh, das weiß nur Herr Bach. Das kann ich Ihnen leider auch nicht sagen.
– Wann kann ich bitte Herrn Bach sprechen?
+ Die Besprechung dauert bis circa 15 Uhr. Möchten Sie eine Nachricht hinterlassen?
– Nein, danke. Ich rufe dann nach 15 Uhr noch einmal an. Auf Wiederhören.

Ü 1

a) Viele denken, dass man als Tierärztin in einer schönen sauberen Praxis arbeitet und die Patienten kommen. Bei mir ist das auch so, aber an zwei Tagen in der Woche fahre ich aufs Land und arbeite im Stall oder auf dem Bauernhof vor Ort. Viele „meiner Bauern" haben mehr als 30 Kühe im Stall stehen. Da gibt es also immer viel zu tun. Seit zwei Jahren arbeite ich auch eng mit unserem kleinen Stadt-Tierpark zusammen. Wenn ein Tier krank ist, fahre ich hin. Sehr viel Zeit verbringe ich auch in meinem Büro am Schreibtisch. Ich muss ja alle Informationen zu meinen kleinen und großen Patienten aufschreiben.

Ich bin von Beruf Landschaftsarchitektin und arbeite an unterschiedlichen Projekten, zum Beispiel plane ich gerade einen großen Park mit Fußgängerzone in einer Stadt. Natürlich arbeite ich viel im Büro am Schreibtisch, aber ich muss auch direkt vor Ort sein, das heißt, ich bin viel draußen und manchmal auch auf dem Bau. Für manche Projekte muss ich viel reisen. Dann fahre ich nicht mit dem Auto, sondern arbeite im Zug oder sogar im Hotel. Ich finde es schön, an so vielen unterschiedlichen Orten zu arbeiten.

Ü 3

a) Ich mag keine technischen Berufe. Ich habe mich schon immer für Menschen interessiert. Also habe ich in der Schule ein Praktikum im Krankenhaus in Münster gemacht. Das war sehr spannend und eine gute Erfahrung. Mir ist wichtig, dass ich Menschen helfen kann. Natürlich habe ich nach der Schule eine Ausbildung zum Krankenpfleger gemacht. Aber nicht nur Krankenpfleger – ich habe eine Ausbildung als Kinderkrankenpfleger. Die Ausbildung dauert drei Jahre und es war auch nicht immer einfach, aber es hat mir wirklich Spaß gemacht. Man lernt viel. Ich arbeite sehr sehr gern mit kranken Kindern. Das macht mich glücklich. Und auch der Kontakt zu den Eltern ist mir wichtig. Die sind für jede Hilfe dankbar. Ich arbeite gern mit ihnen zusammen. Jetzt bin ich schon seit vier Jahren Kinderkrankenpfleger und suche nach neuen Aufgaben. Ich möchte kranken Kindern noch besser helfen können. Also studiere ich ab Oktober Medizin. Und danach? … arbeite ich als Kinderarzt auf einer Kinderstation, ganz klar.

Ü 14

+ Werner Gebäudetechnik GmbH, Sie sprechen mit Frau Hartmann.
– Guten Tag! Hier spricht Baumann von der Firma Krohn und Partner. Könnte ich bitte mit Herrn Keller sprechen?
+ Der ist gerade nicht im Haus. Kann ich Ihnen vielleicht helfen?
– Das hoffe ich. Wir haben mit der Gebäudetechnik im Haus Probleme.
+ Worum geht es denn?
– Einige elektrische Geräte sind kaputt. Wir brauchen einen Elektriker.
+ Gar kein Problem. Ich schicke Ihnen einen Kollegen und ich informiere auch Herrn Keller. Ich sehe Krohn und Partner … Das ist die Stockholmer Straße 17, richtig?
– Das stimmt. Ich bin aber nicht am Schreibtisch. Könnte mich Herr Keller bitte auf dem Handy anrufen? Das ist die 0151/18345563.
+ Aber natürlich. Herr Keller meldet sich bei Ihnen. Auf Wiederhören.
– Danke schön und auf Wiederhören.

22 Feste und Feiern

2 **4**

b) + Mensch Ella, so viele Geschenke. Respekt! Von wem ist denn die Uhr?

– Na, von Swatch.

+ Nee, ich meine nicht die Firma. Ich meine, wer dir die Uhr geschenkt hat? Ist die von deinen Eltern?

– Ach so, ja, die ist von meinen Eltern. Die passt super gut zu meiner neuen hellblauen Jeans-Jacke. Die ist auch von ihnen.

+ Ja, stimmt. Und von wem ist die große Tasse mit den Blumen?

– Von meiner Tante Dörthe. Ich mag sie ja sehr, aber bei ihr weiß man nie, was man bekommt. Zum letzten Geburtstag waren es Socken mit einem Weihnachtsmann drauf …

+ Dann ist bei ihren Geschenken immer ein Witz dabei, das ist doch cool. Dann ist das gelbe T-Shirt mit dem Teddybären auch von ihr?

– Ja, das zieh ich zum Schlafen an, kein Problem.

+ Da ist doch die Tasse viel besser. Aber sag mal, seit dem letzten Sommer ist doch deine Luftmatratze kaputt?

– Ja, und die neue hier ist echt cool, neongrün und aus einem weichen Stoff außen.

+ Von wem ist die?

– Von Adrian.

+ Ahhh, vom schönen Adrian, soso …

Ü **2**

Juliane Weber, 32: Mein Lieblingsfest? Weihnachten, natürlich. Gar keine Frage! Dann kommt die ganze Familie zusammen und Lasse und Lea treffen ihre Cousinen und Cousins, ich meine Eltern und die Geschwister. Das ist sehr schön. Wir gehen am 24. Dezember, also an Heiligabend, zusammen in die Kirche, essen Suppe und dann warten alle auf den Weihnachtsmann. Das ist immer sehr spannend und am Abend wird es richtig gemütlich.

Hagen Steinert, 25: Klar, Weihnachten und Ostern sind wichtig, aber wir beide leben in Köln und haben uns beim Karneval am Rosenmontag kennengelernt. Nina war ein Geist und ich eine Prinzessin. Das war sehr lustig, weil wir uns gerne verkleiden. Wir feiern wirklich am liebsten Karneval und Rosenmontag ist für uns seit drei Jahren ein besonderer Tag. Nächstes Jahr wollen wir nach Basel zur alemannischen Fastnacht fahren und uns dort die Umzüge und die tollen Masken anschauen. Natürlich ist es schon schön, wenn die ganze Familie an Weihnachten zusammen kommt, aber Karneval macht einfach mehr Spaß. Ostern und Weihnachten sind mir da nicht so wichtig.

Sigrid Heuer, 58: Ich liebe Ostern. Das ist für mich das schönste Fest, weil dann der Winter zu Ende ist und endlich der Frühling kommt. Meistens ist meine Tochter mit ihrer Familie zu Besuch. Ich finde es schön, wenn wir alle zusammen sind. Bei schönem Wetter kommt der Osterhase in den Garten und versteckt die Eier. Meine Enkelkinder lieben das. Und wir Erwachsenen machen ein Picknick, essen Torte und machen viele viele Fotos.

Sven Wagner, 37: Ich mag eigentlich keine Feste. Zum Beispiel Weihnachten: Die Leute kaufen viel zu viele Geschenke. Zu Ostern gibt es jetzt auch nicht nur Eier, sondern die Leute kaufen und kaufen. Ich finde das ganz schrecklich. Oder der

Valentinstag – der ist doch vor allem für die Blumenläden wichtig. Ich schenke meiner Freundin und meiner Tochter Fiona das ganze Jahr Blumen, aber ganz bestimmt nicht am 14. Februar! Aber Fiona liebt Halloween und ich mag dieses Fest auch, weil es ein großer Spaß für die Kinder ist. Ich verkleide mich dann auch und Fiona muss immer über mich lachen …

Ü **4**

a) + Hallo, Geburtstagskind! Alles Liebe zum Geburtstag! Bleib gesund und munter!

– Oh, dankeschön. Das ist nett, dass du anrufst.

+ Und? Hast du wieder schreckliche Geschenke von deiner Familie bekommen?

– Von meinem Vater habe ich neue Kopfhörer bekommen. Meine sind doch seit dem Urlaub kaputt.

+ Wow. Das sind doch bestimmt sehr gute von dieser Firma, oder? Die hattest du dir gewünscht.

– Genau! Und mit meinem Bruder gehe ich zu einem Konzert.

+ Echt jetzt? Das wird ja immer besser! Zu wem geht's?

– Zu den Prinzen … Und von meiner Mutter gab es eine neue Jacke.

+ Ist nicht dein Ernst! Wow. Aber stimmt, sie arbeitet ja in einem Modegeschäft. Das klingt ja alles super.

– Rate mal, was ich von meinen Großeltern bekommen habe!

+ Ja, keine Ahnung. Wahrscheinlich etwas Witziges, oder?

– Die beiden bezahlen mir meine Party und du bist eingeladen.

+ Na das ist doch mal ein super Geschenk! Wann geht's los?

23 Mit allen Sinnen

2 **4**

a) [Vorsichtig gießt Lilly Wasser in ein Glas, dabei hält sie prüfend einen Finger hinein.]

Lilly: Ich begleite dich noch bis zur Fähre.

Jakob: Woher weißt du, dass ich dich mitnehme?

[Die beiden schmunzeln – die Kellnerin kommt.]

Kellnerin: So einmal … und für Sie.

[Sie serviert.]

Lilly: Entschuldigung, könnten Sie uns bitte sagen, wie das Essen liegt?

[Die Kellnerin schaut verständnislos.]

Kellnerin: Bitte?

Lilly: Wenn Sie sich vorstellen, der Teller ist eine Uhr, auf welchen Zahlen liegt dann das Essen?

[Jakob runzelt die Stirn.]

Kellnerin: Ähää – also äh – die Kartoffeln auf drei, so zehn vor drei. Die Erbsen …

[Sie dreht den Teller.]

            … auf sechs – so zwanzig nach, na – warten Sie – so zwanzig, fünfundzwanzig nach sechs – vor sechs – nach fünf – 'tschuldigung.

Jakob: Lilly, ich glaube, sie kann die Uhr nicht lesen.

Kellnerin: Bitte was?

Stimme aus dem Off: Rita, kommst du mal, bitte?

Kellnerin: Jaa.

[Verwirrt geht die Kellnerin zum Tresen]

Jakob: Erbsen auf halb sechs.

[Lächelnd nickt Lilly.]

Lilly: Jaa.

2 9

b) Als Bühnenbildner habe ich richtig viel zu tun. Hier in dieser Szene muss ich ein Zimmer bauen. Und das Zimmer muss zu Hilmir passen. Ich lege also viele Zeitungen und Bücher auf den Tisch und ins Regal. Ich stelle eine große Vase und auch drei, vier Bilder auf den Boden. Ich hänge eine moderne Lampe an die Decke und hänge auch verrückte Bilder an die Wand. Und sehen Sie hier: Da liegen Briefe auf dem Boden. Das finde ich gut. Hilmir hat auch einen Hund. Der liegt hier auf dem Sofa und schläft. Und dort steht ein Computer auf dem Schreibtisch. Ich will auch, dass viele Bücher im Regal liegen – Hilmir liest sehr viel. Und man sieht auch viele Fotos. Hier hängt eins an der Wand.

24 Ideen und Erfindungen

Ü 1

a) + Ich begrüße Sie zu unserer Morgendiskussion im Radio. Heute wollen wir Ihnen die Frage stellen, was für Sie die zwei wichtigsten Erfindungen sind. Und wen habe ich denn am Telefon?
– Hallo, hier spricht Renata Kleinert aus Bremen.
+ Ja, was denken Sie? Die zwei wichtigsten Erfindungen …
– Ich finde die Waschmaschine ist die wichtigste Erfindung und auch moderne Medikamente wie Aspirin oder Penicillin waren und sind sehr wichtig.
+ Die Waschmaschine? Daran habe ich gar nicht gedacht.
– Früher hatten Frauen wegen Wäsche und Haushalt viel weniger Zeit und so auch keine Freiheiten. Das ist mit der Waschmaschine jetzt anders. Frauen können arbeiten gehen, machen auch Haushalt, klar, aber eben nicht nur Haushalt. Ja, und moderne Medikamente retten Menschen. Es gibt so viele Krankheiten, die jetzt nicht mehr gefährlich sind, weil es Medikamente gibt.
+ Sie haben natürlich recht! Danke für Ihren Anruf und wen habe ich jetzt in der Leitung?
* Sie sprechen mit Jürgen Rosenthal aus Offenburg.
+ Schön, dass Sie die Morgendiskussion hier bei Radio DLD 88.3 eingeschaltet haben. Was denken Sie? Die zwei wichtigsten Erfindungen …
* Hm, nicht einfach. Ich denke, dass das Internet wirklich wichtig ist. Die Menschen können ganz anders, sehr viel schneller, sehr viel direkter kommunizieren. Jeder kann sich informieren. Menschen und ihre Ideen kommen viel schneller zusammen. Und natürlich ist das auch gut für die Wirtschaft.
+ Und auf dem 2. Platz?
* Das Flugzeug. Ganz klar. Das ist für mich das Symbol für Mobilität. Und es ist doch auch ein Traum von vielen Menschen – fliegen können.
+ Also ich habe Angst vorm Fliegen, aber es stimmt, was Sie sagen. Danke für den Anruf. Und wir haben noch eine Minute. Wer ist am Apparat?
° Leni Raue, aus Görlitz. Ich mag Ihre Sendung!
+ Dankeschön, das hört man gern. Was sind Ihre beiden Erfindungen?
° Der Buchdruck. Mit dem Buch hatte der Mensch ganz neue Möglichkeiten. Man konnte Informationen an viele andere Menschen weitergeben. Das ist ein bisschen wie mit dem Internet. Die Menschen konnten sehr viel schneller Ideen austauschen und viel mehr Leute konnten sich informieren.

+ Und die zweite Erfindung?
° Das Rad.
+ Das Fahrrad oder das Rad generell?
° Ich meine das Rad. So konnte man schwere Dinge transportieren. Und später konnte man Autos, Eisenbahnen, Fahrräder bauen. Mobilität ohne Rad gibt es nicht.
+ Absolut richtig. Danke für Ihren Anruf und bei uns geht's weiter mit …

Ü 9

Zuerst werden das Eigelb, der Zucker und weitere Zutaten gemischt. Dann wird die Ei-Zucker-Masse mit Mehl und Backpulver gemischt. Im dritten Schritt werden geriebene Möhren und Mandeln hinzugegeben. Nach den Möhren und Mandeln wird der Eischnee untergehoben. Die Masse wird in einer Tortenform gebacken. Nach dem Backen wird alles mit Marmelade und Puderzucker überzogen. Zum Schluss wird die fertige Rüblitorte über Nacht in den Kühlschrank gestellt.

Alphabetische Wörterliste

Die alphabetische Wörterliste enthält den Lernwortschatz der Einheiten. Zahlen, grammatische Begriffe sowie Namen der Personen, Städte und Länder sind in der Liste nicht enthalten.
Wörter, die nicht zum Zertifikatswortschatz gehören, sind kursiv ausgezeichnet.
Die Zahlen bei den Wörtern geben an, wo Sie die Wörter in den Einheiten finden (z. B. 5/3.4 bedeutet Einheit 5, Block 3, Aufgabe 4).

Die Punkte (.) und die Striche (–) unter den Wörtern zeigen den Wortakzent:
a̦ = kurzer Vokal
a̲ = langer Vokal

A

	abfahren, er fährt ab, er ist abgefahren	15/2.1b
	abfragen, er fragt ab, er hat abgefragt	17/3.2b
das	**Abi (Abitur)**	19/2.3
die	**Abkürzung**, die Abkürzungen	17/2.4b
der	**Ablauf**, die Abläufe	18/2.5b
	abnehmen (etw.), er nimmt etw. ab, er hat etw. abgenommen	17/3.2b
	abonnieren (etw.), er abonniert etw., er hat etw. abonniert	17/0
	abreisen, er reist ab, er ist abgereist	20/2.1a
	absagen, er sagt ab, er hat abgesagt	17/2.1a
	abschließen (etw., z. B. Studium), er schließt ab, er hat abgeschlossen	13/2.1a
der	**Abschluss**, die Abschlüsse	21/2.1a
der/die	***Absender/in**, die Absender/innen*	17/2.1a
der/die	***Absolvent/in**, die Absolventen/innen*	13/1
	abtrocknen (sich), er trocknet sich ab, er hat sich abgetrocknet	16/2.5a
	achten (auf), er achtet auf, er hat geachtet auf	23/2.8b
die	***Acrylfarbe**, die Acrylfarben*	16/0
die	***Action***	23/2.1a
die	**Adresse**, die Adressen	17/2.1a
der	***Adventskranz**, die Adventskränze*	22/0
die	***Aggression**, die Aggressionen*	23/1
	ägyptisch	17/1
	akademisch	13/2.4
die	**Aktion**, die Aktionen	15.3
	aktiv	16/1.4
	aktuell	16/2.1a
	akzeptieren, er akzeptiert, er hat akzeptiert	23/2.1b
	alarmieren, er alarmiert, er hat alarmiert	14/3.2a
der	**Alltag**	16/2.1a

der	***Almabtrieb***	22/2.1b
der/die	***Altenpfleger/in**, die Altenpfleger/innen*	21/2.1a
das	**Alter**	19/Ü2b
die	**Alufolie**, die Alufolien	24/3.1
	ambulant	21/2.1a
	Ambulante Pflegedienste (APD)	21/2.1a
die	**Ameise**, die Ameisen	15/4.3
das	**Amt**, die Ämter	24/2.3
	anders	17/3.2a
	ändern, er ändert, er hat geändert	17/3.2b
der	**Anfang (am Anfang)**	13/3.1
	angeln, er angelt, er hat geangelt	16/0
der/die	**Angestellte**, die Angestellten	21/1
die	**Angst**, die Ängste	19/2.3a
der	***Anhang**, die Anhänge*	21/2.3b
	ankommen, er kommt an, er ist angekommen	15/2.1b
	anmelden (sich), er meldet sich an, er hat sich angemeldet	18/3.3a
die	**Anmeldung**, die Anmeldungen	21/3.4b
	anreisen, er reist an, er ist angereist	19/Ü3
die	**Anschrift**, die Anschriften	21/2.3a
	anstoßen, sie stoßen an, sie haben angestoßen	22/2.1a
die	***Antipathie**, die Antipathien*	23/1
die	**Antwort**, die Antworten	17/2.1a
der/die	**Anwalt/Anwältin**, die Anwälte/Anwältinnen	20/3.3a
die	**Anzeige**, die Anzeigen	19/3.2c
die	***App (Application)**, die Apps*	17/0
der	**Appetit**	24/3.1
das	***Aquarium**, die Aquarien*	18/0
	arabisch	13/2.1a
der	**Arbeitsalltag**	16/2.1a
die	**Arbeitserlaubnis**	13/0
der/die	**Arbeitskollege/kollegin**, die Arbeitskollegen/kolleginnen	17/2.4b
die	**Arbeitslosigkeit**	13/1
der	**Arbeitsplatz**, die Arbeitsplätze	13/1
die	**Arbeitsstelle**, die Arbeitsstellen	19/1.2a

die	*Archäologie*	20/3.3a
der	**Ärger**	23/1
	ärgerlich	23/1
	ätzend	19/2.3a
	auf der einen Seite …	
	auf der anderen Seite	16/2.1a
	aufessen, er isst auf,	
	er hat aufgegessen	22/1.2a
die	**Aufgabe**, die Aufgaben	14/3.1
	aufgeregt	16/4.2
	aufheben, er hebt auf,	
	er hat aufgehoben	24/3.1
	aufkleben, er klebt auf,	
	er hat aufgeklebt	17/2.1b
	aufmachen, er macht auf,	
	er hat aufgemacht	21/4.1
	aufpassen, er passt auf,	
	er hat aufgepasst	19/4.2c
	aufräumen, er räumt auf,	
	er hat aufgeräumt	14/3.1b
	aufregen (sich über etw.),	
	er regt sich auf, er hat sich aufgeregt	16/4.2
	Auftrag (etw. in Auftrag geben),	
	er gibt etw. in Auftrag, er hat etw.	
	in Auftrag gegeben	24/3.1
	auftreten, er tritt auf,	
	er ist aufgetreten	18/1
	aufwachsen, er wächst auf,	
	er ist aufgewachsen	13/2.4
das	*Au-pair*, die Au-pairs	14/3.1
der	*Ausbildungsabschluss*,	
	die Ausbildungsabschlüsse	21/2.1a
die	**Ausbildungszeit**,	
	die Ausbildungszeiten	21/Ü4a
der	**Ausdruck**, die Ausdrücke	20/Ü5
	ausdrucken, er druckt aus,	
	er hat ausgedruckt	15/2.1b
der	**Ausflug**, die Ausflüge	16/2.2
die	**Auskunft**, die Auskünfte	21/4.4b
das	*Auslandssemester*,	
	die Auslandssemester	13/1
die	*Auslandtätigkeit*,	
	die Auslandtätigkeiten	21/2.1a
	auspacken, er packt aus,	
	er hat ausgepackt	19/4.2c
	ausschlafen, er schläft aus,	
	er hat ausgeschlafen	16/2.1a
	aussehen, er sieht aus,	
	er hat ausgesehen	23/2.1b
der	*Außenhandel*	21/2.1a
	außerdem	20/2.1a
	aussteigen, er steigt aus,	
	er ist ausgestiegen	15/2.3
die	**Ausstellung**, die Ausstellungen	19/0
der/die	*Auswanderer/Auswanderin*,	
	die Auswanderer/Auswanderinnen	22/1.2a

	auswandern, er wandert aus,	
	er ist ausgewandert	13/1
	auszeichnen, er zeichnet aus,	
	er hat ausgezeichnet	23/2.5a
	ausziehen (etw.), er zieht etw. aus,	
	er hat etw. ausgezogen	17/2.1b
der/die	**Auszubildende**,	
	die Auszubildenden	18/2.6a
das	**Automobil**, die Automobile	24/2.1b
der/die	**Autor/in**,	
	die Autoren/Autorinnen	20/2.1b
der	**Autoschlüssel**, die Autoschlüssel	15/0
der	**Autounfall**, die Autounfälle	23/2.1b

B

der	**Babybedarf**	19/4.1a
der/die	**Babysitter/in**,	
	die Babysitter/innen	19/4.1a
	backen, er backt, er hat gebacken	24/3.1
der	**Badeschaum**	22/3.1a
die	**BahnCard**, die BahnCards	15/1.1
das	**Ballett**	16/0
	bar	15/2.1b
der	**Basketball**, die Basketbälle	16/0
der	*Bau*, die Bauten	21/0
	bauen, er baut, er hat gebaut	19/2.3a
der/die	**Bauer/Bäuerin**,	
	die Bauern/Bäuerinnen	21/1.4
der	*Bauernsalat*, die Bauernsalate	18/2.7a
der/die	*Bauhaus-Künstler/in*,	
	Bauhaus-Künstler/innen	20/2.1b
	bearbeiten, er bearbeitet,	
	er hat bearbeitet	17/0
	bedanken (sich), er bedankt sich,	
	er hat sich bedankt	21/4.4b
	bedeuten, es bedeutet,	
	es hat bedeutet	20/Ü8b
die	**Bedeutung**, die Bedeutungen	24/2.6b
die	**Bedingung**, die Bedingungen	22/0
	beenden (etw.), er beendet etw.,	
	er hat etw. beendet	18/2.5b
	befragen, er befragt, er hat befragt	14/3.2a
	begründen, er begründet,	
	er hat begründet	19/1.2b
	beides	19/1.1
	bekannt	18/1
	benutzen, er benutzt,	
	er hat benutzt	15/1.2
der	**Benzinpreis**, die Benzinpreise	19/2.1b
	beobachten, er beobachtet,	
	er hat beobachtet	16/3.2
	bequem	15/1.4
der	**Bereich**, die Bereiche	21/1
	bereits	20/1.1b
die	*Bergwiese*, die Bergwiesen	22/2.1a
der	**Bericht**, die Berichte	19/1.2a

berichten, *er berichtet,*		
er hat berichtet	13/1	
beruflich	15/1.2	
der/die **Berufsanfänger/in**,		
die Berufsanfänger/innen	21/2.1a	
die **Berufsausbildung**,		
die Berufsausbildungen	18/2.6a	
die **Berufserfahrung**,		
die Berufserfahrungen	21/2.3a	
der **Berufswunsch**, *die Berufswünsche*	21/0	
beschließen, *er beschließt,*		
er hat beschlossen	15/4.3	
beschreiben, *er beschreibt,*		
er hat beschrieben	14/3.5a	
beschriften, *er beschriftet,*		
er hat beschriftet	19/4.1a	
besorgen, *er besorgt,*		
er hat besorgt	19/4.1a	
besprechen (etw. mit jmdm.),		
er bespricht etw., er hat etw.		
besprochen	17/2.4b	
bestehen aus, *er besteht aus,*		
er bestand aus	18/2.7a	
die **Bestellung**, *die Bestellungen*	17/3.1	
bestimmen, *er bestimmt,*		
er hat bestimmt	23/1.1b	
betragen, *etw. beträgt,*		
etw. hat betragen	14/3.1	
betreiben, *er betreibt,*		
er hat betrieben	16/3.1	
betreten, *er betritt, er hat betreten*	21/3.4c	
der **Betrieb**, *die Betriebe*	21/1	
bewerben (sich um), *er bewirbt sich,*		
er hat sich beworben	20/1	
die **Bewerbung**, *die Bewerbungen*	21/1	
der/die **Bewohner/in**,		
die Bewohner/innen	19/1.2a	
die **Beziehung**, *die Beziehungen*	23/1	
die **Bibel**, *die Bibeln*	24/1.2a	
das **Bierchen**, *die Bierchen*	18/1	
bieten, *er bietet, er hat geboten*	17/4.1	
die **Bildung**	13/2.4	
das **Billard**	16/3.2	
binden, *er bindet, er hat gebunden*	24/1.2a	
der/die **Biologe/Biologin**,		
die Biologen/Biologinnen	21/3.1b	
bitten (um Hilfe bitten),		
er bittet um Hilfe,		
er hat um Hilfe gebeten	19/4.1a	
bitter	24/3.1	
die **Blasmusik**	22/1.2a	
blind	23/2.1b	
der/die **Blinde**, *die Blinden*	23/2.1b	
die **Blindheit**	23/2.1b	
der **Blog**, *die Blogs*	17/2.5a	
bloggen, *er bloggt, er hat gebloggt*	17/2.5a	

blond	14/3.2a	
der **Blumenladen**, *die Blumenläden*	20/3.1a	
der **Blumenstrauß**, *die Blumensträuße*	14/2.8	
der/das **Bonbon**, *die Bonbons*	22/2.1a	
böse	22/1.2a	
der **Brauch**, *die Bräuche*	22/2.1a	
die **Brauerei**, *die Brauereien*	24/2.1a	
brechen, *er bricht,*		
er hat gebrochen	19/4.2a	
brennen, *es brennt,*		
es hat gebrannt	22/4.1a	
die **Brezel**, *die Brezeln*	15/3.2	
der **Briefkasten**, *die Briefkästen*	17/2.1a	
die **Briefmarke**, *die Briefmarken*	16/1.4	
die **Briefmarkensammlung**,		
die Briefmarkensammlungen	17/4.1	
britisch	13/3.4a	
der **Buchdruck**, *die Buchdrucke*	24/1	
buchen (etw.), *er bucht etw.,*		
er hat etw. gebucht	15/2.3	
die **Buchhaltung**	21/2.3a	
die **Buchung**, *die Buchungen*	17/3.1	
bügeln, *er bügelt, er hat gebügelt*	14/3.1	
die **Bühne**, *die Bühnen*	23/2.8a	
der/die **Bundesbürger/in**,		
die Bundesbürger/innen	16/2.1a	
das **Bürgeramt**, *die Bürgerämter*	13/0	
der/die **Bürokaufmann/Bürokauffrau**,		
die Bürokaufmänner/		
Bürokauffrauen	21/2.1a	
das **Büromanagement**	21/2.1a	
die **Busverbindung**,		
die Busverbindungen	19/2.1a	
das **Bützchen**, *die Bützchen*	22/2.1a	

C

die **Chance**, *die Chancen*	13/1	
chatten, *er chattet,*		
er hat gechattet	17/1.2	
die **Chiffre**, *die Chiffren*	17/4.1	
Chinesisch	13/3.1	
der **Chip**, *die Chips*	24/1.2a	
das **Christkind**, *die Christkinder*	22/2.1a	
christlich	24/3.1	
die **Chronik**, *die Chroniken*	22/1.2a	
der **Clown**, *die Clowns*	22/1.2a	
die **Computerkenntnisse**	21/2.1a	
der/die **Cousin/e**,		
die Cousins/Cousinen	14/2.1	
der **Cowboy**, *die Cowboys*	22/1.2a	

D

dabei	15/4.3	
das **Dachgeschoss (DG)**,		
die Dachgeschosse	19/3.1	
dafür	24/3.1	

	dagegen	22/4.1a
	damals	24/3.1
	damit	24/2.1a
	danke schön	21/Ü14
	darüber	13/1
	dass	14/3.1
die	Datei, die Dateien	17/3.2b
	dauern, es dauert, es hat gedauert	15/2.3
	dauernd	19/2.3a
	deshalb	21/Ü11
die	Deutschkenntnisse	21/2.1a
	deutschsprachig	22/1.2a
der	Dieselmotor, die Dieselmotoren	24/1
	digital	24/1.2a
	direkt	15/2.3
das	Dirndl, die Dirndl	22/0
die	Diskussion, die Diskussionen	18/0
die	Dokumentation, die Dokumentationen	23/2.1a
das	Dorffest, die Dorffeste	22/2.1a
	dorthin	13/1
	downloaden (etw.), er loadet etw. down, er hat etw. downgeloadet	17/0
das	Drama, die Dramen	23/2.1a
der	Dreck	19/2.3a
	drehen, er dreht, er hat gedreht	23/2.5a
	dringend	21/4.4
das	Drittel, die Drittel	13/2.4
	drucken (etw.), er druckt etw., er hat etw. gedruckt	17/3.2b

E

	eben	17/3.2b
	ebenso	19/1.2a
	echt	16/4.1b
der	Ehering, die Eheringe	14/0
	ehrlich	18/3.3a
das	Eierklopfen	22/2.1a
das	Eierwerfen	22/2.1a
	eigen	21/1
	eigentlich	19/2.1b
der	Eimer, die Eimer	22/4.1a
	eincremen (sich), er cremt sich ein, er hat sich eingecremt	16/2.5a
	eindeutig	19/1.2a
das	Einkaufszentrum, die Einkaufszentren	19/2.3a
	einladen (zu etw.), er lädt ein, er hat eingeladen	14/2.7a
	einräumen, er räumt ein, er hat eingeräumt	19/4.2c
	einwerfen, er wirft ein, er hat eingeworfen	17/2.1b
der/die	Einwohner/in, die Einwohner/innen	16/3.2

das	Einzelkind, die Einzelkinder	14/1.3
der	Ekel	23/1
	eklig	23/0
der/die	Elektroniker/in für Energie- und Gebäudetechnik, Elektroniker/innen für Energie- und Gebäudetechnik	21/1
	elektronisch	16/2.1a
die	Elektrotechnik	13/2.1a
die	Emotion, die Emotionen	16/4.2
	emotional	23/2.1b
das	Ende (zu Ende)	14/3.5a
	enden, es endet, es hat geendet	13/1
	endlich	19/2.3a
die	Energietechnik	21/1
das	Engangement, die Engangements	23/2.5a
	englisch	13/3.5
die	Englischkenntnisse	21/2.1a
der/die	Enkel/in, die Enkel/innen	14/1.1a
das	Enkelkind, die Enkelkinder	14/1.1a
	entfallen, es entfällt, es ist entfallen	23/2.3a
	entfernt	19/Ü3
die	Entscheidung, die Entscheidungen	15/4.3a
	entschuldigen (sich für), er entschuldigt sich, er hat sich entschuldigt	18/2.4
	entspannt	23/1
	entwickeln, er entwickelt, er hat entwickelt	24/2.1a
die	Entwicklung, die Entwicklungen	24/2.1b
die	Erbse, die Erbsen	23/2.1
die	Erfahrung, die Erfahrungen	23/Ü7
	erfinden, er erfindet, er hat erfunden	24/1.3
der/die	Erfinder/in, die Erfinder/innen	24/1
die	Erfindernation, die Erfindernationen	24/2.1b
die	Erfindung, die Erfindungen	24/1
der	Erfolg, die Erfolge	13/1
	erfolgreich	23/2.1b
die	Erfolgsgeschichte, die Erfolgsgeschichten	13/2.4
	erforschen, er erforscht, er hat erforscht	20/3.3a
	erfreut	16/4.2
die	Erholung	16/2.1a
	erinnern (sich an etw.), etw. erinnert (mich) an etw. etw. hat mich an etw. erinnert	17/2.4b
	erkennen, er erkennt, er hat erkannt	23/1
	erlauben, er erlaubt, er hat erlaubt	24/2.1a
das	Erlebnis, die Erlebnisse	20/1
die	Ermäßigung, die Ermäßigungen	18/0
	ernst	18/3.3a

die	**Ernte**, die Ernten	22/2.1a
	erschrecken (sich),	
	er erschreckt sich,	
	er hat sich erschrocken	23/0
	erwarten, er erwartet,	
	er hat erwartet	23/2.1a
	erzählen, er erzählt, er hat erzählt	16/4.1b
	etwa	14/3.1
	europäisch	20/1
der/die	**EU-Kommissar/in**,	
	die EU-Kommissare/Kommissarinnen	13/2.4
das	**Examen**, die Examen	13/1
	existieren, es existiert,	
	es hat existiert	13/2.4
der/die	**Experte/Expertin**,	
	die Experten/Expertinnen	13/1
der	**Export**, die Exporte	24/3.1
der	**Exporthit**, die Exporthits	22/1.2a
	exportieren, er exportiert,	
	er hat exportiert	24/3.1
der	**Extrakarton**, die Extrakartons	19/4.1a

F

die	**Fabrikhalle**, die Fabrikhallen	21/0
das	**Fach**, die Fächer	21/3.1b
die	**Fahrkarte**, die Fahrkarten	15/1.1
der	**Fahrplan**, die Fahrpläne	15/1.1
der	**Fahrschein**, die Fahrscheine	15/2.3
der	**Fall**	20/1
	fantasiereich	13/1
	fantastisch	20/2.1a
der	**Fasching**	22/1.2a
das	**Fass**, die Fässer	18/2.2
die	**Fastenzeit**, die Fastenzeiten	24/3.1
die	**Fastnacht/Fasnacht**	22/1.2a
	faszinieren	13/2.1a
die	**Feier**, die Feiern	22/0
das	**Feld**, die Felder	21/0
die	**Fernbedienung**,	
	die Fernbedienungen	24/0
der	**Fernbus**, die Fernbusse	15/2.3
das	**Fernsehen**	16/2.1a
das	**Fest**, die Feste	16/3.1
	feste	22/2.3
das	**Festival**, die Festivals	18/0
	feststehen, es steht fest,	
	es hat festgestanden	20/1
das	**Feuer**, die Feuer	22/4.1a
	feuerfest	24/1
das	**Feuerwerk**, die Feuerwerke	22/2.1a
die	**Figur**, die Figuren	23/2.5a
das	**Filmfestival**, die Filmfestivals	23/2.5a
der	**Filmpreis**, die Filmpreise	23/2.5a
der/die	**Filmschauspieler/in**,	
	die Filmschauspieler/innen	23/2.5a

der	**Filmstar**, die Filmstars	21/Ü6
die	**Filtertüte**, die Filtertüten	24/2.5c
die	**Finanzkrise**, die Finanzkrisen	13/1
die	**Firma**, die Firmen	13/1
die	**Fitness**	16/1.3a
	flach	24/1
die	**Flexibilität**	21/2.1a
die	**Fliege**, die Fliegen	18/2.7a
das	**Fließband**, die Fließbänder	24/2.1a
die	**Flöte**, die Flöten	16/0
der	**Flüchtling**, die Flüchtlinge	13/1
der	**Flüchtlingskrise**, die Flüchtlingskrisen	13/1
der	**Flug**, die Flüge	15/2.3
das	**Flughafenpersonal**	19/3.1
das	**Flugzeug**, die Flugzeuge	18/2.6b
der	**Flüssigkeitskristallbildschirm**,	
	die Flüssigkeitskristallbildschirme	24/2.1a
der	**Flyer**, die Flyer	15/1.1
die	**Folge**, die Folgen	22/4.2
	folgend	20/1
die	**Form (etw. in Form bringen)**,	
	er bringt etw. in Form,	
	er hat etw. in Form gebracht	16/1.3a
der/die	**Forscher/in**,	
	die Forscher/innen	23/1
die	**Forschung**	16/2.1a
das	**Forschungslabor**, die Forschungslabore	24/1
das	**Forschungsprojekt**,	
	die Forschungsprojekte	23/1
	fortsetzen (sich), etw. setzt sich fort,	
	etw. hat sich fortgesetzt	16/2.1a
die	**Freiheit**	13/1
die	**Freizeitaktivität**,	
	die Freizeitaktivitäten	16/2.1a
das	**Freizeitangebot**,	
	die Freizeitangebote	16/2.1a
	fremd	14/3.1
die	**Fremdsprachenkenntnisse**	21/2.1b
die	**Freude (jmdm. eine Freude machen)**,	
	er macht ihr eine Freude,	
	er hat ihr eine Freude gemacht	18/3.1a
die	**Freundlichkeit**	23/1
die	**Freundschaft**,	
	die Freundschaften	23/Ü4a
der	**Frieden**	13/1
	froh	21/1
	frohe Weihnachten	24/3.1
	fröhlich	23/1.4
	führen (ein Telefonat führen),	
	er führt ein Telefonat,	
	er hat ein Telefonat geführt	17/0
	führen (Regie führen),	
	er führt Regie, er hat Regie geführt	23/2.6
der	**Führerschein**, die Führerscheine	21/2.1a
die	**Funktion**, die Funktionen	17/2.4a

	furchtbar	16/4.1b
der/die	**Fußgänger/in**,	
	die Fußgänger/innen	19/1.1

G

die	**Gabel**, die Gabeln	18/2.4
die	**Garantie**, die Garantien	17/4.2b
die	**Gardine**, die Gardinen	22/4.1a
der	**Gartenbauverein**,	
	die Gartenbauvereine	16/3.2
die	**Gaststätte**, die Gaststätten	14/2.7a
	geb. (= geboren)	23/2.5a
die	**Gebäudetechnik**	21/1
	geben	
	(Das gibt's doch gar nicht!)	16/4.1b
	geboren (sein), er ist geboren	14/0
die	**Geburt**, die Geburten	23/2.1b
die	**Geburtstagsfeier**,	
	die Geburtstagsfeiern	14/2.7a
das	**Gedicht**, die Gedichte	20/3.3a
	gefährlich	22/4.1a
das	**Gefühl**, die Gefühle	13/1
	gefühlsblind	23/1
der/die	**Gefühlsblinde**,	
	die Gefühlsblinden	23/1
das	**Geheimnis**, die Geheimnisse	24/3.1
	gehören (jmdm.), es gehört ihm,	
	es hat ihm gehört	13/3.5
die	**Geige**, die Geigen	20/2.1a
der	**Geist**, die Geister	22/1.2a
	gelangweilt	16/4.2
	gemeinsam	23/2.1b
das	**Genie**, die Genies	20/3.3a
	genießen, er genießt,	
	er hat genossen	24/3.1
	genug	18/3.3a
	gerade	13/1.1b
das	**Gerät**, die Geräte	21/1
das	**Gericht**, die Gerichte	13/1
	gern: am liebsten	16/2.2
	Geschichte	21/3.1b
die	**Geschichte**, die Geschichten	14/3.5a
	geschieden	14/1.3
das	**Geschirr**	19/4.2c
die	**Geschwister** (Pl.)	14/0
das	**Gesicht**, die Gesichter	23/1
der	**Gesichtsausdruck**,	
	die Gesichtsausdrücke	23/1
	gesperrt	20/1
der	**Gespritzte**, die Gespritzten	18/2.7a
die	**Geste**, die Gesten	23/1
das	**Gewächshaus**, die Gewächshäuser	21/0
	gewinnen, er gewinnt,	
	er hat gewonnen	22/3.3a
das	**Gleis**, die Gleise	15/2.3
der	**Glückwunsch**, die Glückwünsche	14/2.8

die	**Glühbirne**, die Glühbirnen	24/0
der	**Goldring**, die Goldringe	17/4.1
	googeln, er googelt,	
	er hat gegoogelt	17/2.5a
das	**Grammophon**, die Grammophone	17/1
	gratulieren, er gratuliert,	
	er hat gratuliert	22/Ü3c
der/die	**Grieche/Griechin**,	
	die Griechen/Griechinnen	13/1
	griechisch	18/2.1
	grillen, er grillt, er hat gegrillt	19/1.1
die	**Grilltomate**, die Grilltomaten	18/2.2
die	**Großbäckerei**, die Großbäckereien	21/1
die	**Großmutter**, die Großmütter	14/2.3
der/die	**Großstädter/in**,	
	Großstädter/innen	19/1.2a
der	**Großvater**, die Großväter	14/1.3
der	**Grund**, die Gründe	13/1
	gründen, er gründet,	
	er hat gegründet	21/0
die	**Gründung**, die Gründungen	24/3.1
die	**Gulaschsuppe**, die Gulaschsuppen	18/2.2
das	**Gymnasium**, die Gymnasien	13/1

H

das	**Hackfleisch**	24/3.5b
	haften (für), er haftet,	
	er hat gehaftet	21/3.4c
die	**Hälfte**, die Hälften	24/1
	Halloween	22/1
das	**Halloween-Symbol**,	
	die Halloween-Symbole	22/1.2a
	haltbar	24/2.1a
	halten, er hält, er hat gehalten	19/4.2a
die	**Handarbeit**, die Handarbeiten	24/3.1
die	**Handcreme**, die Handcremes	15/0
der	**Handel**	21/Ü4a
	handeln (von), es handelt von,	
	es hat gehandelt von	23/2.2c
die	**Handlung**, die Handlungen	23/2.1b
das	**Handwerk**, die Handwerke	21/1
	häufig	17/3.1
die	**Hauptrolle**, die Hauptrollen	23/2.5a
das	**Hauptziel**, die Hauptziele	13/1
die	**Hausapotheke**,	
	die Hausapotheken	19/4.2c
die	**Hausarbeit**, die Hausarbeiten	14/3.1
der	**Hausrat**	19/4.1a
das	**Haustier**, die Haustiere	19/Ü6
die	**Hefe**, die Hefen	24/3.1
der	**Heilige Abend**	22/2.1a
der	**Heimtrainer**, die Heimtrainer	17/4.1
das	**Heimweh**	14/3.2a
	heiraten, er heiratet,	
	er hat geheiratet	13/2.4
die	**Heiratsagentur**, die Heiratsagenturen	13/2.4

	hektisch	16/2.1a
der/die	Helfer/in, die Helfer/innen	19/4.1a
die	Herausforderung,	
	die Herausforderungen	13/1
der	Herbst	22/1.3
	herkommen, er kommt her,	
	er ist hergekommen	13/1
	herrlich	13/1
	herstellen, er stellt her,	
	er hat hergestellt	24/3.1
die	Herstellung,	
	die Herstellungen	24/3.2
	herunterladen, er lädt herunter,	
	er hat heruntergeladen	17/3.1
	herzlich	14/2.7a
	Herzlichen Glückwunsch!	14/2.8
	hin	15/2.1b
	hineinstellen, er stellt hinein,	
	er hat hineingestellt	22/1.2a
die	Hinfahrt, die Hinfahrten	15/2.1a
der	Hinflug, die Hinflüge	15/2.2a
	hingehen, er geht hin,	
	er ist hingegangen	18/1
	hinten	14/1.1a
	hinter	14/1.1a
	hinterlassen, er hinterlässt,	
	er hat hinterlassen	21/4.3
	hinzukommen, er kommt hinzu,	
	er ist hinzugekommen	24/3.1
	historisch	13/1
der/die	Hobbysänger/in,	
	die Hobbysänger/innen	16/1.4
	hoch	13/3.4b
die	Hochzeit, die Hochzeiten	14/0
	höflich	21/2.1a
die	Höflichkeit	21/4
der	Humor	23/2.1b
	humorvoll	23/2.1b
	hunderte	15/4.1b
	hüten, er hütet, er hat gehütet	24/3.1

I

	ideal	19/3.1
	ignorieren, er ignoriert,	
	er hat ignoriert	22/3.3a
	imitieren, er imitiert,	
	er hat imitiert	21/2.3c
der/die	Industriekaufmann/	
	Industriekauffrau,	
	die Industriekaufmänner/	
	die Industriekauffrauen	21/2.3a
die	Informatik	14/3.2a
der	Inhalt, die Inhalte	19/4.1a
die	Innovation, die Innovationen	24/1
	innovativ	24/2.1a
	insgesamt	16/1.3a

	installieren, er installiert,	
	er hat installiert	17/3.1
die	Institution, die Institutionen	20/1
der	Intensivkurs, die Intensivkurse	13/1
der	Intercity, die Intercitys	13/3.4a
das	Interesse, die Interessen	20/3.3a
das	Internet	16/2.1a
das	Internetforum, die Internetforen	17/2.5a
das	Interview, die Interviews	13/1.1c
die	Intonation	21/4.1
der/die	Italiener/in, die Italiener/innen	13/1
	italienisch	13/1

J

der/die	Jäger/in, die Jäger/innen	23/2.3b
die	Jahreszahl, die Jahreszahlen	20/1.3a
das	Jahrhundert, die Jahrhunderte	24/1
	japanisch	13/3.4a
das	Japanisch	16/4.4
	jobben, er jobbt, er hat gejobbt	21/1
der/die	Journalist/in,	
	die Journalisten/Journalistinnen	18/2.7a
der/die	Jugendliche, die Jugendlichen	21/3.1b
	jung	13/1
der	Jüngste, die Jüngsten	19/2.3a
	Jura	20/3.3a

K

der	Kaffeefilter, die Kaffeefilter	24/1
die	Kalenderfunktion,	
	die Kalenderfunktionen	17/2.4a
die	Kaltmiete	19/3.1
die	Kamelle, die Kamellen	22/2.1a
der	Kameramann,	
	die Kameramänner	23/2.9a
die	Kaninchenzucht,	
	die Kaninchenzuchten	16/3.2
der	Kaninchenzuchtverein,	
	die Kaninchenzuchtvereine	16/3.2
	kaputtgehen, es geht kaputt,	
	es ist kaputtgegangen	24/Ü5
das	Karat	17/4.1
der	Karneval, die Karnevale/Karnevals	22/1
das	Karnevalskostüm,	
	die Karnevalskostüme	22/2.3
die	Karriere, die Karrieren	21/1
die	Kartoffel, die Kartoffeln	18/2.2
die	Kartoffelkrokette,	
	die Kartoffelkroketten	18/2.2
der	Karton, die Kartons	19/4.1a
das	Käse-Fondue, die Käse-Fondues	18/2.8b
der	Kassenzettel, die Kassenzettel	17/2.4b
der	Katalog, die Kataloge	15/1.1
die	Katastrophe, die Katastrophen	16/4.1b
der/die	Kaufmann/Kauffrau,	
	die Kaufmänner/Kauffrauen	21/2.1a

der/das **Kaugummi**, die Kaugummis	15/1.1	
kaum	19/2.1b	
die **Kaution (KT)**, die Kautionen	19/3.1	
der **Keks**, die Kekse	15/3.2	
die **Kenntnis**, die Kenntnisse	21/2.1a	
die **Kerze**, die Kerzen	22/1.2a	
der **Kilometer**, die Kilometer	16/1.3a	
der **Kinofilm**, die Kinofilme	23/5.2a	
der **Kiosk**, die Kioske	20/3.1a	
klasse	20/2.1b	
die **Klasse**, die Klassen	15/2.1b	
das **Klavier**, die Klaviere	16/2.3	
kleben, er klebt, er hat geklebt	17/2.1a	
die **Kleinstadt**, die Kleinstädte	19/1.2a	
der **Klettverschluss**, die Klettverschlüsse	24/1	
der **Klick**, die Klicks	17/2.5a	
klingen (nach etw.), es klingt, es hat geklungen	13/2.1b	
knapp	16/2.1a	
die **Kneipe**, die Kneipen	18/0	
der **Knoblauch**	18/2.8b	
koffeinfrei	15/3.3	
die **Kokosnuss**, die Kokosnüsse	23/2.3b	
die **Komik**	23/2.1b	
der **Kommentar**, die Kommentare	23/1	
die **Kommunikation**, die Kommunikationen	23/1	
die **Komödie**, die Komödien	23/2.1a	
komplex	13/1	
der **Kompromiss**, die Kompromisse	19/2.3a	
der/die **König/in**, die König/e/Königinnen	20/3.3a	
konkret	19/1.2a	
der **Kontakt**, die Kontakte	13/2.1b	
der **Konzern**, die Konzerne	13/1	
das **Konzert (ein Konzert geben)**, er gibt ein Konzert, er hat ein Konzert gegeben	20/2.1a	
der/die **Kooperationspartner/in**, die Kooperationspartner/innen	13/1	
koordinieren, er koordiniert, er hat koordiniert	21/2.1a	
der **Kopfhörer**, die Kopfhörer	17/3.2b	
die **Körpersprache**	23/1.1b	
kostenlos	14/3.1	
das **Kostüm**, die Kostüme	22/2.1a	
krank	18/2.6b	
die **Krawatte**, die Krawatten	22/3.1a	
kreativ	24/2.1a	
die **Kreditkarte**, die Kreditkarten	15/1.1	
der **Krieg**, die Kriege	13/1	
der **Krimi**, die Krimis	23/2.1a	
die **Krise**, die Krisen	13/1	
die **Küchenhilfe**, die Küchenhilfen	18/2.6a	
der **Kuckuck**, die Kuckucks	17/4.2b	
die **Kuh**, die Kühe	13/3.5	

kühl	24/2.1a	
kühlen, er kühlt, er hat gekühlt	19/4.2a	
die **Kühlmaschine**, die Kühlmaschinen	24/2.1a	
die **Kühlung**, die Kühlungen	24/2.1a	
kulturell	19/2.1b	
kümmern (sich um etw./jmdn.), er kümmert sich um etw., er hat sich um etw. gekümmert	16/3.2	
der **Kürbis**, die Kürbisse	22/1.2a	
die **Kurzmeldung**, die Kurzmeldungen	14/3.6b	
der **Kuss**, die Küsse	15/Ü11	

L

das **Labor**, die Labore	21/0	
der **Laden**, die Läden	20/3.1a	
die **Lage**, die Lagen	19/3.1	
der **Landfrauenverein**, die Landfrauenvereine	19/2.3a	
das **Landleben**	19/2.1b	
die **Landluft**	19/1	
der **Lärm**	19/2.1a	
lassen (allein lassen), er lässt allein, er hat allein gelassen	22/4.1a	
der/die **Läufer/in**, die Läufer/innen	16/1.3a	
das **LCD-Display**, die LCD-Displays	24/2.1a	
das **Leben**	13/1	
der **Lebenslauf**, die Lebensläufe	21/2.2b	
die **Leckerei**, die Leckereien	22/1.2a	
ledig	14/1.3	
legen, er legt, er hat gelegt	23/2.8b	
die **Leiche**, die Leichen	23/2.7c	
die **Leistung**, die Leistungen	23/2.6a	
die **Lesung**, die Lesungen	18/0	
letzter	2/1.1a	
der/die **Lieblingskomponist/in**, die Lieblingskomponisten/ Lieblingskomponistinnen	20/2.1a	
das **Lied**, die Lieder	22/1.2a	
liken, er liket, er hat geliket	17/2.5a	
die **Lippe**, die Lippen	19/2.2a	
die **Literatur**, die Literaturen	13/1	
der **LKW (Lastkraftwagen)**, die LKWs (Lastkraftwagen)	19/4.1a	
der **Löffel**, die Löffel	18/2.4	
das **Logo**, die Logos	16/3.1	
lohnen (sich), es lohnt sich, es hat sich gelohnt	20/1	
löschen (etw.), er löscht etw., er hat etw. gelöscht	17/3.2b	
lösen, er löst, er hat gelöst	24/2.1a	
die **Lösung**, die Lösungen	20/2.1a	
das **Lotto**	16/4.3a	
der **Lottoschein**, die Lottoscheine	22/3.3a	
die **Luftmatratze**, die Luftmatratzen	22/2.4a	
die **Luftverschmutzung**	19/1.1	
lustig	22/Ü2b	

M

die	**Mail**, die Mails	17/1.2
die	**Mailbox**, die Mailboxen	17/3.2b
	mailen, er mailt, er hat gemailt	17/2.5a
	mal	21/4.2
das	**Mal**, die Male	20/1.2
	malen, er malt, er hat gemalt	16/0
die	**Mandel**, die Mandeln	24/3.1
der	**Marathon**, die Marathons	16/1.1
das	**Marketing**	13/1
der/die	**Marketing-Experte/Expertin**,	
	die Marketing-Experten/Expertinnen	13/1
der	**Maschinenbau**	13/2.1a
die	**Maske**, die Masken	22/0
die	**Mathematik**	20/3.3a
die	**Matratze**, die Matratzen	22/2.4a
der	**Maulwurf**, die Maulwürfe	15/4.3
der/die	**Maurer/in**, die Maurer/	
	Maurerinnen	21/2.1a
	maximal	14/3.1
der/die	**Mechaniker/in**,	
	die Mechaniker/innen	21/1
die	**Medien** (Pl.)	20/2.1a
die	**Medienwelt**	16/2.1a
	Medizin	19/Ü8
das	**Mehl**, die Mehle	18/2.8a
die	**Meise**, die Meisen	15/4.3
	meist	15/2.3
die	**Menge (eine Menge Spaß haben)**,	
	er hat eine Menge Spaß,	
	er hatte eine Menge Spaß	18/1
die	**Messe**, die Messen	15/1.2
der	**Messeausweis**, die Messeausweise	15/1.1
das	**Messer**, die Messer	18/2.4
das	**Metall**, die Metalle	13/3.3d
die	**Miete**, die Mieten	19/1.1
das	**Mietshaus**, die Mietshäuser	19/2.1b
die	**Migration**	13/1
die	**Mikrowelle**, die Mikrowellen	24/0
	mindestens	13/2.4
die	**Mineralogie**	20/3.3a
	Mit freundlichen Grüßen	21/2.3a
der/die	**Mitarbeiter/in**,	
	die Mitarbeiter/innen	13/1
	mitbringen, er bringt mit,	
	er hat mitgebracht	14/2.7a
	mitmachen, er macht mit,	
	er hat mitgemacht	21/1
	mitnehmen, er nimmt mit,	
	er hat mitgenommen	15/1.4
	mitorganisieren, er organisiert mit,	
	er hat mitorganisiert	18/2.5b
	mitreißend	23/2.1b
	mitspielen, er spielt mit,	
	er hat mitgespielt	23/2.5a
	mobil	13/1.1d
die	**Mobilität**	21/2.1a
	möbliert	19/3.1
	möglich	13/1
die	**Möglichkeit**, die Möglichkeiten	19/2.1b
	montags	20/2.1a
der	**Motor**, die Motoren	24/0
das	**MP3**, die MP3s	17/0
der	**MP3-Player**, die MP3-Player	24/2.3
der	**Müll**	22/3.1a
der	**Mülleimer**, die Mülleimer	22/3.1a
das	**Musical**, die Musicals	20/0
der/die	**Musiker/in**, die Musiker/innen	18/1
das	**Muss**	13/2.1a
	mutig	23/Ü4a

N

	nach Hause	16/2.5a
die	**Nachricht**, die Nachrichten	15/3.1a
die	**Nachrichten** (Pl.)	16/2.3
der	**Nachteil**, die Nachteile	19/2.1a
der	**Nagel (etw. an den Nagel hängen)**,	
	er hängt etw. an den Nagel,	
	er hat etw. an den Nagel gehängt	23/2.1b
	nahe	19/1.2a
die	**Nähmaschine**, die Nähmaschinen	24/0
	nämlich	13/3.5
das	**Nasenspray**, die Nasensprays	19/4.3
die	**Nebenkosten (NK)** (Pl.)	19/3.1
die	**Nebenrolle**, die Nebenrollen	23/5.2a
der	**Neffe**, die Neffen	14/2.1
	negativ	23/1.2
	nennen, er nennt, er hat genannt	13/1
	neongrün	22/2.4b
	nervig	19/2.3a
	nervös	23/1
das	**Netz**, die Netze	17/3.1
der	**Neubau**, die Neubauten	15/4.1a
	neugierig	20/2.1a
	neutral	19/2.3a
der	**Newsletter**, die Newsletter	16/2.1a
die	**Nichte**, die Nichten	14/2.1
	nichts	16/4.2
	niemand	16/3.2
	normalerweise	23/1
die	**Note**, die Noten	13/1
das	**Notebook**, die Notebooks	17/1
	notieren, er notiert, er hat notiert	15/3.1a
	nötig	24/2.1a
die	**Notiz**, die Notizen	15/1.3a
die	**Nummer**, die Nummern	16/2.1a
die	**Nuss**, die Nüsse	18/2.8a
	nutzen, er nutzt, er hat genutzt	17/2.4a
	nützlich	13/3.1
die	**Nutzung**	24/2.1a

O

	ọb	15/4.3
	ọffen	20/2.1a
der	Ọldtimer, die Oldtimer	14/1.2a
die	Ọma, die Omas	14/1.1a
der	Ọnkel, die Onkel	14/2.1
das	Ọnline-Einkaufen	17/3.1
der	Ọpa, die Opas	14/1.1a
die	Organisatiọn, die Organisationen	18/2.5b
die	Orientierung	23/2.1b
das	Originạl, die Originale	24/3.1
das	Ọsterei, die Ostereier	22/0
der	Ọsterhase, die Osterhasen	22/0

P

	paar (ein paar)	22/4.1a
das	Pakẹt, die Pakete	22/Ü5a
das	Parfüm, die Parfüms	22/2.5
	parken, er parkt, er hat geparkt	21/3.4c
der	Pạrkplatz, die Parkplätze	19/4.1a
der/die	Pạrtner/in, die Partner/innen	14/1.3
das	Pạrtnerprofil, die Partnerprofile	18/3.3a
die	Pạrtnersuche, die Partnersuchen	18/3.3a
	pạssend	17/4.1
das	Pạsswort, die Passwörter	17/2.3
das	Patẹnt, die Patente	24/2.1a
das	Patẹntamt, die Patentämter	24/2.3
	peinlich	16/4.1b
	pẹr	17/2.5a
	perfẹkt	21/Ü11
	persönlich	21/2.3a
	persönliche Dạten	21/2.3a
das	Pflạster, die Pflaster	19/4.3
die	Pflaume, die Pflaumen	24/3.5a
die	Pflege	21/2.1a
der/die	Pflegehelfer/in,	
	die Pflegehelfer/innen	21/2.1a
der/die	Physiker/in, die Physiker/innen	24/1.2a
das	Pilates	16/2.1a
der	PKW (Persọnenkraftwagen),	
	die PKWs (Personenkraftwagen)	21/2.1a
	planmäßig	15/2.1b
die	Planung, die Planungen	18/2.5b
der	Platz, die Plätze	18/1.2a
das	Plus	13/2
	plus	19/3.1
der	Pluspunkt, die Pluspunkte	19/1.2a
die	Politik	16/2.3
	politsch	13/1
	populär	13/2.1a
das	Portemonnaie, die Portemonnaies	15/0
die	Portion, die Portionen	13/3.5
das	Portugiesisch	13/3.1
	positiv	23/1.2
die	Post	17/2.1a
	posten, er postet, er hat gepostet	17/2.5a

die	Pọstkarte, die Postkarten	15/1.1
das	Prạktikum, die Praktika	13/1
der	Prạktikumsplatz,	
	die Praktikumsplätze	21/3.3b
	prạktisch	17/3.1
	präsentieren, er präsentiert,	
	er hat präsentiert	21/2.2b
der	Preis, die Preise	15/2.1 c
die	Prinzẹssin, die Prinzessinnen	22/1.2a
das	Privạtgrundstück,	
	die Privatgrundstücke	21/3.4c
das	Problẹm, die Probleme	17/3.1
das	Prodụkt, die Produkte	18/2.5b
die	Produktiọn, die Produktionen	24/1.2a
die	Prodụktqualität,	
	die Produktqualitäten	18/2.5b
	produzieren, er produziert,	
	er hat produziert	24/3.1
der/die	Profẹssor/in,	
	die Professoren/Professorinnen	24/2.1a
der	Profi, die Profis	20/2.1a
das	Profil, die Profile	18/3.3a
	Prọsit Neujahr!	22/1.2a
das	Pụblikum	20/2.1a
	pụtzen, er putzt, er hat geputzt	24/2.5c

Q

die	Qualifikatiọn, die Qualifikationen	21/2.1c
die	Qualität, die Qualitäten	18/2.5a
die	Querflöte, die Querflöten	16/0
das	Quiz, die Quizze	13/3.4b

R

das	Rạdfahren	19/1.1
der	Rạdsport	16/3.2
	rasieren (sich), er rasiert sich,	
	er hat sich rasiert	16/2.5a
	raten, er rät, er hat geraten	18/3.3a
das	Rätsel, die Rätsel	14/3.2a
der	Raum, die Räume	22/1.3
	reagieren (auf etw.),	
	er reagiert auf etw.,	
	er hat auf etw. reagiert	14/3.3a
	recherchieren, er recherchiert,	
	er hat recherchiert	15/2.1c
das	Rẹcht, die Rechte	20/3.3c
die	Redaktiọn, die Redaktionen	20/2.1a
der/die	Redaktẹur/in,	
	die Redakteure/Redakteurinnen	13/1
	reden, er redet, er hat geredet	16/4.2
	regelmäßig	16/2.1a
der	Regenschirm, die Regenschirme	15/0
	regieren, er regiert, er hat regiert	24/3.1
die	Region, die Regionen	20/1
der/die	Regissẹur/in,	
	die Regisseure/Regisseurinnen	23/2.1b

die **Reihenfolge**, die Reihenfolgen 18/3.1b
reinigen, er reinigt, er hat gereinigt 19/4.2c
die **Reise**, die Reisen 15/2.1b
die **Reise (auf Reisen)** 20/2.1a
der **Reiseführer**, die Reiseführer 15/0
reisen, er reist, er ist gereist 13/1
der **Reisepass**, die Reisepässe 15/0
der **Reißverschluss**, die Reißverschlüsse 24/0
reiten, er reitet, er ist geritten 16/1.1
das **Reitturnier**, die Reitturniere 16/3.2
die **Reklamation**, die Reklamationen 17/4.2
reklamieren, er reklamiert,
er hat reklamiert 17/4.2b
der **Rekord**, die Rekorde 13/3
renovieren, er renoviert,
er hat renoviert 16/3.1
der/die **Rentner/in**, die Rentner/innen 18/0
die **Reservierung**, die Reservierungen 15/2.3
die **Restaurant-Kette**,
die Restaurant-Ketten 18/2.5b
der/die **Restaurantkritiker/in**,
die Restaurantkritiker/innen 18/2.7a
der/die **Restaurantmanager/in**,
die Restaurantmanager/innen 18/2.6b
die **Revolution**, die Revolutionen 24/1.2a
richtig 24/3.1
der **Ring**, die Ringe 22/3.2
der **Ritter**, die Ritter 23/2.3b
die **Rolle**, die Rollen 23/2.5a
der **Roman**, die Romane 20/3.3a
die **Romantik** 22/4.1a
der **Rückflug**, die Rückflüge 15/2.2a
der **Rückruf**, die Rückrufe 21/4.4
rufen, er ruft, er hat gerufen 19/4.2a
der **Rundgang**, die Rundgänge 20/2.2c

S

die **Sachbearbeitung** 21/2.3a
saftig 24/3.1
die **Salatgurke**, die Salatgurken 24/3.5b
die **Salbe**, die Salben 19/4.2c
salzig 18/2.4
der/die **Sänger/in**, die Sänger/innen 16/1.4
sauer 23/1.3a
die **Sauerkirsche**, die Sauerkirschen 24/3.5b
die **S-Bahn**, die S-Bahnen 15/4.1
schade 20/2.1a
die **Schallplatte**, die Schallplatten 17/1
der **Schatz**, die Schätze
(hier: Kosename) 17/2.4b
schätzen, er schätzt, er hat geschätzt 13/2.4
schauen (aus dem Fenster),
ich schaue aus dem Fenster,
ich habe aus dem Fenster geschaut 15/4.2
der/die **Schauspieler/in**,
die Schauspieler/innen 23/2.5a

schauspielern, er schauspielert,
er hat geschauspielert 23/2.6
schenken, er schenkt,
er hat geschenkt 14/2.8
die **Schere**, die Scheren 19/4.3
der **Schichtdienst**, die Schichtdienste 21/2.1a
schicken, er schickt,
er hat geschickt 17/2.4a
das **Schicksal**, die Schicksale 23/2.1b
das **Schiff**, die Schiffe 13/1
die **Schiffsschraube**, die Schiffsschrauben 24/1
schminken (sich), sie schminkt sich,
sie hat sich geschminkt 16/2.5a
der **Schmuck** 22/3.1a
schnell 13/1
der **Schulabschluss**,
die Schulabschlüsse 21/2.3a
die **Schulausbildung**,
die Schulausbildungen 21/2.3a
schuld (sein), er ist schuld,
er war schuld 23/2.1b
schützen, er schützt,
er hat geschützt 24/2.1a
der **Schwager**, die Schwager 14/1.1a
der/die **Schweizer/in**,
die Schweizer/innen 16/1.3a
die **Schwiegereltern** (Pl.) 14/2.3
die **Schwiegermutter**,
die Schwiegermütter 14/2.2
der **Schwiegersohn**,
die Schwiegersöhne 14/2.3
die **Schwiegertochter**,
die Schwiegertöchter 14/2.3
schwierig 15/4.3
das **Schwimmbad**,
die Schwimmbäder 16/2.1a
die **Seefahrt**, die Seefahrten 24/1.2a
Sehr geehrte/r ... 21/2.3b
die **Seite**, die Seiten 20/1
der **Sekt** 22/2.1a
selber 14/3.1
**selbstständig (sich selbstständig
machen)**, er macht sich selbstständig,
er hat sich selbstständig gemacht 21/1
selten 15/1.4
das **Semester**, die Semester 13/1.1b
senden, er sendet, er hat gesendet 21/2.3b
die **Sendung**, die Sendungen 16/2.3
die **Serie**, die Serien 13/2.3
die **Serie (in Serie)** 24/2.1a
die **Serienproduktion**,
die Serienproduktionen 24/2.1a
servieren, er serviert, er hat serviert 13/3.5
setzen, er setzt, er hat gesetzt 23/2.8b
der **Shooting-Star**, die Shooting-Stars 23/2.5a
sicher 16/1.3a

die **Sicherheit**	22/4.1a
der/die **Sieger/in**, *die Sieger/innen*	16/1.3a
singen, er singt, er hat gesungen	16/1.1
der **Sinn**, die Sinne	23/1
die **Situation**, die Situationen	23/2.1b
der **Sitz**, die Sitze	24/Ü6a
das **Skype**	17/2.5a
skypen, *er skypt, er hat geskypt*	17/2.5a
das **Smartphone**, *die Smartphones*	15/1.1
die **SMS**	17/2.4a
sogenannt	24/3.1
die **Social Media Plattform**, *die Social Media Plattformen*	17/1
die **Socke**, die Socken	22/3.1a
sofort	15/3.3
sogar	14/3.1
sollen, er soll, er sollte	15/2.1b
die **Sonnenbrille**, die Sonnenbrillen	15/1.1
sonst	18/1
die **Sorge (sich Sorgen machen)**, *er macht sich Sorgen, er hat sich Sorgen gemacht*	14/3.2a
die **Soße**, die Soßen	18/2.8b
sozial	16/2.1a
die **Sozialleistung**, die Sozialleistungen	21/2.1a
der/die **Spanier/in**, *die Spanier/innen*	13/1
Spanisch	13/2.5
spannend	21/2.1a
sparen, er spart, er hat gespart	16/2.1a
das **Speed-Dating**, *die Speed-Datings*	18/3.3a
speichern (etw.), er speichert etw., er hat etw. gespeichert	17/3.2b
spezialisieren (sich), *er spezialisiert sich, er hat sich spezialisiert*	18/2.5b
die **Spezialität**, die Spezialitäten	18/2.2
das **Spiel**, die Spiele	16/4.1a
der **Spieleabend**, die Spieleabende	18/0
die **Spinne**, *die Spinnen*	16/4.3a
das **Sportsendung**, *die Sportsendungen*	16/2.3
spülen, er spült, er hat gespült	14/3.1
staatlich	13/1
das **Stadtschloss**, die Stadtschlösser	20/2.1a
der/die **Stadtführer/in**, *die Stadtführer/innen*	20/3.5
das **Stadtleben**	19/1
der **Stadtplan**, die Stadtpläne	15/1.1
der **Stadtrand**, *die Stadtränder*	13/1
der **Stall**, die Ställe	21/0
stammen, er stammt, er stammte	24/3.1
der **Stammtisch**, die Stammtische	18/1
der **Standard**, *die Standards*	18/2.5a
ständig	16/4.2
starten, er startet, er ist gestartet	20/2.2c
die **Startseite**, die Startseiten	20/2.1a
statt	18/2.3a

der **Stau**, die Staus	19/1.1
der **Staubsauger**, *die Staubsauger*	24/0
das **Steak**, *die Steaks*	13/3.5
stecken, er steckt, er hat gesteckt	17/2.1a
steigen, *es steigt, es ist gestiegen*	19/2.1b
steil	23/2.5a
der **Stein**, die Steine	23/2.1b
die **Stelle**, die Stellen	19/4.2
stellen (Fragen stellen), er stellt Fragen, er hat Fragen gestellt	23/0
die **Stellenanzeige**, die Stellenanzeigen	21/2.1
der **Stellplatz**, die Stellplätze	19/3.1
sterben, er stirbt, er ist gestorben	22/Ü7a
die **Stiftung**, *die Stiftungen*	16/2.1a
der **Stoff**, die Stoffe	22/2.4c
stolz	14/1.1a
stoßen, er stößt, er hat gestoßen	19/4.2a
die **Strecke**, die Strecken	16/1.3a
das **Streichholz**, die Streichhölzer	24/0
der **Streit**, die Streits	23/Ü4c
streng	24/3.1
stressig	16/2.1a
die **Studie**, *die Studien*	16/2.1a
die **Suche (auf der Suche nach etw.)**	13/1
surfen, er surft, er ist gesurft	16/2.7
das **Sushi**, *die Sushis*	18/2.8b
die **Süßigkeit**, *die Süßigkeiten*	22/1.2a
die **Sympathie**, die Sympathien	23/1
sympathisch	23/2.1b
synchronisieren, er synchronisiert, er hat synchronisiert	23/2.5a
die **Systemgastronomie**, *die Systemgastronomien*	18/2.5b

T

das **Tablet**, *die Tablets*	15/1.1
der **Tannenbaum**, die Tannenbäume	22/1.2a
die **Tante**, die Tanten	14/2.1
der **Tanz**, die Tänze	16/3.2
das **Taschenmesser**, die Taschenmesser	22/3.2
das **Taschentuch**, die Taschentücher	21/4.2
die **Tasse**, die Tassen	15/3.3
taufen, *er wird getauft, er ist getauft worden*	14/0
das **Team**, die Teams	21/2.1a
die **Teamfähigkeit**	21/2.1a
technisch	21/1.2
die **Technologie**, *die Technologien*	24/1.2a
der **Teebeutel**, *die Teebeutel*	24/1
der **Teil**, die Teile	15/4.3
teilen, er teilt, er hat geteilt	23/1
teilnehmen (an etw.), er nimmt an etw. teil, er hat an etw. teilgenommen	16/2.1a

die	**Teilzeit**	21/Ü7
das	**Telefonat**, *die Telefonate*	17/0
die	**Telefonnummer**, die Telefonnummern	17/2.3
der	**Teller**, die Teller	23/2.1b
	testen (etw.), *er testet etw., er hat etw. getestet*	18/2.7a
der	**Teufel**, *die Teufel*	20/3.3a
die	**Textiltechnik**	21/1
die	**Theaterkasse**, *die Theaterkassen*	18/0
der/die	**Tierarzt/Tierärztin**, die Tierärzte/Tierärztinnen	17/4.2b
das	**Tischtennis**	16/3.2
der	**Titel**, die Titel	20/1
das	**Toastbrot**, *die Toastbrote*	18/2.8b
der	**Toaster**, *die Toaster*	24/0
der	**Tod**	20/3.3a
	todkrank	23/2.1b
die	**Torte**, die Torten	24/3.1
	tot	14/1.3
die	**Tragikomödie**, die Tragikomödien	23/2.1b
der	**Traktor**, die Traktoren	19/0
	transparent	24/1.2a
die	*Trauer*	23/1
	traurig	16/4.2
die	*Traurigkeit*	23/1
das	**Treffen**, die Treffen	21/4.2
	trennen (sich), sie trennen sich, sie haben sich getrennt	23/2.1b
der	*Trick*, *die Tricks*	23/2.1b
	trocken	22/4.1a
der	**Tropfen**, die Tropfen	19/4.3
	trotzdem	23/2.1b
	tschechisch	16/4.4
das	**Tuch**, die Tücher	22/3.1a
	tun (etw.), er tut etw., er hat etw. getan	13/2.2a
	türkisch	18/2.8a
das	**Turnier**, die Turniere	16/3.2

U

	übernehmen, *er übernimmt, er hat übernommen*	14/3.1
die	**Überraschung**, die Überraschungen	23/1.3a
	übrigens	24/3.1
	um ... zu	24/1.2a
der	*Umschlag*, *die Umschläge*	17/2.1a
die	**Umschulung**, die Umschulungen	21/1
	umsteigen, er steigt um, er ist umgestiegen	15/2.1b
die	**Umsteigezeit**, die Umsteigezeiten	15/2.1b
	umtauschen (etw.), er tauscht etw. um, er hat etw. umgetauscht	17/4.2b

	umziehen (sich), er zieht sich um, er hat sich umgezogen	16/2.5a
	umziehen, er zieht um, er ist umgezogen	19/2.1
die	*Umzugscheckliste*, *die Umzugschecklisten*	19/4.1a
	unangenehm	17/2.1a
	unbedingt	20/2.3
	unbekannt	19/2.1a
der	**Unfall**, die Unfälle	19/4.2b
	ungesund	16/2.7
	unglaublich	17/4.2b
	unglücklich	20/3.3a
	unhöflich	21/4.1
	unterbrechen, er unterbricht, er hat unterbrochen	21/4.4b
der	*Untergang*, *die Untergänge*	23/2.3b
	unterhalten (sich), sie unterhalten sich, sie haben sich unterhalten	16/2.1a
die	**Unterkunft**, die Unterkünfte	14/3.1
	unternehmen, er unternimmt, er hat unternommen	20/2.3
der	**Unterschied**, die Unterschiede	23/1
	unterschiedlich	22/2.1a
die	**Unterschrift**, die Unterschriften	16/2.3
	unwichtig	19/2.6

V

der	*Valentinstag*, *die Valentinstage*	22/1
der	*Vanillezucker*	24/3.1
die	*Variation*, *die Variationen*	24/3.1
	verabschieden (sich), er verabschiedet sich, er hat sich verabschiedet	21/4.4b
die	*Verachtung*	23/1
	verändern, er verändert, er hat verändert	23/2.1b
die	**Veranstaltung**, die Veranstaltungen	20/1
der	*Verband*, *die Verbände*	19/4.3
	verbessern, er verbessert, er hat verbessert	16/1.3a
	verbieten, er verbietet, er hat verboten	19/2.4b
	verbinden (sich verbinden lassen), er lässt sich verbinden, er hat sich verbinden lassen	21/4.4b
die	**Verbindung**, die Verbindungen	15/2.1b
	verbrennen, er verbrennt, er hat verbrannt	19/4.2a
	verbringen, er verbringt, er hat verbracht	13/2.4
der	**Verein**, die Vereine	16/3.1
	vereinbaren, er vereinbart, er hat vereinbart	19/3.2

verfassen, *er verfasst,*
er hat verfasst — 20/3.3a

die **Verfilmung**, *die Verfilmungen* — 23/2.5a

die **Verfolgung**, *die Verfolgungen* — 13/1

das **Vergessen** — 17/2.1a

der **Verkehr** — 19/Ü1a

das **Verkehrsmittel**, die Verkehrsmittel — 15/1.2

der **Verkehrsstau**, die Verkehrsstaus — 19/1.1

verkleiden (sich), *er verkleidet sich,*
er hat sich verkleidet — 22/1.2a

verkürzen, *er verkürzt,*
er hat verkürzt — 19/1.2a

verlassen, er verlässt, er hat verlassen — 13/1

verlieben (sich in), er verliebt sich,
er hat sich verliebt — 20/2.1a

verliebt — 20/2.1a

der/die **Verliebte**, *die Verliebten* — 22/1.2a

vermieten, er vermietet,
er hat vermietet — 19/3.3

Vermischtes — 17/4.1

vermissen, *er vermisst,*
er hat vermisst — 14/3.2a

die **Vermittlung**, die Vermittlungen — 14/3.1

veröffentlichen, *er veröffentlicht,*
er hat veröffentlicht — 24/2.1a

verpacken, er verpackt,
er hat verpackt — 24/3.1

die **Verpackung**, *die Verpackungen* — 24/3.1

verpassen, er verpasst,
er hat verpasst — 24/Ü4a

die **Verpflegung** — 14/3.1

verreisen, er verreist, er ist verreist — 15/4.3

verrückt — 16/3.2

verschenken, *er verschenkt,*
er hat verschenkt — 17/4.1

verschicken, er verschickt,
er hat verschickt — 17/2.4a

verschiedene — 18/2.2

verstecken, er versteckt,
er hat versteckt — 22/2.1a

vertreiben, *er vertreibt,*
er hat vertrieben — 22/1.2a

der/die **Vertreter/in**,
die Vertreter/innen — 20/1

verwenden, er verwendet,
er hat verwendet — 23/2.6

verwitwet — 14/1.3

verzichten, *er verzichtet,*
er hat verzichtet — 15/4.3

verzweifelt — 23/2.1b

vielleicht — 17/2.1

vielseitig — 23/2.5a

die **Visitenkarte**, *die Visitenkarten* — 15/1.1

der **Vogel**, die Vögel — 21/2.3c

die **Vollzeit** — 21/2.1a

vorbeifahren (an etw.),
ich fahre an etw. vorbei,
ich bin an etw. vorbeigefahren — 15/4.2

vorbeilaufen (an etw.),
er läuft an etw. vorbei,
er ist an etw. vorbeigelaufen — 17/2.1b

das **Vorbild**, *die Vorbilder* — 24/1.2a

vorhaben (etw.), er hat etwas vor,
er hatte etwas vor — 19/2.3a

vorher — 18/2.3a

vorlesen, er liest vor,
er hat vorgelesen — 14/3.5b

vorsichtig — 22/Ü7a

vorstellen, er stellt vor,
er hat vorgestellt — 16/2.1a

der **Vorteil**, die Vorteile — 19/2.1a

W

wahr — 22/2.4c

wahrscheinlich — 15/1.2

wandern, er wandert,
er ist gewandert — 16/1.1

die **Ware**, die Waren — 21/Ü4a

warum — 13/2.1b

wechseln, er wechselt,
er hat gewechselt — 18/3.3a

die **Weckfunktion**,
die Weckfunktionen — 17/2.4a

weg (sein), er ist weg,
er war weg — 14/3.2a

der **Weg (sich auf den Weg machen)**,
er macht sich auf den Weg,
er hat sich auf den Weg gemacht — 23/2.1b

weich — 22/2.4c

Weihnachten — 22/1

der **Weihnachtsmann**,
die Weihnachtsmänner — 22/2.1a

der **Weihnachtsmarkt**,
die Weihnachtsmärkte — 24/3.1

das **Weihnachtssymbol**,
die Weihnachtssymbole — 22/1.2a

weil — 13/1

weinen, er weint, er hat geweint — 23/0

das **Weinfest**, *die Weinfeste* — 22/2.1a

weise — 15/4.3

die **Weise**, *die Weisen* — 23/2.1b

weitergehen, *es geht weiter,*
es ist weitergegangen — 14/3.5a

weiterleben, er lebt weiter,
er hat weitergelebt — 23/2.1b

weiterleiten (etw.), *er leitet etw. weiter,*
er hat etw. weitergeleitet — 17/3.2b

weiterlernen, er lernt weiter,
er hat weitergelernt — 13/1

weltberühmt — 20/3.3b

die	**Weltspitze**	24/2.1b
die	**Weltsprache**, die Weltsprachen	13/3.1
	wenige	16/3.3b
	werden, er wird, er wurde	14/3.1
das	**Werk**, die Werke	20/2.1a
	wertvoll	17/4.1
	widmen, er widmet, er hat gewidmet	23/2.1b
	wiegen, er wiegt, er hat gewogen	13/3.5
das	*Wiener Schnitzel*	18/2.2
	wieso	16/4.1b
der	**Winter**, die Winter	22/2.1a
die	**Wirtschaftskrise**, die Wirtschaftskrisen	13/1
das	**Wissen**	13/Ü1c
die	**Wissenschaft**, die Wissenschaften	21/1
	Witziges (etwas Witziges)	22/2.4c
	wohin	18/0
	wohlfühlen (sich), er fühlt sich wohl, er hat sich wohlgefühlt	14/3.2a
die	**Wohnfläche** (Wfl.), die Wohnflächen	19/3.1
das	**Wohnhaus**, die Wohnhäuser	20/2.1a
der	**Wohnort**, die Wohnorte	19/1.2a
die	*Wohnungsanzeige*, die Wohnungsanzeigen	19/3.1
die	*Wohnungsbesichtigung*, die Wohnungsbesichtigungen	19/3.2
	womit	14/3.3
	wovon	16/4.2
	wozu	24/2
die	**Wunde**, die Wunden	19/4.2c
	wundern (sich über), er wundert sich, er hat sich gewundert	23/0
der	**Wunsch**, die Wünsche	16/2.1a
die	*Wurstplatte*, *die Wurstplatten*	18/2.2
die	**Wut**	23/1
	wütend	23/0

Z

	zahlreich	19/1.2a
der	**Zahn**, die Zähne	24/2.5c
die	*Zahnbürste*, *die Zahnbürsten*	15/0
die	**Zahnpasta**	24/1
die	**Zeitung**, die Zeitungen	13/3.3b
	ziehen (zu jmdm.), er zieht zu ihr, er ist zu ihr gezogen	13/1
der	**Zirkus**, die Zirkusse	20/0
	zueinanderfinden, sie finden zueinander, sie haben zueinandergefunden	23/2.1b
	zuerst	16/2.5a
	zufrieden	18/2.4

die	**Zukunft**	21/1
die	*Zukunftsfragen* (Pl.)	16/2.1
	zumachen, er macht zu, er hat zugemacht	21/4.2
	zurechtfinden (sich), er findet sich zurecht, er hat sich zurechtgefunden	23/2.1b
	zurück	15/2.1b
	zurückgehen, er geht zurück, er ist zurückgegangen	13/Ü3a
	zurückkommen, er kommt zurück, er ist zurückgekommen	14/3.2a
	zurückrufen, er ruft zurück, er hat zurückgerufen	21/4.1
	zusammenpassen, sie passen zusammen, sie haben zusammengepasst	17/2.2
die	**Zuwanderung**, *die Zuwanderungen*	13/1
der	**Zweck**, die Zwecke	24/2.5
	zweitgrößte	22/1.2a
der	*Zwilling*, *die Zwillinge*	14/0

Bildquellenverzeichnis

123 Auf 4b (5) Fotolia/Palabra; **123 Auf 4b (6)** Fotolia/Pixel-feger; **124 Auf 6 a re.** Shutterstock/Billion Photos (Gummi-bärchen); **129** Fotolia/kab-vision; **129** Fotolia/hjschneider; **130 ob. re.** Shutterstock/300dpi; **131 Mi.** Shutterstock/Sinoptik61; **132** Fotolia/Africa studio; **135 un.** Fotolia/fotohansel.

Karten: U2 Cornelsen/Carlos Borrel, **S. 79** Cornelsen/Dr. V. Binder

Textquellen

S. 31 ob. Erb, Elke „Bewegung und Stillstand" aus: „Vexierbild", Aufbau-Verlag Berlin, Weimar 1983; **un. li.** Maar, Paul „Schwierige Entscheidung" aus: „Dann wird es wohl das Nashorn sein", Beltz & Gelberg, Weinheim, Basel 1988; **un. re.** Joachim Ringelnatz „Die Ameisen" aus: „Sämtliche Gedichte", Diogenes 2005